MAXIME CHATTAM

Né en 1976 à Herblay, dans le Val-d'Oise, Maxime Chattam fait au cours de son enfance de fréquents séjours aux États-Unis, à New York, à Denver, et surtout à Portland (Oregon), qui devient le cadre de *L'âme du mal*. Après avoir écrit deux ouvrages (qu'il ne soumet à aucun éditeur), il s'inscrit à 23 ans aux cours de criminologie dispensés par l'université Saint-Denis. Son premier thriller, *Le 5e règne*, publié sous le pseudonyme Maxime Williams, paraît en 2003 aux éditions Le Masque. Cet ouvrage a reçu le Prix du roman fantastique du festival de Gérardmer. Maxime Chattam se consacre aujourd'hui entièrement à l'écriture. Après la trilogie composée de *L'âme du mal*, *In tenebris*, et *Maléfices*, deux nouveaux romans, *Le sang du temps* (Michel Lafon) et *Les Arcanes du Chaos* (Albin Michel), ont respectivement paru en 2005 et 2006.

Retrouvez toute l'actualité de Maxime Chattam sur
www.maximechattam.com

LE SANG DU TEMPS

MAXIME CHATTAM

LE SANG DU TEMPS

MICHEL LAFON

© Éditions Michel Lafon, 2005.
ISBN : 978-2-266-16753-6

La lecture est une expérience toute personnelle. Une exaltation folle qui naît d'une rencontre. Celle de taches noires sur des fragments de bois traité avec un esprit. Un cerveau qui vient capter les mots et les interpréter. Selon ses sensibilités. Le moteur de tout récit est l'esprit du lecteur, son imagination est son carburant. L'auteur ne fait que décrire un paysage plus ou moins malléable, et il s'applique à ce que le lecteur suive le rail de sécurité.

Mais tout est question de sens.

Et je souhaiterais vous faire partager mon expérience de lecteur, avant de vous laisser en tête à tête avec ces pages.

J'ai longtemps aimé le silence pour lire.

La quiétude d'un néant quelconque, impersonnel, pour savourer pleinement le cataclysme sonore des mots.

Puis j'ai fait un effort. Celui de la musique pour lire.

La musique symphonique. Au départ, je n'étais vraiment pas tenté. Puis cette idée m'a séduit. La perception de la lecture est une affaire de sens. Et la musique vient en ajouter de pleines bouffées.

Lire un roman chez soi avec la musique qui flotte

tout autour, ou dans une rame de train, le baladeur rivé aux oreilles, ou même sur son lieu de travail, pendant la pause déjeuner, un CD glissé dans l'ordinateur, le casque branché à l'unité centrale, et c'est la magie de l'imaginaire qui s'opère.

Croyez-moi, si vous n'êtes pas déjà adepte, c'est une expérience à tenter.

Avec une musique enivrante, la puissance déjà inouïe de la lecture se décuple.

Mais pas avec n'importe quelle musique.

Bien choisir sa musique d'accompagnement est aussi difficile que de bien choisir le prochain livre que l'on va ouvrir.

D'habitude lorsque j'écris, je m'interdis tout type de distraction, tout élément qui pourrait me faire dévier de mon objectivité (si ténue soit-elle). Pour ce roman, j'ai procédé autrement... Par curiosité, pour savoir ce que cela pourrait avoir comme effet sur moi.

J'ai eu de la chance, j'ai trouvé du premier coup LA musique du roman.

Ou peut-être est-ce le livre qui s'est inspiré de ses sonorités.

Je fonctionne avec des musiques de film. Elles sont parfaites. Créées pour sonoriser de l'image sans pour autant la supplanter. Les bandes originales de film sont composées dans l'idée d'être partagées, elles ne s'imposent jamais seules, le compagnon idéal de la lecture.

Voici en quelques disques mes conseils, si d'aventure vous décidiez de suivre mon avis pour cette lecture qui vous attend. Cela demande un minimum de préparation certes, toutefois je suis sûr que vous en serez émotionnellement récompensé.

Si vous êtes tenté, avant même de lire le premier chapitre, essayez de vous procurer la musique du film

The Village par James Newton Howard. Attention, pas d'amalgame, on ne parle pas du film ici, peu importe qu'on l'ait aimé ou détesté. La musique, elle, est enivrante.

Ce disque devrait vous servir de compagnon idéal pour ce roman. Je l'ai écouté en boucle, jour après jour, pendant toute l'écriture de la partie sur le Mont-Saint-Michel. Inlassablement.

Si vous souhaitez pousser la curiosité et le plaisir plus loin encore, alors il vous faudra trouver un deuxième disque pour toute la partie sur l'Égypte. Pour cela, deux possibilités en ce qui me concerne : soit *Passion* de Peter Gabriel, un must. Soit *La Passion du Christ* composée par John Debney, dont les sonorités mystérieuses et arabisantes devraient vous porter loin, très loin dans cette contrée étrange qu'on nomme imagination.

Je vous ai tout dit. Mon secret de lecteur est désormais vôtre.

En ce qui me concerne, la musique a changé ma perception de lecteur. Les histoires ont pris davantage encore de densité émotionnelle – ce que j'aurais bien cru impensable auparavant. Je me suis senti comme un pâtissier amateur qui découvre l'existence de la levure.

Bien sûr, il ne s'agit que de conseil, mais c'est comme les bons petits restos, entre ami(e)s, on aime se les refiler, doucement, comme un secret tendre. Avec un sourire en coin de bouche, et l'envie d'être là, la première fois que l'ami(e) en question entrera dans la place, le regard émerveillé. En tout cas, moi je serai là pendant votre lecture, j'espère simplement voir ce sourire naître sur vos bouches.

Pour finir, en ces temps de défiance, je me permets

de vous rappeler que la machine à voyager dans le temps existe. C'est la magie.

Et la magie existe bien. Dans les mots.

C'est la clé de cette histoire.

Bonne lecture...

Maxime CHATTAM
Edgecombe, le 12 octobre 2004.

« Seul celui qui porte la charge sait combien elle pèse. »

Proverbe arabe

« Les hommes trébuchent parfois sur la vérité, mais la plupart se redressent et passent vite leur chemin comme si rien ne leur était arrivé. »

Sir Winston Churchill

PROLOGUE

Tombeaux des Califes
à l'est du Caire, mars 1928

Le soleil couchant filtrait au travers d'un ancien tombeau, transperçant sa structure immense d'une fenêtre à l'autre, comme un œil rouge, teintant la pierre d'un sang fugace. La nécropole avait tout d'une ville hantée : ses rues désertes, ses constructions habitées par le sable et les courants d'air, et ses ombres de plus en plus denses.

Les monuments abîmés s'égrenaient entre des mausolées plus modestes, ils étaient démesurés, bâtisses de plusieurs étages surmontées de coupoles vertigineuses, flanqués de minarets muets, avec leurs cours, leurs fontaines désormais assoiffées, leurs « loggias » spacieuses et partout ces ouvertures obscures, fenêtres en accolade ou trou destiné à jouer avec la lumière.

Le sable des rues se souleva d'un coup, transporté par le vent du crépuscule.

Des débris de pierre sortaient du sol, stèles grossières renversées par les siècles.

Plusieurs hectares de tombes larges et majestueuses, dignes de palais, attendaient aux portes du Caire, comme le dernier espoir avant le désert. Un espoir tari et oublié.

Non loin vers l'est, des collines dansaient sous les

remparts de la ville, à l'image d'une houle étrangement fossilisée. Des collines non de terre ou de sable, mais de détritus. Huit siècles de débris abandonnés ici par des citadins organisés. Des tas de gravats, de tessons de poterie, de fragments de pierre sculptée, en une mer de vestiges pittoresques.

Les dernières silhouettes qui y avaient travaillé accroupies se dispersaient en direction de Bab Darb el-Mahrug, une porte donnant accès au quartier d'El-Azhar. Un groupe de trois gamins se chamaillait, comme bien souvent ici, pour un morceau d'émail qui pouvait se revendre aisément. Il s'agissait de savoir lequel des trois l'avait vu en premier parmi les gravats. Le plus vieux avait douze ans.

Les enfants venaient creuser les débris tous les jours, cherchant la plus insignifiante miette vaguement historique qui pourrait rapporter un peu d'argent en étant proposée aux touristes fortunés qui arpentaient Le Caire.

Pour une fois la dispute ne vira pas à l'affrontement et le plus âgé laissa les deux autres partir avec leur trophée en échange de quelques menaces quant à leur sort prochain s'il les revoyait fouiller dans les parages.

Seleem, qui observait la scène depuis les marches d'un tombeau, se leva enfin. Plus d'une heure qu'il attendait là qu'ils soient tous partis. Il ne voulait pas prendre le risque d'être vu.

Sa présence dans la nécropole était trop importante pour cela.

Et secrète.

À présent que le soleil se couchait, Le Caire s'illuminait peu à peu, cité ocre se colorant progressivement des brillances modernes d'immeubles à l'européenne. Une forêt de minarets dépassait du vieux mur de la cité.

16

Seleem voyait sa ville comme peut le faire un enfant de dix ans qui n'a jamais franchi le Nil. Avec le sentiment que le centre du monde se trouve au cœur de ces ruelles.

Rien n'était plus beau et important que Le Caire.

Sauf peut-être, ce soir, ce rendez-vous.

Il adorait les légendes. Et il était sur le point d'en vivre une. On le lui avait promis.

Il devait être l'heure.

Seleem descendit les marches et longea un mur interminable. Il dépassa la mosquée funéraire de Bars Bey jusqu'à ce qu'il trouve l'endroit qu'on lui avait indiqué.

Un passage étriqué qui s'enfonçait entre deux mausolées élevés.

Des esquilles de bois jonchaient le sable.

Seleem regarda où il posait le pied et entra.

Il faisait noir, les premières étoiles ne suffisaient pas à éclairer le goulet.

Seleem marcha jusqu'au fond de ce qui se révéla être une impasse, et il attendit.

La nuit était tombée, et à présent les étoiles scintillaient avec force au-dessus des tombeaux des califes.

Seleem hurla une première fois.

L'écho de son cri remonta dans les structures vides qui l'entouraient. Sans raisonnement aucun, d'instinct, il venait d'inventer un langage dont ce cri était la plus originelle des définitions.

Il venait de donner une substance à la terreur.

Avant que le bout de ses mèches de cheveux ait terminé de blanchir, il put hurler une deuxième fois.

Cette fois, il parla le langage de la douleur.

Un chien errant délaissa le morceau d'étoffe qu'il avait trouvé et tourna la tête en direction de l'impasse. Les hurlements venaient de s'interrompre.

Le chien ouvrit la gueule et laissa pendre un bout de langue humide. Il prit la direction du passage.

Il s'arrêta à l'entrée, au pied des ombres épaisses.

Avant de remonter vers la source de ces cris.

Sa curiosité canine se dissipa après quelques mètres, lorsqu'il huma ce qui hantait l'air au fond de cette impasse.

Ses yeux percèrent la nuit, jusqu'à la forme trapue qui bougeait au-dessus du corps d'un enfant.

La forme se déplia, grande.

L'odeur se répandit jusqu'à la gueule du chien.

Et l'animal se mit à reculer.

Lorsque la forme avança vers lui, le chien urina.

Il urina sur lui-même.

Le vent souleva son offrande de sable et l'emporta avec lui, au loin, dans les mystères du désert.

Paris, novembre 2005

1

Paris grondait.

Une tempête d'indignation secouait la ville tout entière. Le tonnerre des rassemblements citoyens frappait les façades haussmanniennes, résonnant dans les goulets des grands boulevards jusqu'aux ministères.

Un ciel de plomb reposait à même les toits depuis le début du scandale, étouffant la capitale comme une écharpe trop serrée.

Jamais la France n'avait connu pareil mois de novembre.

Si glacial et pourtant si électrique. La presse en faisait son pain quotidien depuis trois semaines, certains journalistes n'avaient pas peur d'affirmer que novembre 2005 allait reléguer Mai 68 au rang d'escarmouche anecdotique si les choses continuaient ainsi.

Les kiosques à journaux défilaient à la manière de bornes kilométriques sur l'une des vitres arrière de la puissante berline, distillant leur information à dose régulière, vitale pour la survie en milieu civilisé. Toutes les unes déclinaient l'Affaire selon l'affût de leur plume, il n'y avait plus guère de place pour le reste de l'actualité.

La berline longea un imposant camion.

Subitement, le reflet d'un visage apparut sur cette vitre arrière.

Marion eut un imperceptible mouvement de recul en se faisant face aussi brutalement.

Son visage était celui d'un fantôme. Ses traits doux ne suffisaient plus aujourd'hui à la rendre agréable au regard, elle était devenue trop pâle, sa lèvre fendue lui barrait la bouche comme la virgule d'une phrase en suspens pour longtemps, ses cheveux couleur sable trahissaient quelques mèches blanches et, surtout, ses yeux avaient perdu tout éclat, le jade inquisiteur et flamboyant avait laissé la place à deux braises mourantes.

Elle approchait la quarantaine, et la vie venait de lui faire un sacré cadeau.

Le cuir crissa lorsque l'homme à ses côtés se pencha vers le chauffeur pour lui demander de prendre à droite. Marion cligna les paupières pour oublier son visage.

Trois mâles aussi virils que sibyllins l'entouraient dans cette voiture silencieuse. Des hommes de la DST.

Direction de la Surveillance du Territoire.

Le sigle sonnait d'un écho lourd et un peu effrayant.

Surtout pour Marion, qui n'avait jamais eu de problème avec la justice, qui n'avait été arrêtée par la police qu'une seule fois dans sa vie pour un banal contrôle d'identité, et dont la profession de secrétaire à l'Institut médico-légal de Paris était la seule originalité – si tant était qu'elle en fût une.

Elle s'était toujours sentie comme identique aux millions d'autres personnes qu'elle frôlait dans ce pays, happée par l'engrenage du travail, levant la tête un peu plus haut après chaque année pour se maintenir à flot et pouvoir respirer.

Rien chez elle ne la prédisposait à se retrouver un jour dans cette voiture, en route vers l'inconnu.

Jusqu'à son retour de vacances, début octobre.

Jusqu'à ce matin, très tôt, où elle était entrée dans la froide salle d'autopsie. Chaque détail était inscrit dans son esprit. Même le balbutiement des néons lorsqu'elle avait appuyé sur l'interrupteur. Elle revoyait les lueurs blanches brillant sur le carrelage, l'inox immaculé de la table de dissection. Ses talons avaient résonné à chaque pas. L'odeur d'antiseptique ne masquait pas totalement celle, plus âpre, de la viande froide. Elle n'était là, si tôt ce matin, que pour trouver le docteur Mendès, qui n'était ni ici ni dans la réserve adjacente.

Et Marion avait fait demi-tour, pour retraverser la salle.

Ses yeux étaient tombés dessus par hasard, comme attirés.

Ce n'était pas très voyant, à peine le format d'une bande dessinée.

Mais cela avait changé toute sa vie.

Jusqu'à ce que la DST vienne la voir pour lui annoncer qu'elle allait mourir.

Probablement.

Sauf si elle acceptait de disparaître. Pour un temps au moins, le temps que les choses se calment, qu'on lui trouve une place, qu'on compte avec elle, qu'un système se mette en branle.

Tout avait été si vite.

La paranoïa est un virus qu'il suffit de transmettre dans les bonnes circonstances pour qu'il se développe tout seul. Dès lors Marion avait aperçu des ombres dans son sillage, des individus passant la nuit devant chez elle, dans des voitures sombres, son téléphone avait une curieuse résonance comme s'il était sur écoute.

Puis l'agression.

Elle avala sa salive, se passa la langue sur les lèvres. La coupure était encore là.

Un avertissement.

Marion avait accepté de disparaître.

Avant que les médias ne découvrent l'identité de cette femme par qui le plus grand scandale de la Ve République avait éclaté, avant que d'autres personnes, autrement dangereuses cette fois, ne reviennent à la charge.

L'homme de la DST qui l'avait prise en charge lui avait seulement dit d'emporter des vêtements chauds, et ses affaires les plus personnelles, car elle ne reviendrait plus chez elle avant longtemps, ce pouvait être un mois, peut-être un an. Elle ignorait tout de sa destination.

Le véhicule aux vitres noires passa sous le tunnel de la Défense en direction de l'autoroute A13 et disparut en quelques minutes vers l'ouest, s'évaporant dans la colère et dans l'horizon gris-blanc qui cernait Paris.

Le parfum de l'iode donna un premier indice à Marion, mais la nuit tomba trop vite pour lui laisser le temps d'apercevoir des repères dans le paysage. Elle reposa sa tête en arrière sur la banquette, remonta sa vitre et se contenta de suivre des yeux les rares lumières. Son avenir n'était pour l'heure qu'un feulement dans la nuit, un doute se déplaçant à cent trente kilomètres à l'heure, fusant vers l'inconnu.

Elle rouvrit les yeux tandis que la voiture remontait une route perdue, sans rien d'autre de part et d'autre que le néant. Marion perçut l'imminence de l'arrivée et se colla à la vitre telle une enfant impatiente et peu rassurée. Le véhicule ralentit et tourna sur la gauche avant de s'immobiliser contre un haut mur de pierre.

Le passager avant sortit aussitôt et vint ouvrir la porte pour qu'elle puisse sortir. Ankylosée par le voyage, Marion déplia ses longues jambes avec difficulté. Elle se redressa doucement, tout engourdie par le sommeil. Ils se trouvaient au pied d'un mont escarpé.

Des constructions anciennes jaillissaient de la pente pour former un conglomérat de fortifications et d'habitations dignes d'un film médiéval.

Puis la lune transperça les nuages bas, elle braqua son projecteur d'argent sur le sommet.

Et des ténèbres s'éleva une tour colossale, dominant toute la baie, son assise écrasant à des kilomètres à la ronde toute prétention architecturale.

Marion ferma les yeux en soupirant.

Dans son dos un des hommes venait de poser sur le sol ses deux valises.

Elle était arrivée au pied de ce qui allait être sa retraite dans les semaines, peut-être les mois à venir.

Le Mont-Saint-Michel.

Aussi fugacement qu'il était apparu, le sommet sombra dans l'obscurité alors que la lune se repliait derrière son tamis nocturne, tel un insecte glissant à l'abri du prédateur.

2

Le vent se leva d'un coup pour plaquer son étau sur Marion, ses vêtements claquèrent dans la nuit. Un des hommes qui l'accompagnaient tourna la tête vers elle. Son regard était froid, « froid comme ce départ, froid comme dans les mauvais films », songea Marion. Il la fixait et cligna les paupières. Pendant une seconde elle perçut l'homme derrière le professionnel, de la miséricorde sous l'austérité. Deviner qu'elle était la destinataire de cette pitié la blessa, son cœur se creusa.

Sous une tour près de l'entrée principale, des gonds métalliques se mirent à gémir. Une étroite poterne perça un trou dans la muraille en s'ouvrant.

Une frêle silhouette se détacha du mur pour s'avancer vers le groupe. Elle tendait une lanterne brillant à peine devant elle comme si c'était l'objet qui la guidait et la tirait dans le noir, et se tenait drapée dans une robe qui se déformait sous les coups des rafales de plus en plus féroces. Elle leva une main précipitamment pour tenir la coiffe de toile qui dissimulait son visage. Le conducteur de la berline s'approcha d'elle et ils échangèrent quelques mots que la distance et le vent rendaient presque inaudibles.

Puis il revint vers Marion.

C'était le seul dont elle avait entendu la voix. Il s'adressa à elle en se penchant, pour ne pas avoir à parler trop fort malgré les bourrasques. Ses yeux ne se posaient pas sur Marion ou rarement, ils nageaient au-dessus, vers le lointain, déjà préoccupés par un ailleurs.

— Anne va vous conduire vers votre nouveau chez-vous, faites-lui confiance, elle nous a déjà rendu ce genre de service, elle sait ce qu'il faut faire, écoutez-la. Désolé de ne pas avoir la galanterie de monter vos valises, moins de temps nous resterons mieux ce sera.

Marion ouvrit la bouche pour protester mais aucun son ne sortit.

— Vous aurez de nos nouvelles par le biais d'Anne dès que les choses avanceront.

— Mais... vous n'allez pas... voir ou, je ne sais pas, fouiller ma chambre ou faire...

Un demi-sourire se dessina sur les lèvres de son vis-à-vis. Elle y lut une certaine tendresse pour sa propre naïveté.

— Ça ne sera pas nécessaire, rétorqua-t-il, tranchant. Vous ne craignez rien ici. Faites-moi confiance, au moins là-dessus.

Elle sentit qu'il allait se tourner et posa sa main sur son bras.

— Comment... comment je fais pour vous joindre si...

— Le numéro de portable que je vous avais donné la première fois, appelez-moi dessus si besoin est. Maintenant je dois y aller.

Il guetta sa réaction un instant puis plissa les lèvres en hochant doucement la tête.

— Bon courage, ajouta-t-il avec plus de gentillesse dans la voix.

Puis il s'éloigna et fit signe à ses deux compagnons de remonter dans la voiture.

Quelques secondes plus tard le véhicule avait disparu sur la jetée, laissant dans son sillage deux minuscules taches rouges au giron de la nuit.

— Venez, ne restons pas ici, fit-on dans son dos.

La voix était apaisante, douce. Marion se tourna pour lui faire face. Sous l'étrillage des éléments, Anne paraissait plus vulnérable et fragile qu'une jeune pousse dans la tempête. Le vent tannait âprement les myriades de rides profondes qui creusaient ses traits.

— Rentrons, insista-t-elle. Je vais vous conduire jusque chez vous où vous pourrez vous reposer.

Jusque chez vous.

Marion déglutit plus difficilement.

Tout allait trop vite, elle ne contrôlait plus rien ; elle subissait avec une neutralité déconcertante.

Déjà Anne marchait vers la poterne, soulevant une des deux valises.

La suite tint davantage de l'onirisme que du libre arbitre. Marion se rappela plus tard avoir monté une ruelle étroite, aux façades anciennes de pierre et de bois. Plusieurs marches et un goulet serpentant sous de minuscules bâtisses, en lisière d'un cimetière sinistre.

La porte s'était refermée et Anne avait levé les yeux dans sa direction. Des yeux bleus lisses et déterminés, en opposition avec le reste du visage.

— Voici votre nouvelle maison... avait-elle dit.

Cela et d'autres mots, lointains. Des mots dénués de sens, de logique, de vie.

Des mots qui voyagèrent un instant entre les deux femmes avant de se perdre dans la fatigue. La lumière de l'entrée était allumée, elle tanguait comme sur un navire. Elle brillait de plus en plus fort. Aveuglante.

Marion ferma les yeux.

Les jambes tremblantes par l'effort de l'ascension. Le souffle absent.

De ce qui se passa ensuite, elle ne se souvint plus.

Sauf du courant d'air lorsque la porte s'ouvrit.

Et du grave ronflant qui vibra dans la voix d'un homme.

3

Un reliquat de Babel.

Voilà ce qu'était Le Mont-Saint-Michel. Un doigt fier pointé vers les cieux. Marion n'y voyait pas la merveille de dévotion religieuse mais plutôt une tentative orgueilleuse de se rapprocher de Dieu. Une mouette ricana en rasant la paroi vertigineuse qui tombait sur plus de soixante-dix mètres. Marion se tenait penchée en avant, les mains posées sur le muret de pierre, dominant toute la baie noyée sous la brume. Une marée laiteuse refluait peu à peu, elle léchait les remparts en laissant échapper quelques bras de fumée. La nappe blanche molletonnait absolument tout, rien n'en réchappait, aucun mât perdu, aucune falaise lointaine, pas même la digue qui opérait la jonction avec la terre.

Le Mont jaillissait de cette mer, colossal, comme le tranchant d'un silex patiemment sculpté et posé sur un immense écrin de nacre.

Marion tourna le dos au spectacle pour faire face au parvis de l'église abbatiale qui s'étendait à ses pieds.

— Nous sommes sur la terrasse de l'ouest, expliqua sœur Anne. En dehors de l'escalier de dentelle qui se trouve sur le toit de l'église, on ne peut jouir d'une vue plus agréable.

Comme pour chaque commentaire de la sœur, Marion se contenta d'un bref hochement de tête. Elles avaient remonté ensemble la Grande Rue puis escaladé les deux « grands degrés » – deux longues séries de marches pour accéder au toit du monde –, sœur Anne endossant le rôle de guide pour l'occasion.

— Je vais vous présenter notre communauté, ils sont aussi impatients de faire votre connaissance qu'ils savent être discrets quant à votre présence parmi nous.

Marion jeta un dernier coup d'œil sur la vue. La brume coulait au-dessus du sol comme si le Mont et ses habitants dérivaient tous, vers le large.

Elle ferma les yeux un bref instant. Dériver. C'était le mot qui la caractérisait le mieux depuis quelques jours.

Se réveiller dans ce lit étranger lui avait aussitôt donné la nausée. L'angoisse sourde qui enserre la poitrine lorsque la situation semble déborder en toute direction, loin de tout contrôle.

Anne s'approcha d'elle. Elle ébaucha un sourire rassurant. Le vent glacial insistait sur la blancheur de son visage. Des rides se creusèrent entre des segments parfaitement lisses. Marion songea à un masque plissé, comme une peau de crème sur le lait chaud.

— Je sais ce que vous ressentez, fit doucement la religieuse, à présent toute proche.

Elle passa une main dans le dos de Marion.

— La confusion tonne là-dedans, n'est-ce pas ? ajouta-t-elle en posant un index sur sa tempe. Avec un peu de temps ça passera. Faites-moi confiance.

Marion fixa la petite femme.

— Vous avez l'habitude de ça ?

À peine prononcée, la phrase disparut, balayée par le vent. Marion s'en voulut. Tout son désarroi avait transpiré dans son ton, dans la faiblesse de sa voix. Elle

32

avait toujours détesté montrer ses failles, ses peines ou ses inquiétudes.

— Pas comme vous l'imaginez, répondit sœur Anne. J'ai en effet déjà rendu ce service. Mais ça n'est pas... habituel.

Marion la dévisageait toujours.

— Je vous le dis maintenant, ainsi ça sera fait : je ne sais rien des raisons qui vous ont conduite ici, et cela ne m'intéresse pas. Je veux juste vous aider à faire en sorte que votre passage parmi nous soit le plus agréable possible.

Elle soutint le regard de Marion, sans défiance ni dureté.

— Pour tout le monde, reprit-elle. Agréable mais discret. Personne d'indésirable ne viendra vous chercher sur le Mont, n'ayez crainte. C'est le lieu idéal pour passer ces quelques semaines, ou mois. Tout aussi reculé qu'il est connu de la planète entière. Vous allez vous fondre dans le décor.

Elle frictionna le dos de Marion.

— Le temps que vous retrouviez des repères, je serai avec vous, tout ira bien. Vous verrez.

Marion ouvrit la bouche pour parler, mais ne parvint pas à expulser l'air. Elle devait faire peur, pensa-t-elle. Avec ses cheveux virevoltant au gré des rafales, sa lèvre abîmée et ses yeux hagards. *Une vieille harpie, voilà ce que tu es... Une harpie décatie par les événements.* Dépassée *par les événements. Noyée, même.*

— Ne tardons pas, tout le monde est en effervescence ici, ils n'auront pas beaucoup de temps à nous accorder, avec la tempête qui vient.

— La tempête ? répéta doucement Marion.

— Oui, vous n'avez pas entendu les inf... On annonce quelques jours comme la côte n'en a plus connu depuis plusieurs siècles, une tempête énorme, l'armée a même été mobilisée dans les campagnes pour aider à préparer les habitations et à élaguer en urgence. Tout le monde ici s'active à rendre le Mont le plus étanche possible, tout en protégeant ce qui doit l'être.

Sœur Anne scruta l'horizon à l'ouest.

— On pourrait croire qu'il va faire beau, que ce tapis de brume va se lever sur une journée ensoleillée. Mais ce soir, ce sera la guerre.

Elle gloussa en dévoilant ses dents, ses yeux brillaient d'excitation.

— Allez, venez, vous avez du travail. Toute une liste de prénoms à apprendre, avec les visages qui leur correspondent, bien sûr.

Marion rentra ses mains dans les poches de son manteau de laine.

Elle emboîta le pas de sœur Anne et pénétra dans l'église abbatiale.

Le soleil d'est se dissolvait en une gigantesque flaque grise et aveuglante qui baignait les hautes ouvertures du chœur. Une longue procession de colonnes massives bordait l'allée centrale jusqu'au transept. Depuis l'entrée, toute l'architecture convergeait vers le chœur flamboyant en une sorte de trompe-l'œil, comme si la nef n'était autre qu'un prolongement des entrailles de la terre, vers l'élévation suprême tout au bout, sous les hautes fenêtres, au pied de l'autel.

La sensation d'abandon ne dura que quelques secondes, cela suffit pourtant à Marion pour se libérer d'un poids sur la poitrine, comme un excédent de souffle resté trop longtemps dans les poumons, chassé d'un coup par une expiration plus spontanée. Depuis qu'elle était arrivée – *non ! depuis plusieurs semaines...* – Marion ne parvenait pas à faire le vide dans son esprit, à ne pas se sentir écrasée par la situation. Chacun de ses mots, chacune de ses actions étaient motivés par – ou par la conséquence de – cette fuite. Et pour la première fois, elle avait ouvert les yeux et contemplé, sans aucune pensée en rapport avec son exil.

La majesté de l'endroit l'avait lavée pour un instant de ses maux.

Un semblant de sourire se dessina sur ses lèvres.

Marion leva la tête vers le plafond. À bonne hauteur, les arches d'un déambulatoire formaient des taches d'ombre opaques.

Celles-ci n'étaient pas parfaitement fixes, elles tournaient sur elles-mêmes et s'étiraient comme si de longs draps de soie noirs se mouvaient autour de chaque arche.

Marion guetta, le nez en l'air.

Le vent entrait dans son dos par la porte restée ouverte.

Les flammes de quelques cierges dansaient en trébuchant dangereusement sur cette brise de plus en plus prononcée.

Marion entendait les pas de sœur Anne qui s'éloignait dans la nef sans lui prêter attention.

Elle se sentit observée.

De petits cheveux sur sa nuque se raidirent.

À mesure qu'elle en prenait conscience, le sentiment se diffusa avec de plus en plus d'assurance.

Sa bouche était pâteuse. Elle connaissait cette paranoïa fulgurante. Les semaines passées les avaient toutes deux rapprochées pour en faire de véritables rivales au sein d'une compétition acharnée dont l'enjeu était la sérénité. Un match quasi quotidien. Et la paranoïa n'avait besoin, pour être lâchée, que d'une once d'inquiétude, ensuite elle se propageait comme de l'huile enflammée sur une mare.

Marion avala sa salive, se forçant à couper court à toute spéculation, à toute imagination, pour évacuer cette angoisse en lui refusant tout combustible.

La sensation s'estompa.

Sœur Anne avait disparu en tournant dans le bras nord du transept.

Marion se remit en marche, longeant les rangées de bancs froids. Elle jeta tout de même un bref regard vers les arches sombres avant de tourner.

Le déambulatoire qui s'étendait derrière ces bouches mystérieuses était toujours aussi invisible. Et les ombres toujours en mouvement.

Sœur Anne l'attendait devant un escalier s'enfonçant dans les profondeurs de l'édifice. Ses yeux scrutèrent Marion pour s'assurer que tout allait bien et la petite femme s'engagea la première sur les marches. Elles débouchèrent au niveau inférieur, dans une chapelle confinée, avec moins de dix bancs minuscules, une poignée de bougies allumées et un plafond arrondi très bas qui renforçait l'impression de chaleur et d'intimité. Un clair-obscur ambré tremblait sur les murs de la crypte Notre-Dame-des-Trente-Cierges.

Là, dans la pénombre du dernier banc, sept silhouettes immobiles attendaient, la tête penchée sous un masque de tissu. Sept statues de piété aussi immuables que de la pierre.

Toutes les sept étaient revêtues d'un habit religieux.

Elles portaient toutes des visages grossiers, inhumains, aux traits irréguliers, maladroits, avec des bouches distordues, des yeux monstrueux comme autant de gargouilles fixant l'autel de la crypte.

Puis la magie du Mont s'ébranla.

Et la pierre se changea.

L'étoffe d'une bure se plissa doucement.

Et une main apparut tout à coup. Elle se leva pour faire le signe de croix et le masque de tissu se contracta en arrière tandis que le prêtre faisait tomber sa capuche.

Ils étaient quatre hommes et trois femmes.

Le plus frappant était l'homogénéité morphologique qui les liait.

En dépit d'un frère beaucoup plus grand que les autres, les six suivants étaient de la même taille, et d'un gabarit relativement mince, comme coulés dans le même moule.

« Déformation professionnelle, se dit Marion. Trop de rapports d'autopsie à rédiger au propre et à archiver, tu focalises sur l'aspect extérieur des gens : leurs données physiques ! »

C'était vrai, elle ne pouvait le nier. Son métier débordait sur son jugement. Lorsqu'elle rencontrait de nouvelles têtes, il lui arrivait très souvent de voir d'abord une donnée statistique funèbre en rapport avec l'apparence. Un homme bedonnant, la peau flasque et la cinquantaine manifestement bien festive lui inspirait l'attaque cardiaque, tandis que le col blanc aux tendons éternellement saillants sous la gorge à cause du stress faisait jaillir le spectre de la rupture d'anévrisme.

Là où d'autres avaient tendance à cataloguer les gens d'après leur catégorie socioprofessionnelle ou en fonction de leur culture générale, elle le faisait selon les circonstances probables de leur décès.

Sœur Anne se frotta les mains en se tournant vers Marion.

— Voici une partie de notre communauté, dit-elle. Marion, je vous présente le frère Damien.

L'intéressé sortit du rang pour venir saluer la nouvelle venue. Il avait une quarantaine d'années, sa capuche rabattue dévoilait des cheveux gris coupés court et un visage replet qui contrastait avec sa silhouette plutôt svelte. Une certaine joie de vivre l'animait. Il salua Marion en inclinant le menton, son regard sans cesse en mouvement.

Hyperactif, toujours enjoué dirait-on, le genre à manger trop vite, à avaler sans mâcher. Mourra probablement d'une fausse route.

Elle adorait cette expression. Mourir d'une fausse route. Pour ne pas dire : « décès par suffocation due à la présence d'un corps étranger dans les voies aériennes ». Le classique du dimanche après-midi qui tourne au cauchemar. Un déjeuner avec du monde, bien arrosé, où on mange avec appétit, et là, la bouchée de trop, avalée trop vite, sans bien y réfléchir. L'aliment qui se coince dans la gorge. Et la panique qui s'empare du gourmand impatient. On les retrouvait le dimanche soir, alignés dans le sous-sol de l'Institut médico-légal les uns derrière les autres sur leur chariot en aluminium, pendant que les proches hurlaient quelque part que c'était impossible, qu'on ne pouvait pas mourir, pas un dimanche aussi paisible, pas comme ça.

Marion en avait vu passer tellement, de « morts impossibles » comme celle-là, en dix ans de carrière.

C'était décidé, frère Damien serait « frère fausse route ».

Laisser libre cours à son petit jeu idiot lui faisait un bien fou. Elle se détendait, elle se retrouvait.

Suivit le frère Gaël, un jeune homme d'une vingtaine d'années, l'air poupon, un côté fils de bonne famille – *le second fils de la famille noble de l'Ancien Régime, celui qu'on destine au clergé* –, trop jeune pour inspirer Marion dans son ludisme divinatoire.

Les sœurs Gabriela et Agathe n'eurent pas plus d'effet sur Marion, jeunes – la trentaine – et aussi lisses de prime abord qu'un bloc de marbre poli.

Le plus grand des sept était un homme approchant la cinquantaine, lent dans ses gestes et dans ses phrases, pâle et visiblement au bord de l'essoufflement après lui avoir souhaité la bienvenue. Marion opta pour « frère anémie » en lieu et place de son vrai nom : frère Christophe.

Les deux derniers membres étaient frère Gilles et sœur Luce, deux personnes d'un âge hautement respectable, aux yeux aussi tranchants qu'ils étaient taciturnes ; deux visages d'aigle, des nez saillants, et des lèvres fines, à tel point qu'on aurait pu les croire du même sang.

Marion n'eut pas envie de jouer avec eux. Cela n'était plus drôle.

Frère Gilles la dévisagea longuement sans mot dire. Il se contenta de venir croiser ses longs doigts parcheminés devant son ventre.

— Je crois que vous connaissez tout le monde désormais, commenta sœur Anne.

Frère Gilles toussa avec affectation pour marquer son désaccord.

— Ah, oui ! Presque tout le monde ! Il reste frère Serge, le responsable hiérarchique de notre communauté. Il ne pouvait se libérer, vous le rencontrerez un peu plus tard.

Il y eut un silence gêné. Frère Damien se pencha vers Marion.

41

— Si vous avez besoin de quoi que ce soit, n'hésitez surtout pas.

Sa bonhomie n'avait rien de guindé ou de trop charitable, sa sincérité en était même touchante, pensa Marion.

— Merci... siffla-t-elle trop doucement à son goût.

Sœur Gabriela, avec son visage de poupée de porcelaine, posa une main sur son bras. Elle n'avait pas rabattu la coiffe de tissu qui dissimulait ses cheveux, et cela lui donnait un air plus angélique encore.

— Vous allez très vite vous habituer aux lieux, vous allez voir, confia-t-elle d'une voix musicale.

— À ce sujet, enchaîna sœur Anne, nous avons pensé qu'il serait préférable d'organiser plus ou moins un emploi du temps pour les jours à venir. Pour aujourd'hui, visite du Mont, que vous vous acclimatiez avec votre nouvel environnement. Ensuite, le vendredi et le week-end seront un peu particuliers, avec la tempête... Et la semaine prochaine, frère Damien se proposait de vous emmener avec lui à Avranches, pour faire quelques classements dans les réserves bibliographiques, si cela vous inspire...

Marion hocha la tête sans grand enthousiasme. Elle perçut tous les regards posés sur elle.

— Ne vous en faites pas, finit par dire sœur Anne. Ici, entre ces murs, vous allez passer un hiver... pas comme les autres.

Marion se tétanisa. Non, elle n'allait pas passer l'hiver ici. Il était question de semaines, peut-être de mois, un ou deux, dans le pire des cas, pas toute une saison. Elle serait chez elle pour Noël, elle se le jura.

— Bientôt nos visages vous seront familiers, continuait la religieuse. Ces salles seront comme autant de salons pour votre âme, vous y déambulerez avec plaisir ; laissez-vous un peu de temps. C'est tout ce que le Mont vous réclame : un peu de temps. Il fera le reste.

— Très bien parlé, trancha frère Gilles d'une voix râpeuse.

Marion l'observa. D'épais poils grils et noirs pointaient sous sa peau flétrie. Son visage était marbré de quantité de fines veines rouges et de plis blancs, comme un vêtement froissé. Il la fixait sans ciller, un éclat perçant témoignait d'une opiniâtreté farouche.

— Nous vous laissons à votre protégée, sœur Anne, continua-t-il. Nous aurons tout le temps de faire plus ample connaissance, pour l'heure la tempête requiert toute notre attention.

Marion ne le lâcha pas du regard.

Il ne l'aimait pas. Elle ou sa présence parmi eux, c'était évident. En d'autres circonstances, elle se serait bien permis une remarque tranchante sur l'inutilité de l'accueillir si c'était une corvée à ses yeux, mais l'humeur ne s'y prêtait guère. Et elle venait tout juste d'arriver, on pouvait mieux commencer les présentations.

Elle reprenait consistance, progressivement. Et son caractère trempé se réveillait, remarqua-t-elle.

Tout le monde sortit par la petite porte du fond, tout en lui adressant un rapide signe. La plupart semblaient sympathiques, voire contents de sa venue.

Quand elles furent seules, sœur Anne se tourna vers elle.

— Je suis désolée si frère Gilles vous a semblé quelque peu...

— Aucune importance, la coupa Marion. De toute façon je crois que nous devrons cohabiter pendant les semaines à venir. (Marion se fendit d'un sourire aimable.) Nous nous habituerons les uns aux autres, non ?

Sœur Anne acquiesça avec une certaine joie.

— Cela me fait plaisir de vous voir sourire enfin.

Moi aussi, faillit dire Marion. Elle se surprenait à se

43

laisser aller depuis un moment, à prendre avec une fatalité bienveillante ce qui lui arrivait.

— Une longue visite guidée nous attend, êtes-vous prête ?

— Je vous suis...

Sœur Anne prit la même porte que ses camarades et elles se coulèrent dans les limbes du Mont.

Elles passèrent par le cachot du diable, une modeste salle où débouchait un escalier venant du niveau de l'église, et d'où on pouvait accéder à la Merveille.

Un long couloir parsemé de colonnes s'étendait vers l'ouest, le promenoir. À son extrémité, dans la pénombre, frère Gilles s'entretenait à voix basse avec un autre moine, indiscernable car il tournait le dos à Marion.

Frère Gilles l'aperçut au loin et sa main noueuse se leva subitement de sous son vêtement pour attraper son vis-à-vis et l'entraîner dans l'obscurité où ils disparurent.

Marion soupira doucement.

Elle n'était pas là depuis vingt-quatre heures que déjà les querelles intestines se dessinaient.

Le temps sur cette montagne de granit allait être long.

Derrière elle, sœur Anne tourna une lourde clé en fer dans une serrure ancestrale qui crissa en libérant son pêne.

Puis la porte s'ouvrit en grinçant.

Elles y passèrent toute la matinée.

Sœur Anne évoluait entre ces couloirs avec une facilité étourdissante. Aux yeux de Marion, c'était comme si elle avait grandi ici.

Les deux femmes effectuèrent leur visite au son des coups de marteau qui arrimaient des planches de contre-plaqué sur les ouvertures les plus fragiles. Il leur arriva à plusieurs reprises de croiser un frère ou une sœur en train de colmater une fenêtre étroite à l'aide de grands morceaux de carton humide. Les préparatifs allaient bon train. La tempête qui roulait en leur direction devait être un monstre pour susciter autant de craintes.

Au-delà d'une impression générale constituée d'escaliers partout, de salles à chaque recoin, et de couloirs alambiqués, Marion parvint à retenir quelques faits essentiels.

Tout d'abord, on pouvait découper la structure de l'abbaye en trois niveaux, même si une multitude de pièces et rampes intermédiaires devaient vite tronquer ce repère. Niveau supérieur, celui de l'immense église abbatiale. Niveau intermédiaire avec la crypte des Trente-Cierges et bon nombre de petites chapelles annexes. Puis le niveau inférieur, celui des cachots, avait retenu Marion avec amusement, et surtout celui qui permettait d'accéder facilement à l'extérieur du côté nord, par les jardins de l'abbaye. À cela s'ajoutait la Merveille. Construction fabuleuse sur le versant nord, collée au reste, qui se découpait également sur trois niveaux : le vaste cellier avec l'aumônerie tout en bas, la formidable salle des Chevaliers avec ses piliers puissants jouxtant la salle des Hôtes au niveau intermédiaire, et enfin le réfectoire et le cloître qui avait laissé Marion sans voix.

Le jardin suspendu et son apaisante verdure étaient encadrés de galeries couvertes dont l'alchimie de colonnettes en quinconce, d'arcades et de crochets sculptés offrait une rampe sans fin à la contemplation et à la méditation. Le versant ouest s'ouvrait sur une triple baie vitrée qui soulignait qu'ici se mêlaient trois éléments : la terre pour l'assise, la mer pour la vie, et l'air pour l'esprit.

Sœur Anne expliqua que par temps de brume haute et dense, le jardin du cloître venait s'y refléter, créant l'illusion d'un éden accessible porté au regard des hommes par le souffle des anges.

Marion nota que la plupart des salles qu'elles croisèrent étaient fermées par de lourdes portes dont sœur Anne gardait les passes sur un trousseau quasi caricatural d'une vingtaine de grosses clés qui tintaient lourdement. Lorsque la sœur sortait son imposant porte-clés d'un pli de sa robe, Marion avait l'impression qu'il était bien trop pesant pour ces poignets si délicats en apparence. Mais sœur Anne semblait taillée dans un cuir rustique, extensible et résistant à merci.

Et ses prunelles d'un bleu limpide transperçaient tout ce qu'elles fixaient.

Le Mont dans son ensemble se divisait en deux parties. Le village d'une part, grimpant sur le flanc sud-est depuis la digue au sud, et l'abbaye elle-même, au sommet, avec la Merveille arrimée au nord. Après avoir remonté la Grande Rue et toute une procession de marches, appelées le Grand Degré extérieur, on parvenait enfin à la Barbacane, délimitation entre le village et l'abbaye. Cette dernière, gigantesque, était gardée sur la portion sud par un très haut bâtiment : les logis abbatiaux ; tandis que le Grand Degré intérieur longeait les fondations de l'église abbatiale pour monter jusqu'au parvis : la terrasse de l'ouest.

Le déjeuner fut servi dans une pièce commune des logis abbatiaux. Marion fut frappée par la simplicité de cette salle de vie, ici nul mobilier historique, rien que des murs de pierre apparente et de longues tables en formica. Elle étouffa même un rictus en prenant son couteau en inox, digne des cantines scolaires ; on était loin de l'image mystique qu'elle avait retenue de sa visite matinale.

À l'exception de sœur Agathe et des frères Gilles et Gaël, les membres de la communauté qui lui avaient été présentés le matin même étaient tous présents à table.

— C'est à mon tour de faire le service, déclara frère Christophe.

Il parlait avec une lenteur déconcertante, il n'avait pas usurpé son surnom de « frère anémie », songea Marion.

Des raviolis au fromage furent servis dans une grande casserole.

— Comme vous le remarquerez, il y a des jours où nous avons davantage de temps pour préparer les repas et d'autres où nous sommes plus... indulgents.

Marion, qui avait la tête dans son assiette, reconnut

sans peine la voix douce et chantante de sœur Gabriela. La jeune femme la regardait non sans une certaine anxiété, à l'idée que la nouvelle venue soit rebutée par leur déjeuner.

— Ça me va très bien, la rassura-t-elle, je ne suis pas moi-même une grande cuisinière, je n'ai pas souvent le temps non plus.

Frère fausse route sauta sur l'occasion :

— Et que faisiez-vous, si ce n'est pas indiscret ?

Marion n'eut pas le temps d'ouvrir la bouche, sœur Anne réprima d'un ton cinglant la curiosité joviale de son confrère :

— Frère Damien ! Votre question est déplacée...

— Non, laissez, la coupa Marion. Ça ne fait rien. (Elle se tourna vers le quadragénaire qui venait de perdre sa gaieté.) Je suis... ou j'étais (elle soupira), secrétaire à l'Institut médico-légal de Paris.

Elle scruta avec amusement les visages tandis que l'idée de ce que pouvait être sa profession au quotidien se frayait un chemin dans l'esprit de chacun d'eux.

— L'Institut médico-lé... commença sœur Gabriela.

— Oui, c'est bien l'endroit où sont entreposés les cadavres avant d'être autopsiés.

Sœur Luce haussa les sourcils sous son profil d'aigle. La vieille femme fixait la nourriture qu'elle ingurgitait doucement.

— Rassurez-vous, la secrétaire n'est pas dans les salles de dissection, encore que ça me soit arrivé, mon travail est nettement moins... incisif, si je puis dire.

— Mais vous avez un contact relativement direct avec la mort, souligna sœur Gabriela.

— D'une certaine manière, oui.

— N'est-ce pas trop pesant ?

— C'est... au début, j'avoue que c'est dur. Puis avec le temps on s'y fait. Je crois qu'au fil des mois et des années l'accumulation dédramatise.

— La notion de l'individu mortel se noie dans une mort générique, moins personnelle, plus distante ? suggéra sœur Gabriela.

— Oui, ça me fait penser à cette phrase... intervint frère Damien en posant sa fourchette et en levant l'index sous son œil. « Si on tue un homme on est un meurtrier, mais si on en tue plusieurs on est un conquérant. »

Marion cilla. Elle connaissait une suite à cette maxime. *Et si on les tue tous, on est un dieu.* L'endroit et la compagnie n'étaient peut-être pas l'idéal pour cette extension.

— D'une certaine manière, finit-elle par admettre.

— C'est un peu fou tout de même, renchérit le frère. On finit par s'émouvoir davantage pour la mort d'une seule personne que pour des génocides ! Si vous regardez, on fait des unes de journaux sur un meurtre proche de chez nous et on passe sous silence ce qui se passe en Afrique par exemple...

Sœur Luce reposa son verre trop vivement, il manqua se briser.

— Je ne crois pas que statuer sur une échelle dramatique de la mort soit très pieux comme attitude, frère Damien, réprimanda-t-elle d'une voix aussi tranchante qu'une serpe.

— Non, bien sûr, je dis simplement que la mort ne mérite pas différents degrés de ressenti, elle est toujours tragique sans discernement, elle...

— Cela suffit.

L'intéressé resta la bouche entrouverte un court moment, déçu de ne pouvoir corriger cette méprise. Ses yeux glissèrent vers Marion.

Il n'y eut bientôt plus que le tintement des couverts pour égayer l'atmosphère. Marion termina son assiette et s'adressa à sœur Luce :

— De quoi se constitue votre quotidien ?

— Cela dépend des jours. Pour le moment il s'agit de préparer le Mont afin qu'il supporte la tempête qui vient. D'ailleurs, si vous voulez bien m'excuser, il y a encore beaucoup à faire.

Sœur Luce ramassa ses couverts et son assiette, se leva pour tout déposer sur un plateau et quitta la pièce.

Marion tapota nerveusement son verre de l'index.

— Ça commence bien... chuchota-t-elle.

Sœur Anne lui adressa un regard où perçait son malaise.

— Marion... commença la sœur, vous permettez que je vous appelle Marion ? Cet après-midi, je vais vous faire visiter le village et...

— Je pense qu'il y a plus urgent, la coupa-t-elle. Si cette tempête est si féroce que ça et qu'il y a tant de choses à faire pour s'en protéger, peut-être pourrions-nous aider ?

Marion s'empressa d'ajouter avec une pointe de malice :

— Je crois que sœur Luce apprécierait. Et j'avoue qu'un peu d'activité me ferait du bien.

Sœur Anne resta un instant la bouche entrouverte puis elle acquiesça. Plus loin, sœur Agathe pouffa en portant précipitamment une main devant sa bouche.

Marion observa le ciel par la fenêtre.

Il faisait gris, un gris uniforme, sans relief.

Si la tempête approchait, elle le faisait tout doucement, en rampant, à la manière d'un prédateur qui s'apprête à fondre d'un coup sur sa proie.

Pendant trois heures elles bêchèrent dans le jardin nord afin de déterrer des plantes ou arbustes qu'elles transvasèrent dans des pots de terre cuite avant de les entreposer dans le vaste cellier de la Merveille, pour quelques jours. Marion avait attaché ses cheveux avec un vieil élastique et ne ménagea pas sa peine pour abattre le plus de travail possible. Lorsque la lumière commença à décliner, elle ne sentait plus ses doigts.

Parfois elle avait levé la tête pour guetter les remparts de l'abbaye, en quête d'un peu de vie, sans jamais distinguer plus qu'une silhouette furtive. Le Mont-Saint-Michel avait des allures de *derelict*. Sans plus personne à bord.

Un *derelict* arrogant mais divinement beau.

L'unique signe de la tempête approchante était le vent qui soufflait plus fort à présent. Un vent obstiné, qui finissait par engourdir la peau et mordre la chair.

Marion entra et posa le dernier pot dans l'alignement des précédents puis elle se laissa tomber sur un banc, face à l'entrée du cellier.

À l'extérieur la luminosité était cendrée, ternissant les dernières couleurs du jardin. Sœur Anne la rejoignit, les outils à la main, elle s'assit à ses côtés.

— Toujours ça de sauvé, finit-elle par dire.

— Comme vous dites.

Sœur Anne désigna l'extérieur d'un signe de tête.

— J'hésitais à vous le confier quand nous y étions mais à présent... Savez-vous que nous avons fouillé la terre du « jardin de la pleine mer » et qu'avant qu'il soit rebaptisé ainsi, on le surnommait « cimetière des moines » ?

— C'est gai...

— Les prêtres réfractaires furent enterrés ici pendant la Révolution. Ils y sont encore, ajouta la religieuse en pouffant avec retenue. Et l'administrateur du Mont souhaite organiser des cocktails et des buffets de mariage ici, vous imaginez ?

— C'est du meilleur goût.

— N'est-ce pas ?

Marion faillit faire une remarque sur la vitalité apparente des plantes qui y poussaient, accompagnée d'une plaisanterie sordide sur leurs racines, elle préféra se retenir ; le mauvais goût était décidément dans l'air.

Elle contempla les rangées de pots qui couraient sur plusieurs mètres.

— Sœur Luce sera contente... lâcha-t-elle. Nous lui aurons épargné une tâche supplémentaire.

De nouvelles rides se dessinèrent au coin des lèvres d'une sœur Anne amusée.

— Ne lui en voulez pas pour son attitude un peu distante, dit-elle, elle ne souhaitait pas vous blesser. Nous sommes une petite communauté ici, nous avons nos habitudes, et votre arrivée nécessite quelques aménagements dans les perceptions de chacun, comme un vieux célibataire qui devrait soudainement se faire à une vie de couple. C'est très positif pour tout le monde. Et si elle semble un peu... revêche de prime abord, sœur Luce est une femme remarquable sur le fond, vous verrez.

— Si cela vous demande un effort, pourquoi avoir accepté de m'accueillir ?

Le sourire de sœur Anne perdit en largeur sans pour autant s'effacer.

— C'est un peu particulier... Nous sommes locataires ici, le Mont appartient à l'État, il est géré par un administrateur, nous payons un loyer, et rendons quelques services. Comme aujourd'hui en courant un peu partout pour préparer la tempête...

— Ou comme en acceptant de dissimuler les personnes que l'État vous confie. On vous impose...

Sœur Anne secoua doucement la tête.

— On ne nous impose personne. La question a été posée il y a quatre ans, et après en avoir parlé entre nous, nous avons accepté de rendre ce service. Le Mont est notre retraite, pas notre sanctuaire.

Marion baissa les yeux vers ses mains. Elles étaient couvertes de terre et tout éraflées.

— Allons, venez, je vous reconduis chez vous où vous pourrez vous réchauffer et vous nettoyer. Je passerai ce soir pour que nous allions dîner...

— Je préférerais rester seule ce soir, si vous n'y voyez pas d'inconvénient. C'est... prendre mes marques. Je viens juste d'arriver.

Sœur Anne acquiesça.

— Bien sûr, je comprends. Nous avons rempli votre frigo, vous trouverez de quoi manger. Et si besoin, notre numéro de téléphone est sur la table d'entrée.

Elles firent le tour par le nord et l'est, sans que Marion parvienne à bien s'y retrouver, et elles redescendirent la Grande Rue jusqu'à la petite église paroissiale derrière laquelle partait un escalier qu'il fallait emprunter pour longer le cimetière. En face des stèles se dressait une rangée de minuscules maisons d'un étage. Sœur Anne passa une main chaleureuse dans le dos de Marion en guise de salut et elle rebroussa chemin, laissant sa protégée entrer dans sa nouvelle tanière.

Marion repoussa la porte et s'accota dessus.

Elle expira longuement avant de rouvrir les yeux.

Le vestibule était étroit, flanqué d'un escalier pentu qui grimpait vers la chambre. C'était chez elle.

Il fallait se faire à cette idée. Pour quelques semaines, au minimum.

Elle n'avait pas encore pris le temps de vraiment visiter, de s'approprier la place, voilà quel allait être son programme du soir.

Elle posa la clé sur le guéridon de l'entrée, longea le mur de la cuisine et pénétra dans la pièce de vie, le salon, *son* salon.

Une longue et haute fenêtre courait sur presque toute

la largeur de la pièce, tout au fond, coupée verticalement par de minces poutres qui lui donnaient un air moyenâgeux. Un canapé d'angle s'étirait en dessous, face à un meuble dissimulant la télévision et la chaîne hi-fi. On avait pensé l'aménagement en un compromis pas toujours réussi entre maison ancienne et confort moderne. Mais la vue était agréable. Les toits pointus en ardoise et les cheminées de briques rouges se suivaient en pente douce vers le niveau de la mer, vers le sud et l'entrée du Mont, vers la digue qui filait au loin, fendant l'étendue grise jusqu'à se rattacher in extremis à la terre.

Les mansardes et les fenêtres effilées des greniers étaient toutes sombres. Seul un ruban de fumée blanche s'élevait d'une cheminée plus bas dans le village, aussitôt dispersé par le vent.

Marion posa son manteau sur le canapé et s'installa à côté, les mains croisées derrière la tête. S'apercevant qu'elle était couverte de terre, elle se redressa aussi vite en faisant claquer sa langue contre son palais en signe d'agacement.

Il devait être dix-huit heures. Elle n'avait pas faim, juste envie de se réchauffer. Il y avait une baignoire à l'étage, de quoi se détendre et pourquoi pas prendre le temps de s'occuper un peu d'elle. Depuis combien de temps ne l'avait-elle pas fait ? Prendre deux heures, un soir, pour soi, pour son corps, gommer les défauts à coup de crème, exfolier à l'aide de gel, arracher le superflu à grand renfort de cire, enduire, frotter, ausculter, améliorer son aspect pour se sentir bien. Se faire une nouvelle peau.

Oui, voilà ce dont elle avait besoin, pour se retrouver.

Marion se leva d'un bond et grimpa les marches qui grincèrent sous le tapis qui les recouvrait. L'escalier donnait directement dans la chambre, sans porte ; un grand lit, un sofa avec une table basse, une armoire, quelques étagères et une coiffeuse servaient à la remplir. Trois fenêtres mansardées s'ouvraient, deux au sud sur la même vue que la baie du rez-de-chaussée et l'autre au nord, sur le petit cimetière.

Les deux valises étaient étalées sur le sol, au pied des rangements, dans l'attente d'être vidées. Marion s'accroupit pour en sortir une culotte propre et son peignoir puis elle prit la direction de la salle de bains.

Elle tourna la tête en se redressant, ses yeux balayèrent la chambre très rapidement. De droite à gauche, enchaînant les informations avec une sensation de flou.

Sofa... table basse... lampe... pile de magazines (posés là par les bons soins de sœur Anne)... moquette beige... table de chevet, veilleuse... lit... feuille de papier... autre table de chevet... autre armoire... moquette... et : porte donnant sur la salle de bains.

Marion avait déjà fait deux pas lorsqu'elle s'arrêta.

Feuille de papier ?

Cette fois elle reporta son attention sur le couvre-lit.

Ça n'était pas une feuille mais une enveloppe de vélin portant un seul mot : « Mademoiselle... »

Son cœur se mit à marteler sa poitrine, elle ouvrit la bouche pour respirer. Quel message y avait-il à l'intérieur ?

Elle ferma les yeux en se rassurant aussitôt. Ceux qui lui voulaient du mal à Paris n'étaient pas du genre à déposer une enveloppe, plutôt à frapper.

Marion porta le bout des doigts sur sa lèvre fendue.

S'ils l'avaient retrouvée, elle ne serait déjà plus debout.

C'était sœur Anne ou un de ses compagnons qui lui avait laissé cela. Rien de plus.

Marion passa nerveusement une mèche de cheveux

derrière son oreille. Elle n'appréciait pas l'attention. L'enveloppe n'était pas là à son réveil, elle avait fait le lit avant de partir et pouvait en jurer. Si elle devait passer les prochaines semaines ici il faudrait mettre les choses au point : ils l'accueillaient, soit, mais elle demanderait une certaine intimité, à commencer dans son habitation, elle ne voulait pas qu'on puisse entrer ici derrière son dos.

Elle prit l'enveloppe et l'ouvrit.

Elle y trouva un carton sur lequel était inscrit d'une belle écriture noire :

« Êtes-vous joueuse ?
45 35 51 43 22 11 12 43 24 15 32/41 24 15 43 43 15 25 11 51 34 15
Pour vous aider, je ne vous dirai qu'une chose : ils sont 25, bien qu'on puisse y ajouter un autre qui serait le double de son précédent, alignés dans un carré, 12345 et 12345 en abscisse et en ordonnée.
Bien à vous. »

Marion cligna des yeux avant de relire le mot.

— Qu'est-ce que c'est que cette connerie ? murmura-t-elle.

Son premier réflexe fut de lever la tête et d'observer à travers les rideaux si personne ne l'espionnait depuis le cimetière juste en face. Celui-ci était bâti sur une terrasse qui l'amenait à la même hauteur que l'étage. La maison n'en était séparée que par une ruelle encaissée entre les bâtisses et le mur du cimetière.

Personne.

Il faisait particulièrement sombre.

Marion alluma la lampe près du sofa de la chambre et s'installa sur les coussins.

Qu'est-ce que ça voulait dire ? Tous ces chiffres...

— Bon, d'accord... vous voulez jouer... Qu'est-ce que c'est ? Une sorte de rite de bienvenue ? Un bizutage ?

Marion avait parlé à voix haute.

Son cœur commençait à se calmer.

Elle déposa le carton sur la table basse.

Et maintenant ?

Ses yeux détaillèrent la succession de chiffres.

C'est une fichue énigme. Une phrase codée...

Et elle avait toujours aimé ce genre de mystère, depuis toute petite. Même les mots croisés la fascinaient, d'une certaine manière ils étaient à ses yeux des énigmes sémantiques morcelées.

Alors ces quelques chiffres-là...

Oui, elle devait bien se l'avouer : cela l'intriguait.

Et alors ?

Encore nerveuse, elle ne put s'empêcher de détailler la pièce du regard.

— Et puis merde ! Si ça m'occupe... lança-t-elle en se levant pour prendre dans son sac un bloc-notes et un crayon à papier.

Que ce fût l'idée de sœur Anne ou d'un des frères, cela n'avait pas d'importance en soi.

— Voyons...

Ça ne ressemblait pas à des coordonnées, plutôt à un message codé.

Les chiffres étaient tous regroupés par paire. Une paire pouvait désigner une lettre plus qu'un mot, cela semblait le plus logique.

Marion ferma les paupières pour se souvenir de ce mot qu'elle avait appris adolescente... Il avait hanté son esprit pendant des années... Un mot en « O »... Bon Dieu, c'était connu comme le monde...

— ESARINTULO ! s'exclama-t-elle.

L'ordre des lettres les plus usitées en langue française. D'abord le « E », puis le « S », le « A », et ainsi de suite. Elle pouvait tenter d'associer les chiffres les plus récurrents avec la lettre la plus utilisée.

— Ça nous donne...

Marion compta. Le 43 et le 15 revenait le plus, quatre fois chacun. « E » et « S » probablement. Le 15 était au milieu et terminait le message, tandis que deux 43 se succédaient au centre. Deux « E » en milieu de mot ? Peu probable. En revanche deux « S » était envisageable. Marion opta pour le « S » sur 43 et le « E » sur le 15.

Ensuite le 11 et le 24 revenaient deux fois.

Un « A » et un « R » ?

Marion inscrivit sur son bloc-notes ses premières déductions, laissant une croix pour les inconnues :

xxxSxAxSREx/xRESSExAxxE

Rien d'évident. Onze lettres pour chacun des deux mots, remarqua-t-elle. C'était très court. Peut-être trop pour que ESARINTULO fonctionne correctement.

Sur le coup la phrase supposée être un indice lui avait semblé incompréhensible et elle l'avait écartée de son raisonnement ; il était temps de la réintégrer dans l'équation.

« Ils sont 25, bien qu'on puisse y ajouter un autre, il serait le double de son précédent, alignés dans un carré, 12345 et 12345 en abscisse et en ordonnée. »

25 quoi ?

Marion se passa la langue sur les lèvres.

Elle dessina un carré sur son bloc-notes. Partant de l'angle en haut à gauche, elle écrivit 1, 2, 3, 4 et 5 à égale distance en suivant le trait horizontal, comme pour une abscisse. Elle répéta l'opération sur le trait vertical, l'ordonnée.

	1	2	3	4	5
1					
2					
3					
4					
5					

— Et maintenant ?

Il y avait bien 25 cases à remplir, mais avec quoi ?

« Ils sont 25, bien qu'on puisse y ajouter un autre, il serait le double de son précédent. »

Elle laissa tomber sa main qui claqua contre la feuille de papier.

— Quelle conne !

Elle cherchait à remplacer des chiffres par des lettres.

— L'alphabet !

Le double du précédent était le W... double V. Et de 26 on passait bien à 25.

Elle remplit le carré en suivant l'ordre croissant, le plus logique.

	1	2	3	4	5
1	A	B	C	D	E
2	F	G	H	I	J
3	K	L	M	N	O
4	P	Q	R	S	T
5	U	V	X	Y	Z

Puis elle reprit la série de chiffres.

45 35 51 43 22 11 12 43 24 15 32/41 24 15 43 43 15 25 11 51 34 15

Il suffisait de croiser les colonnes. Une abscisse et une ordonnée donnaient une lettre.

En suivant cette méthode, le premier, 45, soit 4 et 5, pouvait donner soit « T » soit « Y ». Peu de mots commençant par « Y », le premier chiffre de chaque nombre devait indiquer l'ordonnée, le suivant l'abscisse. Elle entreprit de remplacer chaque paire par sa lettre désignée.

Ses ongles étaient noirs et la terre soulignait chaque pli de ses doigts. Des particules sombres se détachaient parfois pour venir souiller la feuille.

TOURGABRIEL/PIERREJAUNE

6

Une lueur bleutée tombait sur la chambre à présent que le soleil avait disparu. Seul persistait un cercle ambré dans le périmètre du sofa et de sa petite lampe.

— Tour Gabriel, pierre jaune, lut Marion.

Elle reposa le bloc-notes sur ses genoux.

Que lui voulait-on au juste ? L'entraîner dehors, sur un jeu de piste ?

Elle leva les yeux vers la fenêtre. Le cimetière avait vieilli de trois siècles avec l'obscurité, ses croix devenaient désormais menaçantes, son lichen prenait une désagréable apparence de poisse charnue, coulant de pierre en pierre. Loin au-dessus, la masse de l'abbaye, assise sur son roc, veillait sur la petite maison.

Marion alla chercher le plan que sœur Anne lui avait donné le matin même, elle le déplia sur la table basse.

La tour Gabriel était une construction un peu à l'écart, sur le flanc ouest du Mont.

Une tour ronde, au bord de l'eau, qu'il était possible de rejoindre par deux voies. L'une était impraticable à marée haute, elle demandait qu'on fasse le tour en sortant du village par la porte principale pour accéder aux Fanils ; l'autre était un peu plus compliquée pour une néophyte, il fallait monter sur les hauteurs du village jusqu'au chemin de ronde abbatial puis redescendre par ce qui s'appelait « la montée aux Fanils » pour atteindre la tour Gabriel.

Avec l'aide d'un plan, cela ne devait toutefois poser aucune difficulté.

Marion replia la carte et descendit prendre son manteau.

Bien sûr qu'elle allait y aller. Maintenant que sa curiosité était piquée au vif. Que faire sinon ? Prendre un bain et digresser pendant une heure sur la raison de ce petit jeu ? Stérile.

Stérile et irritant.

Elle ajusta les pans du vêtement chaud, avala d'une traite un verre d'eau et sortit en prenant soin de bien fermer la porte à clé.

La ruelle était aussi sombre qu'un égout. Elle ressemblait à un goulet sordide du Moyen Âge : le mur des fondations du cimetière d'un côté et la rangée de maisonnettes de l'autre, de la vieille pierre partout, et en guise de lampadaire une lanterne éteinte en fer forgé, qui grinçait doucement dans le vent. Marion réalisa qu'elle n'avait pas de lampe torche pour éclairer ses pas ou au moins avoir un œil sur la carte. Elle avait heureusement une idée assez claire du chemin à suivre. Inutile de songer à prendre par le bas, elle avait vu la mer monter dans l'après-midi, à l'heure qu'il était elle devait lécher les remparts.

Elle prit par la gauche.

Le sol était pavé, invisible, Marion marchait sur un tamis de ténèbres qui ne laissait filtrer que le son.

Un escalier apparut à droite, longeant le cimetière pour grimper vers d'autres hauteurs du Mont.

Elle releva son col pour protéger son cou du froid, mit ses mains dans les poches et serra ses coudes contre ses flancs en montant les marches.

L'accès était étroit, tournant à plusieurs reprises, il se faufilait entre des murets décrépis et des maisons anciennes. Marion ne tarda pas à surplomber le village, d'où il ne montait que très peu de lumière.

Les rues étaient désertes.

Elle se trouvait au pied de l'abbaye. Une formidable forteresse de foi, puissante et dominatrice face à la baie. Marion marcha un moment sous sa protection, jusqu'à ce qu'elle découvre un grand escalier qui débouchait sur une route serpentant entre des arbres pour descendre aux Fanils.

Le vent avait forci.

La tour Gabriel apparut en contrebas, en partie masquée par la végétation qui couvrait la portion ouest et nord de la colline. Assez haute mais surtout large, elle était isolée du reste des constructions du Mont, telle une paria.

Le ressac se joignit à la complainte du vent.

Marion arriva enfin à une poterne ouverte qui donnait accès au côté de la tour.

Une lame féroce vint tonner de l'autre côté, éclatant avec violence contre la pierre.

Après avoir dominé le paysage pendant plusieurs minutes, Marion était troublée d'évoluer au même niveau que la mer. Elle avait perdu cette impression d'assurance, de contrôle, pour être vulnérable, saisissable.

Oui c'était le terme. *Saisissable*.

Vue d'en haut, l'immensité noire qui l'entourait semblait belle et inoffensive comme une peinture, désormais la mer pouvait la happer d'un tentacule un peu plus farouche que les autres, il lui suffisait de pousser une colère subite pour l'emporter au large.

L'absence de lumière réelle conférait à chaque son une ampleur dérangeante. Marion vissa davantage son cou dans le col de son manteau. Elle n'était pas effrayée. Pas à l'aise en raison de la proximité de la mer dans l'obscurité, mais elle n'avait pas peur.

Cette fois, elle avait atteint la tour Gabriel. Restait à trouver une pierre jaune.

La route avait disparu derrière elle ; le chemin de terre filait en pente douce vers les berges.

Un arc de cercle luisant apparut d'un coup au bout du chemin. Il se brisa sur lui-même en hurlant, projetant son écume sur les rochers. La mer resta immobile une seconde avant de se retirer, comme le bout d'une langue immense qui aurait goûté les saveurs de la terre en cet endroit. La timide pénombre du ciel se reflétait dessus, créant des jeux de miroirs chaotiques.

Marion se tenait à une vingtaine de mètres du bord du monde, les cheveux rendus fous par le vent cinglant.

Elle ne regrettait pas d'être descendue. L'ambiance en valait la peine.

Une pierre jaune, il te reste à trouver une pierre jaune et voir jusqu'où est censé nous amener ce petit jeu.

Elle avança pas à pas, scrutant le sol et cherchant à distinguer les rares taches plus claires qui jonchaient le sol. Elle ne tarda pas à dépasser la tour, se rapprochant de la mer qu'elle ne surplombait plus que d'un mètre à peine.

Elle ondulait, sans fin, écrasant avec fracas ses bords sur les berges. Marion se tenait aussi loin que possible, récoltant pour sa témérité les scories salines de l'océan.

Il n'y avait aucune trace de pierre jaune.

Sauf si elle était de petite taille et dissimulée dans les fourrés, sans lampe il serait impossible de la remarquer.

Marion arrivait au bout du chemin, au-delà la mer étendait son royaume.

Pierre jaune... pierre jaune... encore faudrait-il la mettre en évidence !

Elle fit demi-tour et remonta vers la tour.

Une multitude de points blanchâtres constellait la terre.

Un halo plus grand et plus terne était posé contre le mur de la tour Gabriel, un petit rocher. Probablement de couleur jaune.

Marion le tira en arrière. Il était lourd.

Le bloc roula sur le côté, ses crissements avalés par le ronflement des vagues.

Marion jeta ses doigts sur l'enveloppe qui venait d'être libérée avant qu'elle ne s'envole.

Aucune mention inscrite dessus.

Elle la rangea dans sa poche.

Il y eut un sifflement au-dessus d'elle.

D'abord léger. Avant d'enfler. Quelque chose se mettait à aspirer l'air avec force, comme une énorme créature asthmatique.

Marion scruta avec attention la tour et son sommet d'où semblait provenir la respiration. Le souffle se noya.

Ses dernières notes furent englouties par un bruit liquide, comme un clapet se refermant soudainement sur l'eau.

D'un coup l'air claqua violemment, plus sec qu'un coup de tonnerre, plus creux également. Marion sursauta.

L'écho résonna à l'intérieur de la tour. Et Marion comprit en voyant la mer reculer. De longues ouvertures étaient pratiquées au pied de la tour, semblables à des meurtrières horizontales par lesquelles une vague puissante pouvait parfois s'infiltrer et venir frapper contre la structure interne du bâtiment. En se retirant, l'eau provoquait un appel d'air qui sifflait longuement.

Marion en avait assez vu, le froid commençait à la gagner et si jusqu'à présent elle n'avait été que mal à l'aise, cette fois elle devait bien avouer qu'elle se sentait moins sûre d'elle.

C'est alors qu'elle remontait le chemin de ronde abbatial qu'elle vit l'ombre pour la première fois.

Une silhouette en contrebas, dans une ruelle adjacente qu'elle dominait de quelques mètres. Un individu qu'elle venait de remarquer et qui l'avait sans aucun doute repérée à son tour, comme en témoignaient les fréquents arrêts qu'il effectuait pour lever la tête dans sa direction. Il était malheureusement trop loin pour être visible.

Marion accéléra. Il n'était pas tard mais le vent soufflait vraiment très fort, suffisamment pour dissuader les gens de sortir. Ils étaient dans l'antichambre de la tempête, cela ne faisait plus de doute. Et la présence de cet individu ne la rassurait pas.

Portée par la vitesse des bourrasques, la silhouette allait bon train, continuant de guetter Marion.

Cette dernière n'avait aucune envie de croiser qui que ce soit, encore moins un inconnu. Pas maintenant.

Elle descendit une première volée de marches, puis survola la suivante. Le corridor étroit tournait à droite, entre deux maisons vides, puis à gauche, virait une fois encore avant d'autres escaliers. Marion les dévala littéralement.

Ses oreilles lui faisaient mal à force de souffrir les assauts de la tempête naissante.

Elle déboucha enfin dans la ruelle, *sa* ruelle, le souffle diminué.

Elle franchit les dernières enjambées dans le goulet obscur.

Avant de stopper net devant un obstacle imprévu, une masse sur laquelle les éléments venaient se heurter et rebondir.

Il était là.

Devant elle.

La lumière surgit en silence, directement pointée sur le visage de Marion. Elle fit un pas en arrière en se protégeant les yeux d'un bras.

— Hé ! protesta-t-elle.

Pas de réaction en face.

Marion avait seulement eu le temps de percevoir que l'inconnu était beaucoup plus grand qu'elle, et très carré.

— Vous voulez bien baisser votre lampe ! lança-t-elle. Vous m'aveuglez.

Elle ne le voyait plus, mais elle l'entendit se déplacer. Ses chaussures crissèrent sur le pavé.

— Hé, je vous parle !

La lampe s'éteignit.

— Je vous connais pas, qui êtes-vous ? fit un homme avec un fort accent du Nord.

— Pardon ? Vous vous foutez de moi ? C'est vous qui m'agressez avec votre lumière !

— C'est mon boulot, ma petite dame. Je suis le gardien du Mont. Et vous ?

Marion se détendit un peu. Elle perçut une tension plus intense qu'elle ne l'avait supposé quitter son dos.

— Je suis... invitée par les frères et les sœurs pour...

— C'est bien ce que je me disais. Vous êtes avec la fraternité. C'est ce que j'ai pensé quand j'ai vu que votre visage m'était inconnu. Gaël, frère Gaël, m'a prévenu qu'ils recevaient une femme en retraite pour l'hiver. Excusez-moi si je vous ai fait peur.

Marion fut agacée qu'on puisse dire qu'elle allait rester tout l'hiver.

— C'est bon, n'en parlons plus, insista-t-elle. Je m'appelle Marion.

— Moi, c'est Ludwig.

Il braqua sa lampe sur son visage, par en dessous, et l'alluma pour se montrer.

— Comme ça vous me reconnaîtrez maintenant, gloussa-t-il.

Il était en effet très grand, un bon mètre quatre-vingt-dix, un peu gras, les joues rondes, un tour de barbe lui encadrait la bouche. Ses yeux étaient aussi noirs que ses cheveux coupés court. Une trentaine d'années, estima Marion.

— Vous devriez pas rester dehors, la tempête arrive, prévint-il. Ça va pas tarder à cogner sacrément fort.

— J'allais justement rentrer, je faisais une petite promenade.

— Ouais, bah, traînez pas. Je termine ma ronde et je file à l'abri, ensuite y aura plus personne dans les rues.

Marion désigna la ruelle qui courait derrière lui.

— J'habite par là...

— Oh, s'cusez-moi.

Il s'effaça pour la laisser passer.

— Bon, et puis on aura l'occasion de faire connaissance si vous passez tout l'hiver avec nous. Bonne nuit, madame.

Elle acquiesça et retrouva sa porte avec une certaine joie.

Le « madame » dans sa bouche ne lui avait pas plu. Trop appuyé. Quel âge avait-il lui-même ? Cinq, six ans de moins qu'elle ? Il l'avait prononcé comme s'il existait un monde entre eux. Comme si elle était... vieille.

Susceptible.

Oui, et alors ?

Elle referma la porte à clé et alluma le plafonnier de l'entrée.

Qu'est-ce qui lui avait pris de sortir comme ça ?

68

Elle fourra une main dans sa poche et en sortit l'enveloppe.

Elle secoua la tête doucement, blasée par sa propre attitude.

Et elle posa l'enveloppe sur le guéridon.

7

L'aube était grise.

Et bruyante.

La tempête avait livré sa première attaque dans la nuit, réveillant Marion à de nombreuses reprises. Pour l'heure, il n'en restait que la traîne, un vent continu qui sifflait contre les murs et transformait toute la baie en un vaste ciel fuligineux où nul ne pouvait faire la différence entre mer et air.

Marion ouvrit les yeux peu à peu.

Sur la table de chevet était dépliée une feuille de papier crème, de bonne qualité. Une plume élégante y avait posé les mots suivants :

« *Bravo.*

Bravo, et bienvenue. »

La feuille était fraîchement froissée, un geste d'agacement de la veille, quand Marion avait ouvert l'enveloppe avant de se coucher.

Elle se leva avant huit heures. Elle descendit avec un peignoir « emprunté » à un bel hôtel londonien lors d'un colloque international de médecine légale où elle avait accompagné la directrice de l'Institut médico-légal de Paris. On avait passé par la fente de la boîte aux lettres un mot qui avait glissé sur le carrelage de l'entrée. Marion le prit en soupirant.

Ni énigme ne débouchant sur rien, ni anonymat, heureusement.

Cette fois pas de phrase occulte, sœur Anne expliquait qu'elle était aux logis abbatiaux pour la journée où Marion pouvait la rejoindre. Le vendredi étant le jour de la Passion, aucun membre de la fraternité ne prendrait de repas, il lui faudrait donc manger seule, et elle terminait en espérant que la tempête ne l'avait pas trop dérangée pour dormir.

Marion haussa les sourcils et laissa le mot retomber par terre.

Encore tout engourdie par le sommeil elle ouvrit le réfrigérateur où elle trouva du jus d'orange. Elle mangea des biscuits, assise sur le grand canapé, observant distraitement la cime des toits à travers la fenêtre.

Elle n'avait aucune envie d'être parmi les frères et sœurs aujourd'hui, surtout pas envie d'entendre le moindre discours sur le Christ, Dieu, l'Église ou la religion dans son ensemble. Elle aspirait à une vraie paix, toute personnelle.

Elle prit une douche, s'habilla d'un jean et d'un gros pull en laine avant d'appeler les logis abbatiaux dont le numéro figurait sur une liste à côté du téléphone. Elle expliqua à sœur Anne son désir d'être seule et raccrocha. Elle n'avait fait aucune mention de l'énigme de la veille, encore moins de sa sortie. Les choses s'éclairciraient d'elles-mêmes, ou pas.

Finalement, la journée passa plus vite qu'elle ne l'avait imaginé.

Dans la matinée, elle défia le vent toujours aussi vif pour errer dans la Grande Rue du village. En dehors du restaurant de la Mère Poulard, il n'y avait qu'une échoppe d'ouverte. La poignée d'irréductibles touristes d'hiver avait fondu à l'annonce de la tempête. Marion était seule dans la rue.

Lorsqu'elle entra dans la boutique de souvenirs, la vendeuse lui offrit son plus beau sourire et la supplia d'acheter une carte postale pour qu'elle n'ait pas ouvert pour rien. Elles rirent et ne tardèrent pas à sympathiser. Elles burent quelques cafés en faisant connaissance. La vendeuse s'appelait Béatrice, elle avait quarante-quatre ans et vivait sur le Mont avec son fils Grégoire, âgé de dix-huit ans. À plusieurs reprises, Marion se fit la remarque que c'était une belle femme, les cheveux au carré, roux, un nez fin en prolongement de pommettes saillantes, et qu'il était dommage pour elle de vivre seule sur cet exil du bout du monde. Les hommes séduisants ne devaient pas être légion par ici, en dehors des habitués, on avait vite fait le tour et si elle n'avait pas trouvé chaussure à son pied...

Béatrice ne tarda pas à lui confier qu'elle était divorcée, et célibataire depuis longtemps.

— Et toi ?

Marion répondit d'un rire nerveux.

— Jamais mariée, jamais d'enfant, jamais divorcée, bref, jamais de risques, fit-elle d'un souffle.

— Boulot-boulot ou tu n'as jamais croisé le bon ticket ?

— Je crois que l'un a influé sur l'autre, et inversement.

— Merde, tu dis ça comme si tout était déjà définitif. Tu es charmante, Marion, et c'est pas du gringue, je le pense. Quel âge tu as ?

— Trente-neuf.

Béatrice cracha la fumée de sa cigarette en la regardant de biais.

— Et c'est au Mont-Saint-Michel que tu es venue chercher ton Graal ? Ma chère, la quête du chevalier

servant, pardon, du prince charmant, ne peut se faire là
où il n'y a personne...

— Je suis en retraite. Avec la fraternité.

Marion suivit à la lettre l'argumentaire que sœur
Anne lui avait fourni. Elle était en retraite pour l'hiver
ou au moins quelques semaines, fuyant le stress de la
ville pour se retrouver, pour gagner la sérénité. Sœur
Anne lui avait demandé de ne rien mentionner de sa
vraie vie, de s'inventer un faux nom de famille si elle
devait le donner, personne en dehors de la communauté
religieuse ne devait connaître sa véritable identité,
mesure de prudence.

Le pire, constata-t-elle, était qu'elle éprouvait une
facilité déconcertante à mentir. Son appartement à
Paris, près de la gare de l'Est, était transformé en pavillon à Choisy-le-Roi, son métier à l'IML devenait directrice artistique pour une petite agence de pub, et ainsi
de suite sur les « formalités » de son existence. Le plus
difficile était de mentir sur l'aspect spirituel de sa présence au Mont. Elle n'était pas croyante, pas zen, pas
feng-shui et autres, sa spiritualité à elle se trouvait dans
les disques d'Aretha Franklin, Janis Joplin et Rickie
Lee Jones.

Béatrice l'invita à déjeuner chez elle, au-dessus de
la boutique. Grégoire n'était pas là. Il avait arrêté sa
scolarité un an plus tôt et cherchait du travail dans une
des petites PME de la région. Il empruntait la voiture
de sa mère et passait l'essentiel de son temps en dehors
du Mont.

Les deux femmes plaisantèrent beaucoup et se
découvrirent, Marion proposa de garder la boutique un
jour ou deux à l'occasion si cela pouvait rendre service
à Béatrice, et celle-ci lui promit en échange de l'emmener en promenade sur la terre ferme le jour où elle se
sentirait à l'étroit derrière les fortifications.

Marion retrouva sa maison en fin d'après-midi et elle se prépara à dîner avec les légumes frais qui agrémentaient son frigo. Sœur Anne lui avait expliqué le principe des courses, il suffisait qu'elle donne une liste et une fois par semaine au moins, un ou deux frères partaient à Avranches faire le plein.

Elle avait au moins gagné le service à domicile.

La tempête reprit en début de soirée. La pluie se déversait sur les toits avec une ardeur impressionnante. Les cheminées ne tardèrent pas à disparaître dans un flou grisâtre, émaillé par intermittence d'éclairs lointains.

Marion commençait à se faire à son nouveau salon. La longue fenêtre en était l'âme, comprit-elle. Une prise directe sur la vie d'ici, le village, puis la baie, et la terre du continent en fond.

Elle s'endormit devant la télévision, pour rouvrir les yeux en pleine nuit. La pluie tombait plus feutrée, et le tonnerre avait déserté la grève. Seuls persistaient à l'horizon des éclairs solitaires.

Marion contempla le spectacle pendant plusieurs minutes.

Cela devait ressembler à ce qui s'était passé lors du débarquement en 1944. Des lumières spectrales qui déchiraient la nuit, et l'écho vague des canons. Et pas une voix d'homme dans ce chaos.

Marion coupa la télé et monta se coucher.

Le week-end fut du même acabit. Les frères et sœurs donnant une messe dans l'abbaye devant un parterre de fidèles farouches qui avaient défié le mauvais temps pour rejoindre Le Mont-Saint-Michel, Marion préféra rester seule. Elle rendit visite à Béatrice et passa les deux jours à installer ses quelques affaires dans la maison.

Le lundi matin, la tempête avait cessé.

Comme cela était prévu, frère Damien vint chercher Marion le matin pour la conduire à Avranches où ils devaient faire du classement parmi le fonds ancien. La vieille Simca les entraîna à bonne distance du Mont, jusqu'à la place de la mairie où ils se garèrent entre les flaques brunes qui remplissaient les nids-de-poule.

Frère Damien montra patte blanche, saluant chaque membre du personnel par son prénom, tandis que Marion suivait en silence. Ils gravirent un escalier orné de tableaux à la gloire des grandes personnalités qui avaient fait l'histoire de la ville, et entrèrent dans la bibliothèque.

Marion crut pénétrer dans une cathédrale de bois.

Les rayonnages montaient très haut, transformant les livres en un seul savoir, uniquement accessible par des escabeaux pentus. Une coursive en « U » faisait presque le tour de la pièce, étroite et fragile, desservant les étagères du sommet à cinq mètres du sol.

Frère Damien la sortit de sa contemplation.

— Vous savez qu'il y a parmi les manuscrits entreposés ici les fragments d'une Bible du VIIIe siècle ? Phénoménal, n'est-ce pas ?

— J'en suis toute retournée, murmura Marion.

Le plancher grinça comme le pont d'un antique trois-mâts à leur passage.

— Elle est conservée dans une pièce attenante, dans un coffre énorme, comme celui des banques. Il faut mettre des gants blancs pour la toucher, vous savez !

— J'imagine...

Frère Damien s'entretint avec le conservateur, un petit homme jovial également, portant des demi-lunes sur l'extrémité du nez, puis ils prirent l'escalier en colimaçon qui donnait accès à la coursive supérieure.

Les livres s'alignaient jusqu'à ce que la perspective

les fasse paraître aussi fins et petits qu'un ongle. Marion se pencha sur la rambarde pour y poser ses mains. Depuis son adolescence elle avait développé une théorie selon laquelle toutes les clés du cosmos étaient rassemblées en divers points terrestres : les bibliothèques. Un individu qui prendrait connaissance de tous les livres de quelques bibliothèques pourrait comprendre l'univers, jusque dans ses parcelles les plus intimes, les plus sauvages. Tout lire, pour être à même d'établir des recoupements, de savoir ce qui échappait – parfois bêtement – aux hommes de science. L'essentiel était déjà à notre portée, mais dispersé, il fallait qu'un esprit assimile le tout ; il y avait des experts dans chaque discipline, mais aucun ne les couvrait toutes. Il suffisait de bien choisir les bibliothèques, peut-être une dizaine, sortes de séphirots matériels vers l'absolu, et l'esprit deviendrait détenteur du Savoir, son raisonnement ferait les analyses, les échanges et les conclusions menant à la connaissance. L'impossibilité de la tâche pour un seul cerveau et une seule vie reflétait toute la vérité de cette connaissance ultime : elle n'était pas à la portée de l'homme. Marion y avait souvent songé. Pourquoi ne pas accepter que nous n'étions tout simplement pas aptes à réellement comprendre tout le cosmos ? Comment imaginer qu'un chat puisse travailler sur la portée de la théorie de la relativité ? Cela ne signifie pas pour autant qu'il est incapable de réfléchir, à sa hauteur, selon ses moyens. Ce raisonnement n'impliquait pas que l'on cesse de vouloir comprendre, bien sûr, mais que l'homme devienne plus humble, moins avide, et que sa conception du savoir soit moins une violation qu'une réflexion. Car tôt ou tard, la terre, à son échelle, nous en rappellerait le prix.

Les mains de Marion serrèrent la rambarde.

Elle n'avait plus eu ce type de pensées depuis long-temps. Simili écolo, vertige de baba cool. Rien de ce qu'elle estimait être. Et pourtant... La routine du travail, du besoin de s'insérer dans la société, en ayant un compte en banque, des factures, une vie sociale, tout cela l'éloignait d'année en année de ce qu'elle avait été, plus jeune, de ses réflexions jusqu'au-boutistes, anticonformistes. Ce que certains considéraient comme la maturité lui apparaissait brusquement comme une sorte de lavage de cerveau. Et de se retrouver isolée tout à coup, de ne plus voir ses rares amis, d'être recluse chez elle, de ne faire que penser, peu à peu tout cela réveillait cette part d'elle qu'elle avait oubliée, ou du moins crue révolue.

— Malheureuse ! s'écria le conservateur tout en bas. Ne vous penchez pas comme ça sur la balustrade, elle ne tient pas très bien !

Marion se redressa et lui adressa un petit signe de tête. Frère Damien avait disparu.

Elle suivit l'unique chemin jusqu'à l'angle d'où montaient quatre marches vers une minuscule porte entrouverte.

— Entrez, n'ayez pas peur, l'invita frère Damien avec la bonhomie qu'il affectionnait tant.

Marion entra sous les combles, dans une pièce rectangulaire, basse de plafond, striée d'étagères croulant sous des livres, d'anciennes revues, des périodiques locaux, des cartes ainsi que des croquis ornithologiques. Un vasistas à chaque extrémité laissait entrer un peu de lumière, juste de quoi évoluer sans se prendre les pieds dans les piles d'encyclopédies ou de vieux magazines qui poussaient çà et là à même le plancher.

— Voilà notre bureau pour les jours à venir, plaisanta le frère.

— Tout ça fait partie du patrimoine du Mont-Saint-Michel ?

— Non, du tout, c'est à la ville d'Avranches, nous venons ici pour faire un inventaire, la mairie nous emploie pour cela. Chaque frère et sœur de notre fraternité est salarié, non pour s'enrichir mais pour gagner sa vie uniquement. Nous travaillons à mi-temps en général. Bon, nous avons du pain sur la planche !

Frère Damien lui donna un carnet et un stylo et lui attribua toute la portion de gauche. Elle avait pour mission de lister minutieusement tous les ouvrages, à la main et sans autre classement que celui dans lequel ils étaient déjà plus moins disposés.

Marion fit face aux centaines de tranches usées qui s'accumulaient face à elle. Et elle se mit au travail.

Constatant qu'ils étaient là pour quelques jours elle proposa à frère Damien de se munir d'un poste de radio dès le lendemain, pour au moins écouter un peu de musique. Il accueillit l'idée d'une grimace et rappela à Marion les vertus du travail en silence, pour la pensée et la prière.

Derrière sa bonne humeur permanente, frère Damien n'en était pas moins un membre de la fraternité, se répéta Marion.

Pendant plus de trois heures, elle tria et inventoria des périodiques, des journaux et des revues d'actualité couvrant tous la seconde partie du XIXe siècle et les années 1910, 1920, 1930 et des numéros des années 1940. Les couvertures exhalaient l'arôme oublié des colonies, des années folles, du fox-trot, et des voyages en paquebot ou en dirigeable. Et celui de la guerre.

De l'industrie de mort.

En fin de matinée, d'images surannées des cultures d'antan et de leur fascination délicieuse, Marion était passée à une mélancolie misanthrope.

À midi, frère Damien l'entraîna dans une brasserie de la place, en compagnie du conservateur et de quelques employés de la mairie. Marion demeura silencieuse, présentée par frère Damien comme une retraitante parmi leur communauté. Elle les quitta au moment du dessert et s'en fut acheter *Ouest-France* au café en face où elle s'installa au comptoir pour lire.

Le scandale qui l'avait contrainte à quitter Paris était toujours en une.

On ne parlait que de cela.

Elle lut le journal en diagonale. Puis son regard se porta sur le téléphone près des toilettes. Elle mourait d'envie d'appeler sa mère. Entendre le son de sa voix, lui répéter que tout allait bien, qu'elle ne devait pas s'inquiéter.

L'homme de la DST le lui avait formellement interdit. Pour sa sécurité, pour celle des gens qu'elle aimait. Marion n'avait disposé que de quelques heures pour dire au revoir à ses proches, leur expliquer qu'elle devait se mettre à l'abri le temps que tout se calme, peut-être le temps qu'un procès s'ouvre. Si cela était possible.

Elle avait une carte téléphonique dans son portefeuille, à côté de la carte de crédit que la DST lui avait donnée en lui interdisant de se servir de la sienne jusqu'à nouvel ordre. Il y avait trois fois rien sur le compte, de quoi subvenir aux besoins élémentaires.

Juste un coup de fil rapide... pour entendre le son de sa voix...

Et pour tout foutre en l'air !

Elle paya son café et sortit. Les autres étaient encore attablés.

Marion traversa la place et entra dans la mairie. Elle remonta jusqu'aux combles où elle reprit son travail sans avoir pu trouver l'interrupteur actionnant les néons. Il faisait sombre entre les étagères. Les livres les plus abîmés étaient difficiles à identifier, il fallait les sortir et ouvrir la page de garde pour lire le titre à l'intérieur. Elle procéda ainsi pendant un quart d'heure avant d'arriver à l'étagère la plus basse.

Marion soulagea ses genoux et s'assit directement sur le plancher, en suçotant le bout du stylo. Ici les livres étaient plus petits mais entassés pêle-mêle les uns sur les autres, recouverts de poussière. Une fiche cartonnée était insérée sur le côté du meuble : « Legs de la bibliothèque de l'abbaye du Mont-Saint-Michel – 1945 ou 1946 – à répertorier et classer. »

La fiche était jaunie, probablement là depuis quinze ou vingt ans.

Tout ce qui se trouvait dans cette salle était le rebut de la bibliothèque, on entreposait en bas les plus belles pièces tandis que ce qui avait peu de valeur dormait ici pendant longtemps.

Marion reporta son attention sur ce legs de l'abbaye.

Une cinquantaine d'ouvrages, à première vue tous en langues étrangères.

En les passant brièvement en revue, Marion remarqua surtout des livres en anglais, quelques-uns en néerlandais et une poignée en allemand.

Elle avait toujours eu un petit faible pour les éditions anciennes, surtout de livres pour enfants, qui sentaient la poussière, la moisissure et le temps. Elle lisait parfaitement l'anglais, aussi s'intéressa-t-elle aux titres des premiers volumes.

Des auteurs inconnus à ses yeux.

Henry James apparut soudain. Marion l'attrapa par le bord et le sortit pour le respirer. Elle ferma les yeux.

Puis elle le rangea et poursuivit. Virginia Woolf était perdue entre des manuels de bonne tenue en société.

Un volume in-folio se distinguait par sa couleur

noire. Il était blessé, le bas de son dos ouvert laissait pendre des fils tordus. Les lettres de son auteur disparaissaient à moitié entre deux nerfs, rongés par les décennies.

Marion déchiffra le titre anglais qui, lui, demeurait lisible car il était doré.

Elle tira le livre, des particules blanches tombèrent sur le sol et roulèrent jusque dans les interstices des lattes.

C'était une histoire qu'elle adorait.

Aventures d'Arthur Gordon Pym par Edgar Allan Poe.

Le roman qui s'achevait sur une phrase en suspens, le seul que Marion connaissait qui n'avait pas de fin, qui se terminait en plein chapitre, sur un dénouement pour le moins ouvert. Elle pencha son nez dessus. Il avait l'odeur caractéristique de l'ancien. Petite, elle allait souvent chez son grand-père qui possédait une bibliothèque splendide, avec bon nombre de très vieux récits. Marion adorait leur odeur, elle pensait que c'était le parfum des doigts de milliers de lecteurs qui formait ce bouquet capiteux.

Poe avait les vertus mémorielles de Proust, remarqua Marion.

Le plat du livre était un peu gonflé, le cuir craquelé.

Marion ouvrit la première page.

Elle tourna les pages suivantes.

Ses sourcils s'arrondirent.

Un creux se forma sous ses paupières inférieures.

Les pages étaient bien en anglais.

Mais il n'y avait aucune lettre d'imprimerie.

Rien que des pages d'une écriture manuscrite, droite et jointe.

« March, 16th.
I asked Azim to fetch... »

Marion fit défiler les pages. Il en allait ainsi sur l'ensemble du volume. Elle trouva le début de ce qui apparaissait être un journal personnel.

« *March, 1928, Cairo.* »

Il ne faisait pas assez clair, Marion dut enfouir son nez parmi les pages pour examiner la couture.

On avait proprement défait les cahiers originaux pour les remplacer par ce carnet, cousu à la reliure avec soin.

Elle tenait entre les mains un journal intime daté de mars 1928, écrit au Caire, qu'on avait cherché à dissimuler. Marion le referma et le posa sur sa cuisse.

Des gouttes épaisses se mirent à tomber sur les vasistas.

De plus en plus fort, jusqu'à rythmer les combles de leur chant triste.

8

La porte des combles craqua en se refermant.

Marion s'empara précipitamment du faux roman et le remit sur la pile. Elle se sentait prise la main dans le sac, comme une enfant, alors qu'elle n'avait rien fait. Le sentiment était curieux, déroutant et excitant à la fois.

— Vous êtes déjà là ! s'étonna frère Damien en déposant un parapluie à l'entrée. Quelle ardeur au travail, je vous félicite !

Marion allait lui répondre qu'elle n'avait plus seize ans depuis plus de vingt ans, mais elle se contint, d'autant qu'une seconde plus tôt c'était l'impression qu'elle se donnait.

Ils reprirent leur labeur pour l'après-midi, tandis que la pluie tombait sans discontinuer.

Vers dix-sept heures, lorsque frère Damien la prévint qu'ils n'allaient pas tarder à partir, Marion retourna sans bruit devant l'étagère des livres en langues étrangères.

La tranche noire était sur le dessus.

Elle s'assura que le frère ne pouvait pas la voir et elle s'empara du livre.

Il disparut sous son pull.

— Pourquoi tu l'as pris ? interrogea Béatrice en crachant sa fumée de cigarette.

— Je ne sais pas. Par curiosité, je crois.

— C'est quoi ? Un vieux journal intime ?

— C'est ce qu'on dirait. 1928, écrit en anglais par quelqu'un qui vivait au Caire.

— Un colon anglais. Je me demande comment il a atterri à Avranches, ton journal...

Marion avala une gorgée de café.

— J'ai mon idée.

— Tu ne l'as même pas lu !

— Il faisait partie d'un legs de l'abbaye du Mont daté de 1945 ou 1946. Pour peu que les frères de l'époque aient accueilli un soldat anglais pendant la guerre, qu'il soit mort ou qu'il leur ait laissé son journal, ils l'auront entreposé avec le reste des livres en anglais de leur bibliothèque avant de tout donner à Avranches à la Libération, peut-être pour faire de la place.

— Je ne suis pas convaincue. 1928, c'est loin de la guerre tout de même, je ne vois pas ton soldat british se trimballer avec son journal intime dans la poche pendant plus de dix ans !

— C'est une idée comme ça...

À quelques mètres, allongé dans le canapé, un magazine à la main, Grégoire se redressa.

— Je m'ennuie, m'man, je vais faire un tour en ville, j'vais à Pontorson.

Il s'étira et fit craquer ses articulations tout en bâillant sans retenue.

« Beau garçon », s'était dit Marion en le découvrant pour la première fois. Malgré ses dix-huit ans, il avait encore sa peau de bébé sur les joues, rose et tendre. Ses cheveux coupés en brosse n'étaient pas arrangés et les épis se disputaient son crâne. Un diamant brillait à son oreille.

— Rentre pas tard.

— Promis.

Il enfila un blouson en cuir et sortit, les clés de la voiture à la main.

Après un silence, Marion désigna la porte derrière laquelle il venait de disparaître.

— Ça doit être dur pour lui de vivre ici, isolé de la terre, de ses amis.

— Greg est un solitaire, mais c'est vrai que ça n'est pas le paradis. Tôt ou tard il ira vivre sur la terre ferme.

— Pourquoi, ça n'en est pas ici ? Tu parles du Mont comme d'une île !

— C'en est une, dans l'esprit des habitants en tout cas. Tu t'en rendras compte, une vraie mentalité d'insulaire ! On se serre les coudes, on encaisse les coups, et s'il le faut, on sait garder un secret, un secret qui ne devrait pas quitter le Mont.

Marion plongea son regard dans celui de son interlocutrice.

— Pourquoi dis-tu ça ?

Béatrice haussa les épaules.

— Parce que c'est vrai. On dit que les insulaires vivent en marge du continent, que c'est une vie particulière, et ça l'est. Et encore, ici c'est tout petit, nous sommes une poignée et c'est très touristique, mais imagine ceux qui vivent à Jersey par exemple !

— Tu parles comme si tu l'avais vécu. Je me trompe ?

Béatrice grimaça.

— J'ai grandi à Belle-Île. Crois-moi, c'est un état d'esprit.

Béatrice quitta la table de la cuisine pour allumer le plafonnier.

— Tu ne dînais pas avec la fraternité ce soir ? voulut-elle savoir.

87

— Non, frère Damien m'a expliqué que c'était « désert » le lundi, lui est exceptionnellement amené à travailler mais tous les autres ne quittent pas leur cellule.

— Quelle vie !

— Et encore, depuis que je suis là ils font des efforts, en particulier pour les repas, d'habitude ils les prennent en silence ou en faisant la lecture de la Bible...

Marion fit claquer sa main en l'abattant sur la couverture du livre noir.

— Allez, je rentre.

— Tu ne restes pas manger ?

— Non, j'ai déjà bien abusé et j'ai de la lecture, fit Marion en brandissant le journal intime devant elle. Je compte bien satisfaire ma curiosité avant de le remettre à sa place.

Quelques minutes plus tard Marion remontait la Grande Rue en direction de la petite église paroissiale, le livre sous le bras, les mains dans les poches, elle savourait le voile d'humidité qui se déposait sur son visage.

— Encore en balade ? demanda une voix masculine dans son dos.

Elle se tourna pour découvrir Ludwig, le gardien de nuit, qui la toisait du haut de son mètre quatre-vingt-dix.

— Non, cette fois je rentre.

— Encore désolé pour l'autre soir si je vous ai fait peur.

Marion hocha la tête. Son accent nordique était très prononcé, elle s'en amusa. Il y avait dans cette particularité linguistique un appel à la fraternité.

C'est toi qui penses ça, parce qu'il n'a pas la même façon de s'exprimer, c'est tout...

— Au fait, poursuivit-il, si vous me cherchiez une nuit, je suis installé tout en bas, sur la place à l'entrée du village, la porte est toujours ouverte, et si je suis en ronde, vous pouvez m'appeler sur mon portable, voilà le numéro.

Il lui tendit une carte qu'il avait préparée.

— Merci, Ludwig. Bonne nuit alors, et bon courage.

Marion inclina la tête et repartit. Elle ne se sentait pas d'humeur à bavarder. Elle rentra chez elle, mit une poêle à chauffer et allait y jeter un blanc de poulet avec une noisette de crème fraîche lorsqu'on frappa à la porte.

— Décidément... murmura-t-elle.

Frère Damien se tenait sur le perron.

— Bonsoir, je suis navré de vous déranger, je fais vite, c'était simplement pour vous rappeler que je passerai demain à neuf heures pour vous prendre. Et tenez, c'est pour vous.

Il lui tendit une boîte de Xanax. Un anxiolytique.

— Sœur Anne a supposé que vous pourriez en avoir besoin, les circonstances... Et puis le vent qui souffle fort la nuit... enfin ça pourrait vous aider à dormir.

Marion prit la boîte en le remerciant.

Elle capta le regard du frère qui accrochait quelque chose dans son dos. Marion se rappela avoir déposé le livre subtilisé sur le guéridon de l'entrée, juste derrière elle.

— Je vous laisse, je ne devrais pas être là de toute façon, c'est lundi, c'est désert, je vous souhaite une agréable soirée, à demain matin.

S'il avait reconnu le livre, ce qui était peu probable, il ne l'avait pas montré.

— Bonne nuit, frère Damien.

Elle referma la porte et lança les médicaments sur le guéridon, à côté du livre noir.

Elle dîna copieusement, installée dans le salon avec la chaîne hi-fi diffusant un peu de musique pour donner un semblant de vie à la maison. Ensuite, Marion alla s'enfoncer dans le canapé d'angle, elle se cala confortablement et ouvrit le journal intime. Sur la première page, elle lut en anglais :

« Journal de bord, par Jeremy Matheson/ mars 1928 – »

Elle tourna la page.

« March, 11th,
I decided to... »

Marion cligna les yeux. Elle avait un très bon niveau d'anglais, il fallait simplement que le vocabulaire lui revienne.

« Le 11 mars.

« J'ai décidé de prendre la plume, non pour me confier comme le soulagement d'une conscience ou pour rédiger le tracé de mon existence au quotidien, mais de façon exceptionnelle pour relater cette histoire démesurée qui m'a happé tout récemment.

« Cet exercice, s'il peut être considéré ainsi, est purement expérimental, il ne commence que pour satisfaire à mon désir de coucher par écrit ces heures étranges, et je ne suis pas à même de définir ce qu'en sera la fin, si fin il doit y avoir. Je vais essayer d'être le plus global possible, de relater les faits, sans me laisser corrompre par l'empirisme, l'empathie ou ma toute simple subjectivité d'interprétation.

« Ce journal est mon récit.

« De cette sournoise histoire qui me hante désormais. »

Marion leva les yeux. Le salon était éclairé d'une unique lampe posée à côté d'elle, laissant à la nuit sa part de la pièce.

Elle aimait cette ambiance reposante. Elle retourna à sa lecture.

« *First of all, I would like to introduce...*

« ... me présenter. Je m'appelle Jeremy Matheson. Je suis détective "pour le compte de l'empire de Sa Majesté le Roi George V" comme il se doit de dire, affecté dans l'une des colonies britanniques : l'Égypte ; au Caire pour être précis. J'ai trente-trois ans et... »

Ainsi commençait l'histoire de Jeremy Matheson. Marion entra dans ce récit en l'espace d'une dizaine de mots.

Nourrissant son imaginaire de ce qui était écrit dans le journal, elle plongea dans ce monde disparu...

9

Jeremy Matheson essuya la tache d'encre qui maculait son index puis il reprit son récit.

Une lampe à pétrole brûlait au-dessus du bureau, suspendue à une poutre du wagon.

Proche de l'entrée, la moquette était marbrée de stries ambrées, les grains de sable s'étant massés en veines scintillantes. L'habitude de secouer ses chaussures au même endroit avant de les ôter avait donné naissance à ces ramifications qui dressaient un delta de bienvenue.

Un thermomètre haut de un mètre était accroché près de la porte, il indiquait, en degrés Fahrenheit, une chaleur excessive bien que la nuit fût déjà tombée.

À mesure que la vue s'enfonçait dans le wagon, la lumière se faisait plus timide, répugnant à dévoiler l'intimité de Jeremy Matheson. Les matériaux de bonne qualité reflétaient ou buvaient l'éclat de la flamme. Le bois verni était usé mais robuste, et les velours tendus aux murs gardaient encore de leur moelleux.

Par-delà la porte, plus loin que le large bureau où travaillait le détective, deux canapés en cuir fendu se faisaient face, rôtis par toutes ces journées au milieu de cette étuve, séparés par une table basse en marqueterie. Des feuilles froissées, tapées à la machine à écrire, avec l'en-tête de la police du Caire, s'entassaient sur les sièges. Quelques photos dépassaient du papier tiédi par la canicule.

En noir et blanc.

La première était barrée d'une longue trace d'encre rouge, comme pour la condamner.

On y voyait un mur blanc, et un homme en costume, impossible à identifier car il était penché, se retenant d'une main à un trou d'usure dans le mortier. Des filaments de bave s'étiraient de sa bouche jusqu'au sol, semblables à une toile d'araignée en cours de tissage.

Sur le côté gauche de la photo, le mur s'ouvrait sur une contre-allée nébuleuse. Les ombres épaisses rendaient indiscernables les silhouettes humaines qui formaient un cercle autour d'une masse sur le sol.

La deuxième photo montrait en gros plan une poupée de paille tressée, grossière, elle était déjà passablement élimée, prête à se désagréger si elle était manipulée avec peu de soin.

On avait peint sur elle, maladroitement, un semblant de robe.

Une peinture ou une tache.

Sombre et humide.

La troisième photo dévoilait des chaussures de ville, des chaussures occidentales, fraîchement cirées bien qu'habillées d'un foulard de poussière, elles entouraient toutes quelque chose au milieu, posé sur le sol. Plusieurs hommes se tenaient debout sur les bords de l'image, cependant le cadre de la photo ne dépassait pas la hauteur de leurs mollets.

Le cliché était centré sur un petit bras potelé à même la terre battue de ce qui devait être une ruelle.

Et une main entrouverte.

La peau était trop lisse pour être âgée.

La même substance poisseuse et carmin que sur la poupée tachait le poignet.

Une dizaine d'autres photos se chevauchaient, toutes retournées face contre le cuir.

La flamme de la lampe n'éclairait presque plus au-delà, là où l'espace se resserrait pour former l'entrée d'une salle de bains. Sur la droite, une coursive s'enfonçait vers le fond. Vers la chambre.

Une grande psyché donnait à cette ultime pièce une illusion de profondeur en réfléchissant les angles les plus éloignés. Face à la coiffeuse couverte de numéros de *Picture Show Magazine*, près du fauteuil Voltaire dissimulé sous un amas de vêtements, s'étalait un grand lit aux draps fripés. À son pied, un bol sculpté dans le bois était renversé sur la moquette, une flopée de mégots échoués dans une mer de cendre s'en déversait.

La photo d'une femme décorait la table de chevet. La clarté de la nuit ne filtrait pas assez au travers des deux hublots pour permettre d'en distinguer les traits.

À l'autre extrémité du wagon, la bouilloire posée sur la cuisinière en fonte se mit à siffler.

Jeremy se leva, prit un chiffon sale pour la soulever et se servir un thé. Les feuilles séchées de menthe ne tardèrent pas à délivrer leurs fragrances dans toute la vaste salle.

Jeremy savoura son breuvage encore brûlant, calé en arrière dans son siège. Exceptionnellement, il n'avait pas retiré ses bottes. Ses pieds se désagrégeaient dedans.

Il portait toujours sa chemise à multiples poches, même s'il devait la garder ouverte sur son torse. Il n'était pas rasé. Il n'en avait pas eu le temps ce matin. Cela lui allait bien, voilant un peu ses joues excessivement creusées, atténuant l'impression que sa bouche était trop charnue.

Jeremy passa une main sur son visage.

Son nez était fin, recourbé.

Ses sourcils d'ébène.

Et un halo cuivré émanait de son front dégagé, que ceinturaient des cheveux noirs lissés en arrière.

Au dire des femmes qui bavardaient aux terrasses en sirotant leur *sahleeb* devant les clubs qu'il fréquentait de temps à autre, Jeremy Matheson était « ardemment désirable ».

La bestialité de l'Afrique et l'élégance britannique se côtoyaient dans le même homme.

Nulle n'ignorait qu'il était détective, et brillant chasseur, déjà parti dans le grand Sud sauvage pour un safari téméraire.

Nulle n'ignorait non plus qu'aucune femme du Caire ne pouvait se vanter d'avoir partagé son lit avec Jeremy Matheson.

On le murmurait exclusif.

On le disait secret. Des rumeurs...

Le verre se posa sur la table en tintant. Jeremy Matheson fit craquer ses doigts, des doigts très longs, vigoureux, à l'image de ses mains qui faisaient ciller bien des yeux parmi les dames de la société coloniale du Caire. Et il ouvrit la porte du wagon.

Un escalier de trois marches desservait l'auvent accoté aux parois. Un tapis recouvrait le sable, avec des chaises longues, un mât de bois, plusieurs caisses de matériel et de réserves alimentaires à l'étiquette « Propriété de l'armée ».

Jeremy tira nonchalamment une chaise pour sortir et s'installa devant la tente.

La nuit calmait le jeu du soleil, il faisait bien meilleur à présent, il faudrait encore une heure ou deux avant que l'intérieur du wagon fraîchisse.

Face à lui, les rails tressaient un paysage qu'il aimait, une procession de vers interminables, ondulant sous la lune, vers l'infini, à l'image de l'écheveau de l'existence.

Et plus bas, derrière le bâtiment abritant le musée du rail, sous la bouche massive de pierre orangée, la gare centrale couvait ses serpents d'acier et ses voyageurs anonymes à l'abri de sa voûte.

À une centaine de mètres du wagon où vivait Jeremy Matheson, un tramway passa en cahotant, la gerbe bleue de sa couronne d'électricité en guise de coiffe. La ligne desservait les beaux quartiers d'Héliopolis à l'écart de la ville. À l'intérieur les femmes et les hommes voyageaient séparément.

Les visages étaient souriants, une jeune femme était même hilare. Beaucoup de jeunes Occidentaux.

Jeremy les observa jusqu'à ce que la rame ne soit plus qu'un flou brillant de ses phares rouges.

Ses lèvres se pincèrent et se mirent à blanchir.

Il déglutit bruyamment.

Sa main fouilla une poche de son pantalon de toile beige.

Il en sortit une petite feuille de papier déchirée. Plusieurs lignes d'une écriture élégante en remplissaient la première moitié. La main de Jeremy masquait son contenu.

Sauf ce qui était écrit en tout dernier.

« Samir. 5 ans. »

Jeremy serra le poing.

Malgré toute la résistance qu'il déploya pour étouffer dans sa gorge cette douleur, un ourlet humide gonfla le bas de ses yeux.

Ses mâchoires roulaient sous la peau fine de ses joues.

En véritables cyclopes des cieux, les millions

d'étoiles dardaient sur lui leur œil unique, tremblant, immaculé.

Une goutte tomba à côté du nom de Samir.

Le papier la but aussitôt.

Elle grandit au sein des fibres, s'élargissant, encore et encore.

Jusqu'à toucher les bords du prénom.

10

C'est une Marion enjouée et pimpante que frère Damien retrouva au matin de ce mardi.

Elle portait un manteau de laine blanche sur son pull et son jean, un bonnet de la même matière et un sac en bandoulière. Son abondante chevelure étant dissimulée sous le chapeau, frère Damien prêta une réelle attention à ses traits comme il ne l'avait pas encore fait. Il remarqua le vert de ses iris que le froid rendait moins ternes. Ses pommettes rondes lui donnaient un air slave.

Il s'interrogea un court moment sur la raison de cette blessure à sa lèvre inférieure, avant de chasser la curiosité de son esprit.

Ils arrivèrent à Avranches avant neuf heures et demie et montèrent directement aux combles.

Ils répertorièrent les ouvrages en silence jusqu'à midi où le frère proposa de sortir déjeuner. Marion avait espéré pouvoir s'exclure du groupe pour aller lire le journal qu'elle avait emporté dans son sac, néanmoins les circonstances ne s'y prêtèrent guère. Le conservateur de la bibliothèque insista pour les inviter afin de lui brosser un historique détaillé des manuscrits du Mont-Saint-Michel.

Elle ne savait pas si c'était à cause de la concentration nécessaire pour lire des titres dans une semi-obscurité ou du fait de la poussière, mais elle avait un début de migraine lorsqu'elle rentra en fin d'après-midi.

Elle trouva de l'Efferalgan dans un placard de la salle de bains et elle se posa sur le lit le temps que la douleur s'estompe.

La pénombre la berça jusqu'à ce que sa vision se brouille.

Elle sombrait dans l'inconscience.

Elle ne voyait plus que l'armoire ouverte.

Les tranches bigarrées de ses affaires empilées.

Les couleurs se mélangeaient...

La netteté revint d'elle-même. Soudain Marion distinguait parfaitement les détails de ses vêtements.

Les manches de ses chemisiers n'étaient pas bien pliées, elles dépassaient sur les côtés. Ça n'était pas elle, ça.

Dans ce domaine, elle se savait maniaque. Il fallait que tout soit impeccablement rangé pour qu'elle n'ait pas besoin de donner un coup de fer à repasser le matin. Et en l'occurrence, elle se souvenait très bien avoir pesté sur l'absence de cintres dans la penderie, elle avait pris un soin tout particulier à plier ses chemisiers les uns sur les autres, les manches savamment rabattues en dessous.

Là, elles dépassaient. Pas toutes, mais quelques-unes.

Suffisamment pour qu'elle sache qu'on avait déplacé les vêtements. Ou au moins, soulevé.

Marion bondit hors du lit. Trop vite. La tête lui tourna.

Elle se tint au pied du lit le temps que le vertige disparaisse.

Puis elle inspecta la chambre. Le sofa, le lit, la salle de bains. Elle fit de même en bas.

Elle avait des difficultés à respirer, fouillant le moindre recoin, prête à hurler et à frapper la moindre forme suspecte.

Elle revenait régulièrement vers l'entrée, surveillant le téléphone, s'assurant qu'il était toujours là.

Elle ne connaissait pas assez les lieux, elle n'avait pas encore eu le temps de se les approprier, il était difficile de savoir si quelque chose d'autre avait bougé. Pourtant, une intuition persistante lui susurrait que c'était bien le cas.

Devait-elle appeler la DST immédiatement ?

La maison était vide, il n'y avait personne, pas de danger direct.

Quelqu'un s'était introduit chez elle en son absence.

Elle se força à retrouver une respiration plus normale.

Personne n'avait retrouvé sa trace ici, personne. Elle était en sécurité. La DST s'en était assurée. C'était leur travail, celui de professionnels, elle ne craignait rien.

Son cœur reprenait peu à peu une cadence régulière.

La serrure n'avait pas été forcée.

Quelqu'un de la fraternité. Celui qui avait la clé de la maison.

Cette fois c'en était trop. Elle s'empara du téléphone et composa un des numéros que sœur Anne avait inscrits.

Elle entendit la voix chantante de sœur Gabriela.

— Sœur Gabriela, c'est Marion, pourriez-vous me passer sœur Anne s'il vous plaît ?

On ne la fit pas attendre longtemps, sœur Anne prit le combiné presque aussitôt.

— Que puis-je pour vous ? Vous vous joignez à nous pour le dîn...

— Qui a les clés de chez moi ? demanda Marion.

— Comment ça ? Quelque chose ne va...

101

— Qui a les clés ?

— Eh bien... Nous, je veux dire : la fraternité. Il y a un double de toutes nos clés ici, aux logis abbatiaux, la plupart des frères et sœurs s'en servent quotidiennement pour se déplacer, et il y a les clés de toutes les portes, y compris celles de nos différentes dépendances, telle celle que vous habitez. Qu'y a-t-il, Marion, je vous sens nerveuse, y a-t-il un problème ?

L'esprit de Marion analysait la réponse ; elle ne s'était pas attendue à cela.

— Marion ?

— Oui... Non, aucun problème. Je... J'ai eu une crise de paranoïa, je m'en excuse...

— Montez donc nous rejoindre pour le souper, nous...

— Non, je vous en remercie, je vais rester là, j'ai de quoi m'occuper. Merci, bonne nuit.

Elle raccrocha.

Toute la fraternité avait accès à ses appartements.

Et alors ? Que lui arrivait-il ? Il ne s'agissait pas d'identifier un suspect, elle n'était pas non plus au cœur d'un complot.

Mais quelqu'un était entré chez elle pour fouiller ses affaires.

« Sœur Anne ou une autre, supposa-t-elle, pour s'assurer que je n'avais rien de dangereux pour moi-même... Pas d'arme... Elle est chargée de ma sécurité, ou de ma surveillance, et elle s'assure qu'en cas de déprime je ne vais pas faire une connerie... C'est ce que je ferais à sa place. »

Et la lettre ? L'énigme ?

Un jeu.

De qui ? Dans quel but ?

Pour me divertir, me faire penser à autre chose...

Marion n'était pas convaincue.

Tout ça n'était pas clair, les idées s'embrouillaient dans sa tête. Sa seule certitude était pour l'heure de ne pas se livrer de trop. Que ce fût le jeu de la fraternité pour la surveiller et l'aider à passer le temps ici ou le fruit d'un esprit unique qui œuvrait dans un but personnel, Marion devait rester en retrait, observer, pour agir au moment opportun.

Cela ne l'empêchait pas de prendre quelques mesures.

Elle ne pouvait faire venir un serrurier sans que tout le monde le sache. Mais elle pouvait au moins affirmer son intimité.

Elle ôta les quelques objets qui décoraient le guéridon de l'entrée et poussa celui-ci jusqu'à ce qu'il vienne cogner contre la porte. En se redressant elle souffla longuement. Voilà qui lui garantissait que personne ne passerait par là tant qu'elle y serait.

La précaution était démesurée, lui sembla-t-il.

Si elle risquait vraiment quelque chose ça n'était pas un guéridon qui la protégerait, il valait mieux appeler tout de suite la DST pour leur signaler le problème. En revanche, si elle croyait vraiment que tout cela était le résultat de mesures protectrices à son égard, elle n'avait rien à craindre et son « verrou » improvisé n'avait aucune utilité.

Si. Pour moi. Pour ma tête. Pour dormir rassurée.

Et cela ne faisait de mal à personne.

Ce soir-là, Marion ne mangea pas grand-chose, elle passa l'essentiel de son temps à guetter la porte depuis le canapé, regardant distraitement la télévision.

Son esprit revenait régulièrement au journal de Jeremy Matheson. Il avait une manière bien à lui de parler de sa vie, de décrire l'endroit où il demeurait, ce wagon autrefois luxueux, mal rangé. Il se présentait lui-même comme un bel homme, sans modestie aucune, et livrait la mélancolie qui l'habitait avec une absence totale de pudeur qui étonnait Marion. Le choix des mots était crucial, cela filtrait à la lecture, Matheson avait pris son temps pour la rédaction de son journal. Et, comme il le confessait lui-même, on se rendait vite compte qu'il n'y avait aucune démarche égotique là-dedans, mais bien la volonté de laisser une trace d'un drame qui affleurait déjà dès les premières pages.

Marion avait été refrénée dans son ardeur à le lire par sa découverte de début de soirée. Elle ne s'était plus sentie dans le bon état d'esprit.

Cela revenait à présent.

La curiosité.

Qui était Jeremy Matheson, au-delà de cette introduction ?

Quel genre d'homme pouvait-il être ?

Et pourquoi cette sombre histoire d'enfants, où il avouait pleurer sur la liste des victimes ?

Marion alla prendre le livre à reliure noire.

Elle entama la bouteille de gin en se servant un verre avec du jus d'orange et elle s'enfonça dans le canapé.

Le village s'endormait sous ses yeux, derrière la baie vitrée.

Elle ouvrit au tout début, là où elle en était restée.

11

Le détective Jeremy Matheson avait ses entrées au Caire.

Pas seulement par sa fonction professionnelle, mais parce qu'une bonne partie de la société occidentale cairote connaissait son existence, de réputation ou pour avoir sollicité ses bonnes grâces.

Matheson n'avait pas son pareil pour régler les malentendus.

Une maîtresse égarée, un *baksheesh* qui vire au pot-de-vin et qu'il faut faire oublier, ou tout simplement pour quelques renseignements judicieusement glanés.

Sa notoriété se transmettait dans les salons, les clubs privés ou les réceptions, on se glissait son nom à l'oreille comme un remède miracle. Car rien en lui ne laissait penser qu'il pouvait être cet homme de société. Il n'avait rien de mondain.

Ni l'apparence, presque sauvage, ni le comportement, trop renfermé. On venait à lui sur la pointe des pieds, méfiant et fébrile à l'idée de demander un service à cet individu insondable. Il se fendait toujours du même regard en coin à l'égard du solliciteur, lèvres tendues vers l'extérieur, puis finissait d'un « je verrai ce que je peux faire ».

Et il déliait les nœuds avec habileté.

Ses plus grandes qualités en cela étaient sa discrétion bien sûr, et son carnet d'adresses d'autre part. Son nom était familier à bien des bancs de *qahwa*, au pied des fontaines publiques du vieux Caire, tout autant qu'aux concierges de grands hôtels, ou aux secrétaires des ministères.

Matheson était au Caire depuis neuf ans, il y était arrivé à sa demande, dès son entrée dans la police, une fois son diplôme de droit obtenu. Le Caire rimait avec exotisme, aventures, soleil et surtout avec une hiérarchie moins rigide, plus encline à le faire évoluer rapidement pour devenir enquêteur. La réalité ne lui avait pas donné tort.

De plus, il jouissait ici d'une liberté de manœuvre qu'il lui aurait été impensable de trouver à Londres ou partout ailleurs en Angleterre. Et après neuf ans à tanner sa peau sous la chaleur des pyramides, il n'avait jamais demandé à revenir au pays. Au contraire, il faisait tout pour que son dossier reste oublié dans les archives. Il avait vu se succéder trois hauts-commissaires britanniques, il avait assisté aux manifestations anticoloniales, et à ses bouffées de violence, à l'indépendance de l'Égypte, à la découverte du tombeau de Toutankhamon, une quasi-décennie riche en gloire et en drames qui l'avait fasciné. Et Le Caire l'avait happé.

Ses repères se trouvaient dans l'alignement des minarets sur la surface des toits, dans le chant des *muezzin* qui ponctuaient les jours d'une façon moins martiale que Big Ben, dans le faste d'une vie d'Anglais parmi les Arabes, et dans ce piment quotidien qui soufflait depuis le désert sur toutes leurs têtes, cette menace d'un danger qui pouvait surgir à tout moment, sous toute forme possible. Ainsi en allait-il de sa vie dans la ville des *Mille et Une Nuits*. Le *fog* londonien et la prévisibilité de l'existence au bord de la Tamise avaient perdu leur charme pourtant si britannique.

Ici tous les Occidentaux avaient le droit de porter une arme, ici les nuits pouvaient s'embraser en un rien de temps sous la pression des nationalistes, chaque repas avait une saveur antique. Au Caire on ne faisait plus l'histoire, on la jalonnait, on vivait avec elle pour compagne, les mystères avaient une matérialité qu'on ne trouvait nulle part ailleurs, les légendes devenaient réalité, le sable et le soleil bordaient la ville et l'existence d'un goût amer qui incitait à vivre toujours plus intensément.

Le Caire était un cobra lové entre les collines Mokattam et le Nil, dont la morsure plutôt que d'être létale provoquait une dépendance totale, sans sevrage possible.

La police égyptienne, sous les ordres de Russel Pasha, conduisait l'essentiel du travail d'investigation, encore chapeautée, çà et là, par des Anglais aux postes stratégiques. Jeremy Matheson était principalement chargé des affaires impliquant des personnes ou des biens occidentaux, mais son rôle était politique avant tout. L'Égypte aux deux visages se devait de fonctionner avec ce pouvoir bicéphale alourdissant pour satisfaire tantôt les caprices coloniaux des uns, tantôt les ardeurs identitaires des autres.

De même qu'il se fichait de son évolution hiérarchique maintenant qu'il était détective, Jeremy Matheson se moquait de cette volonté démagogique, il servait les intérêts de sa fonction, au-delà de ceux de la nation, se répétait-il. Il menait ses enquêtes, jouant sur les deux tableaux culturels, en véritable jongleur.

Il traitait avec la même implication le meurtre d'un clochard et le vol chez une riche Anglaise.

Il ne savait que trop comment ses confrères cairotes pouvaient classer une enquête et son importance en fonction des intérêts en jeu, des classes sociales concernées, ou tout simplement selon leur bon vouloir. Et Matheson se faisait un devoir de semer la zizanie dans ce monde où régnait une absence totale de probité. Non pas parce qu'il était lui-même intègre – loin s'en fallait –, mais simplement pour donner de temps à autre un grand coup de pied dans ce nid de serpents et les voir s'agiter convulsivement.

Matheson s'était constitué sa frontière à lui, bien étroite et perméable, entre son travail officiel et celui qu'il opérait de façon privée, pour rendre des services. De ces services, il ne tirait que très rarement de l'argent, mais il nourrissait son carnet d'adresses, il créait des dossiers biographiques sur les uns et les autres, s'autorisant à l'occasion la demande d'un service en retour. Ainsi en allait-il de son réseau étendu de connaissances.

Lorsque fin février il avait entendu parler dans les couloirs de son service d'un corps d'enfant retrouvé dans une maison abandonnée au nord-est du quartier Abbasiya, Jeremy Matheson s'était arrêté pour écouter.

La nouvelle en soi, bien que macabre, n'était pas inconcevable, cet endroit du Caire était un assemblage de taudis où la mort frappait bien souvent ; ce qui l'était plus concernait l'état de l'enfant lorsqu'on l'avait découvert.

Matheson était sorti de son bureau pour se joindre aux deux officiers de police. Celui qui revenait des lieux avait encore la pâleur d'une voile de felouque. Il se refusa à donner des détails précis, cependant il confia que l'enfant était brisé en deux au niveau du bassin, comme s'il avait été fait de bois léger, cassé selon un angle atroce, le torse renversé en arrière, les chairs percées par les os des hanches.

Il n'y avait pas eu viol mais il y avait des traces d'ordre sexuel.

L'enquête fut confiée à un inspecteur nommé Azim Abd el-Dayim, un Cairote d'origine qui connaissait bien le quartier El-Abbasiya, il n'en fallait pas moins pour pouvoir travailler sans risquer d'être mis en pièces dans pareil endroit. Il ne trouva aucun témoin, aucun indice probant.

Le 2 mars, c'est dans une ruelle sordide d'El-Huseiniya qu'on trouva une fillette de six ans. Elle n'était pas rompue en deux mais son état était autrement effroyable. Cinq hommes s'étaient succédé à son chevet, aucun n'était parvenu à garder sa dignité, tous avaient fondu en larmes, certains avaient vomi, d'autres fait des cauchemars pendant plusieurs nuits.

Samir fut le troisième innocent anéanti.

La tête reposant à plat sur la pierre d'une tombe du cimetière Bab el-Nasr.

Le lien entre les crimes ne faisait aucun doute. La violence était différente à chaque fois mais exercée avec une telle férocité qu'on pouvait douter de la nature humaine du coupable.

Les trois enfants venaient des quartiers pauvres, de familles sans ressources.

Les trois enfants avaient à peu près le même âge.

Les trois enfants avaient été martyrisés à mort, griffés, mordus jusqu'à l'amputation de morceaux de chair.

Les trois enfants avaient été souillés.

En moins de deux semaines.

Jeremy Matheson avait décroché son téléphone, il s'était déplacé ensuite. Il abandonnait son investigation sur le meurtre d'un archéologue qui opérait des fouilles dans les sous-sols du Caire, l'affaire ne débouchait sur rien de toute manière.

Et il avait obtenu l'enquête sur les enfants morts.

Azim Abd el-Dayim devenait son collaborateur, parce qu'il parlait l'arabe et parce qu'il n'avait pas la même couleur de peau.

Trois jours plus tard, le 14 mars 1928, le téléphone sonna.

Et la vie de Jeremy Matheson bascula à jamais.

12

Marion reposa le livre noir sur ses genoux et but la dernière gorgée de gin orange avant de se resservir un second verre.

L'eau-de-vie lui brûlait encore la gorge, dégageant un arrière-goût amer. Une saveur qui faisait écho à beaucoup d'autres, parmi les pages du carnet qu'elle lisait.

Ses doigts se mirent à caresser la couverture.

Pour un journal intime, c'était agréable à lire, tout au moins le début.

L'auteur avait entrepris la rédaction un peu après le commencement des faits qu'il relatait. Cette entrée en matière était en quelque sorte un long flash-back.

Dès les premières phrases, la mélancolie perçait, Jeremy Matheson était un homme blessé, épanchant sa souffrance avec des mots sur des bandages de papier. Contrairement à ce qu'il affirmait dans le prologue, on sentait dans son écriture bien plus qu'un compte rendu à titre informatif. Il vidait son âme d'un trop-plein.

L'autre élément qui troublait Marion était qu'il disait très peu « je », cherchant plutôt à s'inclure parmi d'autres personnes pour employer le « nous », utilisant la police, les Anglais, les hommes et autres groupes aussi souvent que possible.

En revanche, ce qu'annonçaient les dernières pages lues déplaisait fortement à Marion. Les meurtres de ces enfants.

Elle n'était pas sûre de vouloir savoir.

Pourtant il y avait cette curiosité.

Elle se pencha sur son réveil pour vérifier l'heure.

23 : 12.

Aucune fatigue particulière ne se faisait sentir. L'intrusion chez elle l'avait trop remontée. La peur et la colère s'étaient évaporées avec le récit.

Elle jeta un bref regard aux toits pentus du village.

Puis le livre se retrouva ouvert dans ses mains.

*
* *

Dès qu'il eut raccroché le combiné, Jeremy Matheson prévint Azim, son collègue, et ils filèrent vers la *sharia*[1] Muhammad Ali qu'ils remontèrent en voiture avant de bifurquer vers l'est sous les remparts de la Citadelle. Ils sortirent de la ville, traversant un ancien cimetière pour rejoindre les Tombeaux des Califes.

Dans le véhicule, ils refirent le point sur l'enquête qu'Azim avait conduite jusqu'à présent. Seul pour tout gérer, il avait délégué au maximum, pour gagner du temps. Des policiers étaient allés prendre la déposition de chaque famille, pendant que d'autres faisaient du porte-à-porte pour demander aux habitants des quartiers concernés s'ils avaient entendu ou vu un détail insolite les nuits des meurtres. Azim centralisait les rapports, les épluchait et tentait d'en dégager une piste,

---

1. Rue.

sans succès. Il n'avait presque pas avancé depuis le premier jour, n'ayant pour lui que la bonne conscience d'avoir fait son travail au mieux.

Trois victimes, peut-être quatre aujourd'hui.

Des enfants âgés d'une dizaine d'années à peine, vivant dans la même région, le nord-est du Caire, issus de familles très pauvres. Voilà tout ce qu'ils avaient.

Une route goudronnée courait parallèlement à la nécropole, et ils purent se garer à côté des véhicules déjà présents ; Jeremy et Azim parcoururent le reste du chemin à pied, dans les prémices du désert.

En cette fin de matinée, la température environnait les trente degrés Celsius, la chaleur semblait sortir du sol même, tressant dans l'air des volutes troubles qui grimpaient vers les cieux en brouillant l'horizon. Les hauts minarets des tombeaux lançaient leur ombre sur le sable pour dessiner un chemin d'accalmie, invitant par là même à marcher dans leur pas, comme un message religieux filtrant par-delà la pierre.

Des murs sans toit se suivaient en vagues successives, leurs briques multicolores formant des remparts d'alvéoles roses, rouges et blancs. Les dômes et les tours surgissaient un peu partout, en ruches bourdonnantes sous l'œil unique de Râ.

Richard Pallister, le photographe de la police, était à l'entrée d'une impasse, assis sur un petit roc, le chapeau sur un genou, et sa mallette de travail aux pieds. Il s'épongeait le front d'un mouchoir de tissu, moins à cause de la chaleur que du choc.

Et il faisait pourtant une chaleur inhabituelle pour la saison.

Pallister leva la tête vers les nouveaux arrivants, les paupières gonflées, rougies, et le regard perdu.

Pallister cherchait un repère. Celui qui distinguait l'homme de la bête, le repère qui brille en permanence

113

comme une borne rouge sur le bas-côté de la conscience, et qui se dresse devant celle-ci lorsque la pensée va trop loin.

Son visage était coloré d'un film transparent qui glissait peu à peu de ses cheveux jusqu'à son menton, en gouttes salées, pour laisser dans son sillage une peau livide. Ses lèvres tremblaient.

Lorsque Jeremy passa à sa hauteur, c'est un murmure qui s'éleva de la bouche du photographe, et c'est à l'émotion qui s'exprimait dans ses yeux que le détective le comprit. Il le suppliait de ne pas y aller.

Jeremy entra néanmoins dans l'impasse étroite, il entendit Pallister fondre en sanglots.

La paroi de droite était celle d'une tombe qui ressemblait surtout à une maison à toit plat, blanche et aveugle. En face, le mur était bien plus ancien, il s'effritait depuis longtemps, son squelette de briques était noir comme de l'os calciné, un maillage aux teintes pourpres du désert se propageait entre chaque pierre, similaire à du sang séché ; la construction n'était plus rien désormais qu'un cadavre géologique conférant à la ruelle une apparence étouffante et une odeur de poussière.

Elle s'enfonçait ainsi sur vingt mètres.

Deux Cairotes coiffés d'un tarbouch sur un costume bon marché se tenaient tout au fond, les mains sur les hanches. Les deux hommes demeuraient silencieux, évitant de regarder par terre.

Dès qu'ils aperçurent Jeremy Matheson ils vinrent à sa rencontre, trop heureux de pouvoir s'éloigner un instant de cette zone maudite.

— C'est un *drogman*[1] qui l'a trouvé ce matin, en

---

1. Sorte de guide touristique local (et traducteur) dont la connaissance est souvent davantage liée à son carnet d'adresses qu'à son savoir historique.

préparant son itinéraire, rapporta le premier avec un accent prononcé qui lui faisait rouler les *r*. On a tout de suite pensé à vous prévenir, ça ressemble trop aux précédents...

Matheson posa une main sur son épaule pour écarter son interlocuteur, sans mot dire. Il s'approcha de ce qui maculait la terre battue et les murs de l'impasse.

Un enfant d'une dizaine d'années.

Saigné et distordu comme par un géant surpuissant qui aurait découvert ce jouet étrange, le manipulant jusqu'à l'épuisement, le malaxant, le brisant, le crevant ; l'enfant gisait désormais en un paquet informe, n'ayant plus d'humain que les membres, et une tête tuméfiée aux cheveux blanchis par la terreur.

Matheson avala sa salive, celle-ci descendit dans sa gorge avec une résonance humide.

Ses jambes fourmillaient. Il ferma les yeux pour se concentrer sur sa respiration. Il ne tarda pas à percevoir le battement rapide de son cœur.

Se calmer. Souffler.

Azim l'attrapa doucement par le bras.

— Ça va aller ? demanda-t-il d'une voix reposante, quasi maternelle.

Jeremy se tourna pour l'observer, presque hagard.

Azim portait le turban traditionnel, et une chemise et un pantalon occidentaux. Sa moustache d'ébène finement ciselée dansait sur sa lèvre proéminente. Il portait son embonpoint avec grâce, toujours serein, toujours félin dans ses gestes.

— Monsieur Matheson ? insista-t-il, vous êtes sûr de vouloir rester ici ?

Jeremy expira lentement et hocha la tête.

— Oui, murmura-t-il. Oui. Je veux rester.

Les deux hommes aux tarbouchs le considéraient sans jugement, eux-mêmes bien trop affectés.

Jeremy les fixa en retour.

— Allons-y, fit-il en reprenant un peu de substance, en essayant de poser sa voix. Vous avez relevé des traces particulières ?

— Non, répondit le premier, il y avait trop de mouvement dans le sable, impossible de dire ce qui est ancien et ce qui est récent, sans compter les pas du drogman et les nôtres. Par contre on n'a pas vraiment ausculté autour, dit-il en désignant un cercle autour du corps sans vie.

— Et le drogman, où est-il maintenant ?

— On a pris son identité et...

— Et ?

L'homme eut un tic nerveux, pressentant les ennuis, il leva un sourcil et une épaule en même temps, mal à l'aise.

— Et il est reparti...

Jeremy ouvrit la bouche lorsque Azim – qui le tenait toujours par le bras – desserra son étreinte.

— N'insistez pas, souffla-t-il, ça ne sert à rien, ce qui est fait est fait.

Jeremy expira longuement sans lâcher du regard les deux hommes en face de lui.

— Très bien, conclut-il, restez à l'entrée de la ruelle, et guettez l'arrivée des brancardiers.

Il pivota pour affronter de nouveau l'étendue du carnage.

— On ne s'occupe pas du corps, commanda-t-il après un temps de silence, le médecin le fera. On ausculte le sable et tout le reste, à la recherche d'indices.

Lui et Azim se partagèrent l'aire autour du cadavre, et ils se mirent à piétiner progressivement, examinant chaque centimètre du sol et des murs.

L'ombre des tombeaux avait protégé le site du soleil, les liquides corporels n'avaient pas eu le temps d'être bus ou totalement assimilés par la terre, il restait de longues rigoles brunes entre lesquelles il fallait poser le pied.

Jeremy ouvrit les premiers boutons de sa chemise pour laisser passer un peu d'air sur son torse. Il ne respirait pas bien.

Une longue trace n'avait pas été effacée par les pas de ses prédécesseurs, deux fois cinq sillons parallèles qui couraient sur deux mètres depuis un angle jusqu'au petit corps.

L'enfant avait enfoncé ses ongles et ses doigts entiers dans le sable pour s'accrocher alors qu'on le tirait en arrière.

Vers une bouche avide.

Jeremy chassa cette image de son esprit.

Il n'en voulait pas. C'était un parasite à la réflexion. Se concentrer ici, maintenant, voilà ce qui comptait. Rien d'autre. Pas d'images folles.

Il se remit à inspecter les lieux, en prenant tout le temps nécessaire pour n'omettre aucun détail. Les creux et les crêtes étaient trop nombreux dans le sable pour en tirer quoi que ce fût, c'était un véritable chaos.

— J'ai peut-être quelque chose ici, fit la voix chantante d'Azim.

Jeremy le rejoignit face au vieux mur décrépi. Azim était accroché à un mètre de haut, les pieds en équilibre dans les trous qu'il avait pu trouver.

Il lui montra de l'index une entaille fraîche dans une brique, juste sous son nez, au sommet, à moins de trois mètres. L'entaille, peu profonde, ne dépassait pas trois centimètres de long sur un de large.

— Comment avez-vous trouvé ça, Azim ? s'exclama le détective anglais.

— C'est mon boulot, répondit son compagnon sans aucune joie. On dirait une griffure.

Azim lança une exclamation en arabe.

— Il y en a une autre ici, fit-il aussitôt remarquer.

La seconde, similaire, se trouvait à une vingtaine de centimètres. Toutes les deux bordaient le haut du mur.

Le soleil commençait à éclairer cette partie, nappant les textures de son éclat cru, il faisait ressortir les ombres tout en affadissant l'éclat des couleurs tant ses rayons étaient purs et chauds.

Un éclat de quartz ou de gypse accrocha l'œil de Jeremy depuis l'extrémité de l'entaille.

— Qu'est-ce que c'est que ça, là ? demanda-t-il.

— Je viens de le voir aussi. Attendez...

Azim assura sa prise d'une main et libéra l'autre pour extraire délicatement l'objet brillant.

Son expression s'obscurcit.

— Qu'est-ce ? interrogea Matheson, subitement impatient.

— Je ne sais pas... On dirait un bout d'ivoire... pointu.

— Faites voir.

Azim se laissa tomber à côté de lui et lui tendit le fragment blanc.

Il était triangulaire, acéré. Sa matière évoquait de la corne un peu abîmée. Jeremy releva le visage vers les griffures dans la brique.

Quelque chose en corne avait écorché le sommet à peu près de la même manière à vingt centimètres d'écart.

Soudain, Jeremy plaqua sa main contre l'abdomen de son collègue pour l'empêcher de bouger davantage. Il scruta le sol avec attention.

Parmi la multitude de minuscules dunes qui s'étaient formées, il repéra sans tarder un trou bien plus profond que les autres.

Ignorant sa découverte dans un premier temps, il

montra à Azim deux autres dépressions juste devant lui.

— Regardez.

— C'est moi qui viens de le faire, monsieur, répondit Azim. En sautant du mur. Mes pieds se sont enfoncés pour laisser ce creux.

— Je sais bien, mais justement ! Maintenant observez cet autre trou, là.

Il pointa son doigt sur celui qu'il avait repéré.

— Et cette espèce d'amas de sable confus à côté, à une vingtaine de centimètres, ça devait être son jumeau avant qu'on ne l'efface.

Azim fit signe qu'il comprenait. Quelqu'un avait sauté de tout en haut, un adulte à en croire la profondeur.

— Il se tenait en équilibre à cette hauteur lorsqu'il a sauté, expliqua Jeremy en désignant les trous. Il s'est appuyé sur la brique pour se propulser, et il l'a égratignée car il tenait une arme en corne, apparemment dans les deux mains, c'est ce qui a causé ces marques.

— Dans les deux mains ? Pas pratique pour s'élancer.

— C'est vrai. Cela dit, j'ai peine à croire que ce soient ses ongles qui puissent faire de telles éraflures !

Jeremy se mit aussitôt à escalader la maçonnerie.

— L'enfant a été surpris, terrorisé même, à en croire la couleur de ses cheveux. Il a dû voir son agresseur au dernier moment, debout ou accroupi ici même, reconstitua-t-il en se hissant.

Il prit le temps de trouver son équilibre et se leva lentement pour dominer l'impasse à presque trois mètres. Puis il se tourna pour voir de l'autre côté, ce que dissimulait l'enceinte multicolore.

— Vous voyez quelque chose ? voulut savoir Azim. Attendez, je monte...

— Inutile ! Vous pourriez vous rompre le cou, les briques sont assez mal scellées entre elles, c'est très ancien. Il y a un niveau un mètre plus bas.

Avant qu'Azim ne lui intime la prudence, Jeremy avait déjà sauté de l'autre côté. Ses épaules dépassaient du sommet du mur, il se pencha pour lui adresser un signe, tout allait bien. Et il se mit à fouiller.

D'en bas, de l'autre versant, Azim ne voyait que la partie supérieure de l'Anglais qui s'activait, qui parfois disparaissait totalement lorsqu'il mettait un genou à terre. Le détective Matheson serrait les mâchoires, secouant sombrement la tête pendant qu'il passait au crible le toit de ce qui devait être un mausolée.

Il s'arrêta au bout de quelques minutes, d'un coup. Il se pencha et se redressa vivement en portant une main devant sa bouche. Il se caressa le menton.

— Quelque chose ? questionna Azim.

L'Anglais répondit par l'affirmative d'un hochement de tête.

— Vous voulez que je monte ? insista Azim.

— Non.

Le mot était sec, pourtant prononcé avec une douceur déconcertante.

— Non, je pense que vous pouvez vous en dispenser, ajouta Jeremy sur le même ton de la confidence, presque inaudible.

— Alors, qu'y a-t-il là-haut ?

Jeremy se cambra pour dominer toute la région. Il contempla les tours, les fortifications et les coupoles qui donnaient à cet endroit un aspect si original. Le soleil l'obligeait à crisper son visage pour parvenir à voir sans fermer complètement les paupières.

Ses mots furent dits si faiblement, comme pour lui-même, qu'Azim eut beaucoup de mal à tous les saisir :

— Nous avons affaire à un chasseur, Azim. À un chasseur sans aucune pitié, à un chasseur dont les trophées sont des enfants...

La suite, s'il y en eut une, se perdit pour l'éternité parmi les tombes.

13

Il était minuit.

Marion reposa le journal sur le côté du sofa.

Le gin orange commençait à lui tourner les esprits.

Elle contempla la pièce mal éclairée en se demandant ce qu'elle faisait là. Le décor reprit sa place aussi vite dans sa mémoire.

L'effraction de l'après-midi n'était plus qu'un mauvais souvenir, embrumé par l'alcool.

Elle se sentait décalée, totalement déphasée par ce qu'elle venait de lire.

À bien y réfléchir, elle n'avait pas lu, c'était bien là le problème. Elle avait *vécu* la découverte de l'enfant mort. Le pouvoir des mots.

Ils sont une porte.

Ils sont la formule magique.

La source des sorts.

Une porte vers l'imaginaire.

Ils l'avaient entraînée dans le film du passé, et elle s'y était perdue.

Marion s'étira en grognant.

Elle était fatiguée.

— Et tu es un peu ivre, ma chérie, constata-t-elle à voix haute.

Elle monta se coucher et alors qu'elle allait se déshabiller, elle se souvint avoir laissé le livre noir en bas. Elle hésita ; aucune envie de redescendre, et pourtant le désir de le conserver avec elle, tout proche. Elle soupira et retourna le chercher.

La nuit berçait le village derrière la baie vitrée.

Marion resta immobile dans l'obscurité de son salon, à admirer les toits et les fenêtres sans vie. Puis elle regagna sa chambre où elle se dévêtit. Tandis qu'elle posait ses vêtements dans la petite salle de bains attenante, le reflet de sa silhouette attrapa son regard dans la glace.

Elle avait encore des jambes splendides. Elle se tourna.

Son cul n'était pas mal non plus, se dit-elle.

Une modeste gourmandise arrondissait son ventre, qui était encore plat il n'y avait pas si longtemps. Ses seins n'étaient plus aussi fermes, mais ils étaient tout de même beaux, trouva-t-elle. C'était ses bras qui lui déplaisaient le plus finalement. Cette élasticité sous le triceps, ce ruban de peau mou sous le biceps.

Elle connaissait par cœur cet inventaire.

Le miroir ne lui était pas plus utile que le souffleur au théâtre.

Le plus difficile à accepter n'était pas ce corps qui mûrissait envers et contre tout, malgré l'absence de sexualité régulière, malgré son hygiène de vie particulière, ou le fait qu'il n'ait jamais servi à porter et construire la vie, non, le plus dur était son visage.

Les sillons de l'existence qui s'affirmaient avec les années, le teint qui faiblissait sans le soutien inconditionnel des UV en institut, le blond sable de ses cheveux qui perdait du terrain face au blanc de la résignation.

La vue d'ensemble n'était pourtant pas désagréable.

Marion ne devait pas se plaindre, elle était tout de même une belle femme. Ses traits étaient doux, les rides ne faisant que souligner une certaine sagesse...

Marion pouffa. Elle divaguait, il était l'heure de dormir, d'oublier son corps et ses interrogations. Les femmes s'angoissaient à l'idée de faner et d'en perdre l'amour de leur mari ou les regards réconfortants des hommes dans la rue et elle, Marion, craignait de ne jamais vaincre sa solitude. Avant d'espérer garder, il fallait conquérir.

— Tu dis n'importe quoi, murmura-t-elle en remarquant que son haleine sentait l'alcool. Tu es soûle.

Elle passa sous les draps froids du lit, sans prendre la peine de revêtir un pyjama ou une nuisette, et elle ferma les yeux.

Ses mains descendirent le long de ses flancs. L'une glissa sous sa hanche, effleura son pubis.

Ses doigts caressèrent à peine le creux de son sexe.

Et elle roula sur le côté en tirant la couverture pour se border jusqu'au cou. Pas ce soir. Elle était trop fatiguée.

Le soleil d'Égypte brillait encore, quelque part dans un recoin de ses pensées.

La chaleur la berçait.

Jeremy Matheson la tenait par les épaules, et lissait ses cheveux avec tendresse.

Il sentait si bon... Viril, presque bestial. Attirant comme s'il exerçait un charme irrésistible. Magnétique.

Marion vit sa bouche s'approcher de la sienne.

Elle resserra sa main sur les couvertures.

Elle dormait.

Marion tria les livres dans les combles de la bibliothèque d'Avranches en compagnie de frère Damien
toute la journée du mercredi, c'était leurs dernières
heures de labeur dans la réserve.

Elle faillit lui poser des questions sur ce que chaque
membre de la fraternité avait fait la veille dans l'après-
midi, pour tenter de débusquer le rôdeur qui s'était
introduit chez elle, toutefois elle préféra se taire et ne
pas éveiller la curiosité du religieux.

Elle rentra vers dix-sept heures, et le téléphone
sonna presque aussitôt. Elle était attendue aux logis
abbatiaux pour faire la connaissance du responsable de
la fraternité, le frère Serge.

Marion grimpa le Grand Degré extérieur, franchit le
Châtelet pour arriver devant la longue et imposante
façade des logis.

Sœur Agathe l'attendait à l'entrée. La sœur était plus
jeune qu'elle, d'un physique relativement anodin, et
d'une discrétion presque spectrale. Elle conduisit
Marion à travers les couloirs et les escaliers et frappa
à une porte voûtée, en bois.

Frère Serge ouvrit et invita Marion à entrer. Sœur
Anne était également présente.

L'homme était dans la cinquantaine. Un nez aussi
volumineux que tordu et plusieurs grains de beauté
noirs marquaient son visage. Sous ses épais sourcils
bruns ses yeux formaient deux lacs placides et allongés
sur lesquels ne se reflétait aucune émotion. En le
découvrant, Marion le compara à Robert De Niro, en
moins charismatique et plus avachi.

— Je suis content de pouvoir enfin faire votre

126

connaissance, dit-il en guise d'introduction. Cela fait une semaine que vous êtes arrivée et je n'ai guère eu un moment pour moi. Asseyez-vous, je vous en prie.

Marion s'exécuta, non loin de sœur Anne qui la couvait de son regard bienveillant. La voix du religieux lui était familière, sans qu'elle pût l'identifier précisément.

— Vous habituez-vous à vos quartiers ? voulut savoir frère Serge.

— Oui, à mon rythme. Je commence à m'y sentir « cocoon », comme on dit.

— Parfait. J'appréhendais votre installation, c'est un peu délicat. Mais j'ai cru comprendre que sœur Anne vous avait prise sous son aile, je vous sais donc entre de bonnes mains.

Il feignait de l'apprendre alors que tout devait être orchestré bien avant son arrivée, présuma Marion. Elle s'interrogea sur le nombre de personnes qui avaient pu passer entre ces murs avant elle, confiées à la fraternité par la DST. Était-ce un circuit bien huilé ? C'était peu probable, l'habitude et la quantité auraient mis le système en danger. Un procédé trop prévisible n'avait aucun intérêt pour ce genre de mission qui consistait à faire disparaître un individu pendant un temps donné. Personne ne devait parvenir à remonter cette piste.

Marion décida de ne plus jouer.

— Vous êtes en contact permanent avec la DST ? interrogea-t-elle.

Frère Serge cacha son sourire derrière sa large main.

Il tourna la tête vers sœur Anne pour partager son amusement avant de répondre à Marion :

— Non, au contraire. Le silence prévaut. Je ne dispose que d'un numéro de téléphone à appeler si c'est absolument nécessaire. Nous ne sommes qu'une communauté spirituelle, Marion. Vous permettez que je vous appelle Marion ?

127

L'intéressée fit un signe nonchalant pour l'inviter à poursuivre.

— Pas des agents secrets, conclut-il.

— Simple curiosité. Je me demandais.

— Nous rendons service. On nous l'a demandé un jour, nous avons accepté, et cela s'est reproduit, et c'est exceptionnel. Voilà.

— Voilà, répéta Marion en le fixant.

— Comment se passent vos journées ? Vous aidez frère Damien si j'ai bien compris.

— Oui. Ça n'est pas passionnant mais ça occupe. Hélas, le classement est terminé et je retourne à mon oisiveté dès demain.

— Je vais vous remettre ce trousseau, je vous demanderai d'en prendre le plus grand soin. Avec lui, vous pourrez aller où bon vous semble.

Il prit un cercle de métal sur lequel pendait une douzaine de grosses clés.

— Soyez discrète autant que faire se peut, l'administration du Mont pense que vous êtes en retraite chez nous, ils verraient d'un mauvais œil que nous vous octroyions un tel passe-droit.

Sœur Anne se pencha vers Marion.

— Je vous expliquerai l'usage de chacune des clés, précisa-t-elle.

— Ce sera un moyen comme un autre pour vous distraire. Je dois bien avouer que le pire de vos ennemis ici sera l'ennui. Nous pourrons vous tenir compagnie aussi souvent que possible ; cela dit, je ne vous cacherai pas que notre fraternité a une conduite à tenir. Nous ne pouvons pas vous trouver un emploi officiel sur le Mont, ce serait peu raisonnable.

— Vous a-t-on dit combien de temps j'allais rester ?

Frère Serge se gratta le bas du crâne.

— Non, ça non. Je n'en sais rien. On nous a

demandé de veiller sur vous pendant l'hiver, le temps que « les choses se tassent ou qu'elles avancent ». Je ne sais même pas ce que sont ces choses (il brandit son index devant lui) – et je ne veux pas en être informé. Ça peut durer trois semaines comme trois mois.

Il marqua une pause et ajouta :

— Dans l'ignorance, préparez-vous à y passer les mois à venir.

Marion attrapa le trousseau de clés.

— En attendant, si je peux vous être d'une aide quelconque... dit-il en se voulant rassurant.

Marion le remercia brièvement.

Elle savait où elle avait entendu cette voix.

La nuit de son arrivée. Tandis qu'elle s'endormait, une voix masculine grave, à l'élocution si articulée. Il était venu à son chevet le premier soir, avec sœur Anne.

Marion déclina la proposition lorsqu'on lui offrit de dîner avec les autres membres de la fraternité, frère Gilles – et son profil d'aigle – allait faire la lecture des saints textes pendant le repas. Elle retrouva sa maison, curieuse plus qu'inquiète de savoir si elle avait reçu une nouvelle visite mystérieuse. Marion fit le tour des pièces, mais aucun élément ne permettait de le penser.

Peut-être était-ce terminé... On l'avait titillée avec la lettre énigmatique et on s'était assuré qu'elle ne dissimulait aucun objet dangereux, à présent on allait la laisser en paix.

Marion se prépara une soupe en sachet, trop paresseuse ce soir-là pour cuisiner.

Elle disposa le bol sur la table du salon, avec une bouteille de Contrex et un yaourt, et sortit le livre noir de son sac en laine.

Marion s'installa pour manger et ouvrit le journal là où elle l'avait laissé.

14

Jeremy Matheson et son collègue Azim Abd el-Dayim se frayaient un chemin dans une rue piétonne du quartier El-Musky. Ici, on ne circulait qu'à pied, à dos d'âne éventuellement, la densité de passants et d'étals était telle qu'on ne pouvait faire autrement.

Sous les hautes façades vétustes aux balcons saillants, les échoppes profondes débordaient à loisir jusqu'au milieu de la rue, colligeant ainsi en longue procession les bouquets de couleurs bariolées et les voiles de fragrances exotiques.

Jeremy passa sous un grand tapis en peau de chameau exposé en hauteur comme une tente, qui dégageait une odeur acide, écœurante. Un vendeur de soieries l'interpella pour reculer aussitôt lorsqu'il vit Azim le congédier dans sa propre langue.

Les étoles de soie rouge, verte, bleue, jaune et leurs déclinaisons s'effacèrent les unes derrière les autres pour laisser l'accès à un labyrinthe de bourriches pleines de dattes et de figues grasses aux parfums sucrés.

Tout le monde parlait, criait en arabe, échangeant des pièces contre des denrées, les hommes riaient et s'esclaffaient en découvrant des bouches édentées, on s'épiait et on convoitait sous les bords bas des fez, tarbouchs, turbans, protégés du soleil par les auvents de peau tannée, marquises de toile et autres représentants d'une antique architecture.

— Pourquoi un « chasseur » ? demanda Azim. Tout à l'heure, vous avez parlé du meurtrier comme d'un chasseur. C'est une bête à la rigueur, un fou bon à exécuter, mais pourquoi avoir dit un « chasseur » ?

— Parce que c'est ce qu'il a fait. Quand je pars en safari, je rôde des heures dans la savane, guettant ma proie au loin, l'approchant tout doucement, si possible en la dominant, si elle me repère j'essaie de l'amener où je veux, de l'enfermer dans un cirque naturel ou un cul-de-sac quelconque, pour qu'elle soit prisonnière, et si j'ai un point de vue surélevé, je n'ai plus qu'à fondre sur elle, et la mise à mort est rapide.

— C'est surtout un malade, monsieur. Il faut être malade de folie pour tuer un enfant. Et il ne l'a pas seulement tué, il l'a massacré. Il est dément ! tonna le petit Égyptien.

— Pas seulement, Azim, ça va bien au-delà. Il n'a pas seulement tué cet enfant, il l'a pisté. Il l'a chassé. Et dans la chasse, le plaisir n'est pas dans la dernière seconde, une fois la gâchette pressée, même si cela en fait partie. C'est dans le rituel qui précède, la lente et méticuleuse quête qui s'opère pour repérer sa proie, la suivre à la trace, la manipuler à distance, l'enfermer. Là est le plaisir. Et c'est ce qu'il a fait, ce tueur, il a chassé, il a du plaisir à traquer.

Azim balaya l'air d'une main en signe de protestation.

— Et pourtant, renchérit Jeremy, le meurtrier était caché derrière le mur, sur le toit d'un mausolée, à guetter la venue de sa victime. Il a attendu, pour lui fondre dessus d'un coup, sans lui laisser la moindre chance.

Ensuite il a joué avec elle... C'est un esprit chasseur et pervers. Il aime ce qu'il fait.

— Pourquoi vous dites ça ? Vous étiez dans sa tête ?

— Les indices nous permettent de l'affirmer.

— Allez-vous me dire ce que vous avez trouvé là-haut à la fin ? s'emporta faussement Azim.

Ils passèrent entre des sacs d'épices suspendus à une interminable tonnelle, leurs muqueuses soudainement envahies par les vagues successives d'arômes.

— Ce qui me fait parler de lui comme d'un chasseur pervers, Azim. De la semence.

— Quoi ?

— Vous avez très bien compris. La sienne, j'en suis certain. Il n'a pu la réprimer tant l'excitation était grande. On murmure que ça arrive aux plus grands chasseurs vous savez, qu'ils ont une... *érection* dans les meilleurs instants de leur traque. Lui n'a pu la contrôler. Et c'est bon pour nous.

— Bon pour nous ? Quel genre de Britannique êtes-vous pour tenir ce discours ? Vous me parlez de chasseur, d'actes sexuels, et... Bon pour nous ?

— Oui, riche en enseignements si vous préférez, corrigea Jeremy Matheson sans se préoccuper de l'étonnement de son collègue. Tout d'abord, nous cernons mieux sa personnalité. Ensuite, nous savons que c'est bien un homme et pas une femme échappée d'un asile. Nous savons qu'il porte probablement un boubou ou une djellaba, sans quoi sa semence ne serait pas tombée par terre, j'ai peine à croire qu'un chasseur sur le point de fondre sur sa victime aurait le pantalon ouvert ; et pour finir, le plus important assurément : nous savons qu'il y a une piste à creuser dans l'emploi du temps de l'enfant.

Azim s'arrêta au milieu de la rue en perpétuel mouvement, les gens le bousculèrent un peu sans protester pour autant.

— Je ne vous suis pas, avoua-t-il.

— Réfléchissez, mon ami... Si l'homme était là, prêt pour la chasse, c'est qu'il savait qu'on allait venir. Une telle excitation se prépare, j'imagine difficilement qu'elle puisse surgir d'un coup, non, il y pensait depuis un moment déjà lorsque l'enfant est apparu. Il l'a guetté, avant de s'abattre sur lui. Et vous conviendrez aisément que la nécropole des Califes n'est pas un endroit où on croise beaucoup d'enfants ! Il savait que sa victime allait venir, parce qu'il l'a attirée, ou parce qu'il connaissait son emploi du temps. Voilà où nous devons chercher.

Jeremy essuya la sueur de son front d'un revers de manche.

— Reste la terreur de l'enfant, ajouta-t-il lugubrement.

— Les cheveux blancs, vous voulez dire ?

— Même surpris, je ne vois pas comment le garçon a pu avoir si peur.

Azim fouilla parmi les mots de son vocabulaire anglais avant de dire :

— La physionomie du tueur. Peut-être est-il aussi laid à l'extérieur qu'il l'est à l'intérieur.

— C'est possible, c'est possible...

Azim plissa le menton en opinant du turban.

— En tout cas je suis impressionné par cette leçon de déduction. Un peu folle il faut le dire, mais tout à fait logique. Et cela nous conduit en effet à une piste, bravo. De plus, dans l'hypothèse d'un *tueur-chasseur*, on peut alors ajouter un élément qui m'interpelle depuis que je mène l'enquête : il a l'instinct de territoire. Remarquez comme il a toujours fait des victimes dans une région bien localisée : l'est du Caire. Depuis les murailles de la Citadelle jusqu'au quartier El-Abba-siya. Il a délimité sa zone de chasse.

— Oui, exactement. C'est peut-être à creuser, mais pour commencer il va nous falloir procéder à plus urgent : identifier le gamin.

Jeremy enfourna dans sa bouche une datte qu'il avait subtilisée au passage quelques instants plus tôt.

— Vous avez un brillant esprit d'analyse, commenta Azim. Lorsque vous laissez le détective s'exprimer, c'est un trésor que de l'accompagner dans son raisonnement.

Jeremy le fixa un moment avant de corriger :

— Ça n'est pas le détective qui a parlé, Azim ; lui n'aurait pas senti tout cela. Non. C'est le chasseur.

Ils se trouvaient dans le sous-sol d'un ancien bâti-ment. Suffisamment profond pour que la fraîcheur puisse prospérer et se maintenir malgré les fortes tem-pératures extérieures.

La pièce était voûtée, assez basse de plafond, éclai-rée à la fois par des lanternes à gaz accrochées aux murs et par des lampes à huile qui répandaient une odeur grasse et persistante, mélangée à celle plus ter-rible de la viande. C'était un fumet âcre, qui tenait du jambon avarié et du remugle de différents aliments qu'on aurait laissés se gâter pendant plusieurs jours dans un sac avant de l'ouvrir d'un coup.

Quatre tables de bois recouvertes de papier sulfurisé s'alignaient sous deux grands tableaux noirs.

Des dessertes longeaient les tables, on avait entre-posé dessus des outils fins et tranchants, tous plus effrayants les uns que les autres : lames fines, créne-lées, à dents, pinces coupantes, scies, et même des mar-teaux. Dans un coin était posée en équilibre une longue règle d'un demi-mètre dont la peinture jaune était désormais piquetée d'auréoles rouges.

Et dans l'unique mais imposant évier s'accumulaient bon nombre d'instruments poisseux, un fond d'eau bordeaux stagnait, où nageaient des substances plus consistantes, filandreuses.

Des blocs-notes aux feuilles parcheminées à force d'être mouillées s'entassaient sur une tablette à l'entrée de la salle.

Jeremy Matheson se tenait face à un homme d'une cinquantaine d'années, à la barbe et aux cheveux blancs. Son tablier noir luisait d'une étrange humidité sous l'éclat des lampes.

— C'est la dernière fois que je travaille dans cette précipitation, prévint-il.

— Vous savez que c'est important, docteur. Alors ? demanda Jeremy.

L'homme âgé se tourna vers la forme couverte d'un drap sur une table toute proche.

— Le pauvre gamin a passé un très mauvais moment, vous pouvez me croire, il a été fortement battu, il a des ecchymoses un peu partout sur le corps. On lui a cassé le bras gauche, brisé en trois parties, le coude également, plusieurs côtes...

Il pivota pour faire face à un des grands tableaux sur lequel étaient inscrites différentes constatations.

— ... Quatre exactement. Bref, je vous passe la suite, tout sera en détail dans le rapport que le secrétariat vous remettra prochainement. Ce qui vous intéresse : il est mort par strangulation manuelle, j'en suis presque certain. Encore qu'au vu de toutes ses blessures le petit père n'aurait pas survécu bien longtemps. Ce qui est troublant, c'est l'aspect des marques sur son cou.

Il s'assit à moitié sur le rebord de la table.

— Vous savez, détective, lorsqu'on étrangle quelqu'un, il faut une telle force pour couper la circulation de l'air et/ou du sang qu'on doit sacrément appuyer... Et en général, on enfonce les doigts dans la peau, on laisse des traces d'ongles, des éraflures ou dermabrasions. Dans ce cas-ci, il y a carrément des orifices, des saignées, parfois assez profondes.

— Qui veulent dire quoi ? Que le meurtrier avait une arme blanche ?

— Non, pas vraiment. Il y a bien la marque des doigts, les hématomes ont presque la forme des mains. Non, ça veut dire que le tueur de cet enfant a des ongles très durs, et très longs, presque tranchants.

Le médecin s'empara d'une vasque en porcelaine qui contenait le morceau de corne triangulaire trouvé quelques heures plus tôt par les deux enquêteurs.

— Si vous voulez mon avis, cette chose-là pourrait tout à fait en être.

Jeremy pencha le buste vers lui, inclinant la nuque. Il ne comprenait pas.

— Comment ça ?

— Je dis tout simplement que ce morceau-là pourrait être de l'ongle.

— Ça ? Vous n'y pensez pas ? C'est trop gros ! Le tueur serait un géant monstrueux !

— Écoutez, ce n'est pas moi qui fais les rapprochements, chacun son travail, et le mien m'amène à penser que ça pourrait être le bout d'un ongle. Pointu, épais, dur, certes, mais pourquoi pas. En tout cas ça correspond au type de blessure que le gamin a sur lui. Ah, oui, parce qu'il n'a pas ces griffures uniquement sur la gorge mais sur tout le corps ou presque. Partout où il a été tenu, on retrouve ces coupures, comme une main aux ongles trop longs.

— Aux griffes, vous voulez dire...

— Vu la taille et le tranchant, oui, on peut parler de griffes.

— Il... il a été violenté sexuellement ?

Le médecin sembla hésiter.

— Pas au sens strict du terme. Un peu comme les autres, il y a du sperme sur son corps, mais pas de pénétration.

— Autre chose ?

Le docteur passa une main dans sa barbe. Le pourtour de ses ongles était rougi d'un trait de sang séché.

— Des détails d'ordre biologique, rien concernant l'aspect criminel. Quand j'ai ouvert l'enfant j'ai constaté qu'il était *situs inversus*, que ses organes étaient à l'envers, c'est-à-dire que son cœur et son foie étaient du côté droit, pas du côté gauche. Normalement, sur un adulte on le remarque avant même l'autopsie, parce que le testicule droit est plus bas que le gauche, théoriquement, c'est l'inverse, pour les hommes dont le cœur est à gauche.

— Et ça change quelque chose ?

— Absolument rien, c'est à titre de particularité. Autre chose : il était hémophile. Je ne pourrais pas le jurer, mais ça me semble assez évident. Le tube digestif et les articulations portaient des marques de traumatismes liés à l'hémophilie. Et au niveau des plaies, le sang a beaucoup trop coulé pour des blessures de cette nature, il n'y a presque pas trace de coagulation.

Jeremy jeta un regard vers un cahier qui trônait au milieu de scalpels usagés. Une constellation de gouttelettes rouges estampillait les pages griffonnées de notes.

— Merci docteur.

— C'est la dernière fois que je travaille dans l'urgence, répéta le médecin, la prochaine fois, vous attendrez.

— Je sais...

— Non, vous ne savez rien, enchaîna-t-il avec une colère qui surprit Jeremy, travailler dans l'urgence c'est prendre le risque de fourailler là-dedans et de s'y couper. Vous savez toutes les maladies qui se transmettent ainsi ? Deux médecins sont morts récemment de cette manière, un à Alexandrie cet hiver et l'autre ici même l'année dernière. Érysipèle, vous avez déjà entendu parler ? Non ? C'est une infection qui décime les médecins depuis quelques années. Une petite coupure et c'est trop tard... Bourrelet tuméfié, fièvres et on part. Je n'ai pas survécu à la guerre en France pour mourir aussi bêtement ! C'était la dernière fois.

L'homme attrapa un chiffon propre pour s'essuyer machinalement les mains. Il s'humecta les lèvres et fit rouler sa barbe en se dégourdissant la mâchoire. Puis il se tourna vers Jeremy Matheson qui fixait la masse trop petite couverte d'un drap qui gisait sur une table.

— Triste, n'est-ce pas ? fit le médecin.

Il s'approcha du détective, le chiffon à la main.

— Vous savez, parfois lorsque je besogne dans nos entrailles, il m'arrive de m'arrêter une minute et de contempler l'ouvrage que nous sommes. À quel point nous sommes tous inégaux. Certains ont les artères résistantes, larges, moins faciles à boucher. D'autres au contraire les ont fines et étroites. Pourquoi ? Il n'y a pas de règles à ça. Probablement pas d'hérédité, c'est la faute au hasard de la nature, vous naissez avec une forte propension à mourir tôt ou pas. Pour ce pauvre gosse, ça s'est passé plus vite qu'il ne l'avait songé. Son cœur a battu quoi, un milliard de fois avant de s'éteindre ? À peu près. Un milliard d'appels à la vie pour rien. Personne n'aura entendu. Il retourne à la poussière.

— Vous me déprimez, docteur.

Jeremy lui tapota l'épaule amicalement et fit mine de se diriger vers la sortie, un escalier sordide.

— Vous allez le trouver, celui qui a fait ça ? demanda le médecin dans son dos.

Jeremy s'immobilisa sur la première marche. Il ne s'était absolument pas attendu à cette marque d'implication de la part de cet homme qui semblait prendre un recul blasé sur la situation depuis le début. Sous la lueur mouvante des lanternes, il ajouta alors :

— Si vous le trouvez, détective, faites-moi le plaisir de lui coller une balle de ma part.

Jeremy rejoignit Azim un peu plus tard, en fin d'après-midi. Le petit Égyptien avait été faire la tournée des postes de police pour vérifier les plaintes pour disparition d'enfant. Il cherchait un garçon d'environ dix ans dont le signalement pouvait correspondre – pour ce qu'ils avaient été en mesure de constater – à celui retrouvé le matin dans l'impasse.

Sans réussite.

Il était plus que probable que le garçon fût originaire d'un quartier pauvre, et bien souvent, dans ces milieux, on essayait d'abord de régler les problèmes entre habitants, avant de se tourner vers les autorités. L'avis de disparition pourrait prendre plusieurs jours avant d'être consigné.

Jeremy fit un rapport détaillé de tout ce que le médecin lui avait appris, n'omettant aucun détail, à Azim qui ne prit pas de notes, mémorisant les informations sans témoigner la moindre émotion.

— Azim, je vais aller faire un tour à l'asile pour m'assurer qu'il n'y a pas eu d'évasion ou de libération d'un ancien violeur d'enfant, pendant ce temps, il faudrait faire le tour des hôpitaux pour vérifier qu'il n'y a pas eu un gosse interné dernièrement à la suite d'une agression sauvage de ce genre. On ne sait jamais, peut-être y a-t-il eu des précédents avortés.

— Très bien, si je peux me permettre, n'oubliez pas d'aller faire un tour à Ibn Touloun, l'ancienne mosquée. Il est question de la réhabiliter cette année même, mais pour l'heure, elle accueille toujours les vieillards séniles. On dit que ses patients sont parfois dangereux, c'est une piste comme une autre.

Matheson approuva et le remercia, puis les deux hommes se séparèrent. Le détective anglais remonta jusqu'à la sharia Abbas où il passa trois heures à obtenir les renseignements voulus. Plus de cinq mille patients étaient internés ici, dans des conditions insalubres.

Lorsque le crépuscule gagna Le Caire, Jeremy Matheson se réfugia dans son *qahwa* habituel, un petit bouge sans décoration situé près de la gare centrale. Le *qahwagi*, le patron, lui servit directement un café *arriha*, avec de la cardamome pour le parfumer, les préférences de l'Anglais étaient connues.

Des anciens jouaient au mankaleh un peu plus loin, en bavardant, pendant qu'un conteur narrait une de ses nombreuses légendes en arabe à qui voulait bien l'écouter.

Les volutes des narghilés épaississaient l'air, l'aromatisant de saveurs huileuses à la pomme ou l'empestant de nuages de *ma'assil*.

Jeremy se laissa bercer par la voix hachée du conteur, imaginant quantité de féeries tout droit sorties du désert et des temps anciens.

Il ne tarda pas à passer à l'alcool. Ce *qahwa* n'hésitait pas à en servir, ce qui se faisait de plus en plus rare depuis que les sectes mahométanes les plus orthodoxes renforçaient leur autorité. Il but ses verres de cognac maison avec une célérité de mauvais augure, jetant systématiquement sous la table la glace que le patron se refusait à ne pas mettre dans son verre.

Il rentra à son wagon en titubant, la vision brouillée, et il s'effondra sur son lit défait.

Il venait à peine de s'allonger qu'il tendit la main vers la table de chevet. Il renversa divers objets posés dessus avant de s'emparer d'un cadre dans lequel se trouvait une photo noir et blanc d'une femme.

— Jezabel... grommela-t-il. Jeza... bel... Qui fuit le temps de tes nuits charnelles... Jezab...

Le cadre glissa de ses doigts et tomba sur la moquette, hors de portée de son état nauséeux.

Il enfonça sa tête dans l'oreiller de plumes pour tarir les larmes qui montaient.

Un flash aveuglant pulvérisa ses rêves de plaisirs disparus.

L'image ne dura qu'une seconde. Celle d'un corps.

Celui d'un enfant.

Les os fragiles des clavicules saillaient sous la peau fine de son torse.

Et de toute l'horreur de cette journée.

Il avait voulu cette enquête. Et son fardeau d'atrocité.

À présent il allait falloir en porter le costume, pour pouvoir entrer dans le cercle très fermé de la vérité.

Pour l'approcher, danser avec. En était-il capable ? Sans faire le mauvais pas. Celui qui sort du sentier si glissant, et qui plonge le corps dans l'ombre.

Jeremy tira sur l'oreiller pour qu'il l'étouffe.

Il hurla de toutes ses forces.

15

La brume recouvrait le village tout entier lorsque Marion se réveilla, le jeudi matin.

Elle prit sa douche et vit les nuages de coton s'étioler sous sa fenêtre en sortant de la salle de bains. Le tapis d'innocence refluait vers la mer.

Elle s'habilla d'un jean et d'un pull à col roulé puis enfila son trench pour sortir prendre l'air.

Dehors les murs et la pierre des rues étaient encore humides. Les trois quarts des commerces n'étaient pas ouverts. Le halètement d'un individu en train de courir monta dans son dos. Elle s'écarta pour laisser l'accès libre et fut surprise de voir frère Damien en tenue de jogging qui dévalait la Grande Rue à bonne allure. Plus rien de cette bonhomie coutumière ne transparaissait sur son faciès, rien qu'une détermination farouche. Il la salua au passage et disparut dans la courbe de la descente.

Marion s'arrêta devant la boutique de Béatrice, l'une des rares incurables à ne presque jamais fermer.

— Sportif, le frère Damien, commenta Marion en entrant.

— Oh, lui ? gloussa Béatrice. Il pourrait faire le pèlerinage de Compostelle en cavalant ! Un vrai marathonien, il va presque tous les jours courir sur la digue. Alors, comment va la belle Parisienne ?

Marion s'accouda au comptoir.

— Je profite du grand air...

— Ici quand on dit ça c'est qu'on s'emmerde.

Marion répondit par un sourire amusé.

— Alors ton bouquin, ça donne quoi ? questionna Béatrice.

— C'est intrigant.

— Intrigant ? C'est supposé être un journal intime ? En quoi est-ce *intrigant* ?

— La manière dont c'est écrit pour commencer. C'est le récit d'une enquête policière.

Béatrice ricana.

— Sans blague ?

— Ou plutôt, c'est le point de vue de celui qui a mené l'enquête.

— Et ?

— Et c'est tout pour l'instant. Je fais connaissance avec Jeremy.

— Ah ! Jeremy, tiens donc... Vous vous appelez par vos petits noms maintenant ?

Marion lui fit un clin d'œil et se redressa.

— Justement, je pense qu'aujourd'hui je vais lire. Tu as un endroit à me conseiller sur le Mont ? Tu sais, pour le cadre, un endroit agréable.

Béatrice chercha l'inspiration sur son plafond avant de proposer :

— Tu peux t'installer sur les remparts, mais l'idéal reste l'abbaye tout en haut. Dans une des salles tu seras protégée du vent au moins. Si tu demandes à l'accueil, ils te laisseront peut-être passer.

Marion manqua lui répondre que pour ça elle avait l'accès libre avec ses clés, mais quelque chose la retint.

Elle n'était pas d'ici, et craignait d'être mal vue si elle pérorait sur les faveurs dont elle jouissait.

Elles bavardèrent une heure avant que Marion remonte prendre le journal chez elle. Elle s'empara du trousseau magique et escalada les interminables marches menant au sommet. Avant même d'atteindre le Châtelet, elle trouva une porte noire qui faisait partie de l'édifice. Par curiosité, elle s'en approcha et essaya plusieurs clés dans la serrure avant d'entendre le mécanisme d'ouverture.

Les choses sérieuses allaient commencer, elle avait son passe-muraille.

Stimulée par sa réussite, Marion se faufila avec la joie d'un enfant faisant quelque chose d'interdit. Elle prit soin de bien refermer derrière elle. Elle traversa une salle en partie occupée par des plans destinés aux visites touristiques et poursuivit jusqu'à parvenir au versant nord, où elle découvrit, à l'extérieur, tout un flanc abrupt recouvert d'une végétation téméraire, sans cesse battue par les vents.

Marion longea la Merveille pour rejoindre les jardins à l'ouest, elle remonta la rampe qui y serpentait et retrouva la porte donnant accès à la Merveille par son niveau le plus bas, où elle avait bêché avec sœur Anne.

Elle était arrivée dans le cellier, une gigantesque salle quadrillée de colonnes. Toutes les plantes et tous les arbustes qu'elles avaient déterrés avec sœur Anne y étaient encore, fraîchement arrosés. Marion jugea l'endroit trop sombre et trop froid pour s'y installer et emprunta l'escalier circulaire pour atteindre l'étage supérieur et la salle des chevaliers. Elle se souvenait être passée par là lors de sa visite avec la religieuse. La vieille femme lui manqua soudain.

Tu ne peux pas la traiter de vieille *femme ! Quel âge a-t-elle ? Quinze ans de plus que toi ? C'est ridicule...*

C'est sa peau... Elle se plisse d'une myriade de rides dès qu'elle témoigne d'une émotion...

Les yeux bleus de sœur Anne lui revinrent en mémoire. Ils lui inspiraient soudain une grande sagesse.

Que lui arrivait-il ? Était-ce le cadre ? Marion traversa la fabuleuse forêt de pierre pour errer dans un couloir noueux, descendre et monter des marches, ouvrir des portes qui protégeaient des cryptes ou qui menaient à l'extérieur, et en très peu de temps elle constata qu'elle ne savait plus où elle était.

Elle entra alors dans Belle-Chaise, l'ancien tribunal de l'abbé. Une armée de bancs avec dossiers serrait les rangs, face à une longue table en guise d'autel. Avec ses fenêtres élancées et son haut plafond de bois en forme de coque de navire renversée, la salle donna à Marion l'impression qu'elle pourrait y passer un moment tranquille, d'autant qu'elle repéra une chaise munie d'un coussin dans un angle. Elle la souleva pour aller la coincer derrière l'énorme cheminée, non loin d'une vitre qui filtrait la lumière grise propre à cette journée maussade.

Ainsi postée, Marion se fit penser à l'un de ces surveillants que l'on croisait au musée du Louvre, assis à l'entrée des salles. Elle chercha une position confortable en remuant sur son siège puis se leva pour tirer un banc qui grinça affreusement dans tout le hall. Marion tendit l'oreille un instant et, ne percevant que le vent sifflant dans les couloirs, elle le tira à nouveau et s'assit en allongeant ses jambes dessus.

Cette fois, elle était parée.

Lorsqu'elle ouvrit le journal, c'était avec le désir de savoir quel pouvait bien être le lien exact entre cette Jezabel et Jeremy.

Marion frissonna, la chair de poule grimpa sur ses bras. Il faisait frais et humide.

Elle lut les premières lignes où elle en était restée, tandis que les suivantes se diluèrent jusqu'à former une image. Des sons, des odeurs... et les personnages s'animèrent pour de vrai, sous ses sens émerveillés.

16

Les deux enquêteurs, Azim et Jeremy, se retrouvèrent pour prendre le petit déjeuner en terrasse d'un café, face aux jardins de l'Ezbekiya. Une chaleur aride s'était déjà emparée de la cité, nimbant les fronts d'un voile salé. Les deux comparses ne mangèrent rien, se contentant d'un thé fumant. Derrière eux, un groupe d'employés d'hôtel, de drogmans missionnés pour l'occasion et de diverses personnes à la solde d'Occidentaux faisaient la queue afin de se procurer des billets pour le concert à venir d'Oum Kalsoum.

Les deux hommes firent le point sur leurs recherches de la veille, infructueuses d'un côté comme de l'autre.

— Je n'arrête pas de penser à ce qu'a dit le médecin sur le morceau de corne, confia Azim. Il pense que c'est de l'ongle ? Comment est-ce possible ? Comment peut-on avoir des ongles pareils ?

— Je suis d'accord avec vous, le vieux docteur se trompe. Cela dit, ça peut faire partie d'un costume...

Azim se recula dans son siège. Le soleil du début de matinée venait éclairer son visage rond et sa moustache brillait comme ses cheveux de cette toute nouvelle pommade sud-américaine, la *gomina argentina*.

— Je vois où vous voulez en venir, je me suis dit

aussi que le meurtrier devait être arabe, annonça-t-il. Ces enfants ne parlaient pas anglais, et même l'un des vôtres parlant un peu l'arabe ne les aurait pas assez mis en confiance pour les faire venir seuls dans des lieux aussi sordides à chaque fois.

— Sauf par l'appât du gain, corrigea Jeremy. Mais j'avoue être assez d'accord, un Anglais aurait attiré l'attention plus facilement. En revanche, un Noir du Soudan pourrait avoir fait le coup.

— Pourquoi ?

— Parce qu'ils sont très nombreux au Caire[1], ils parlent l'arabe, sont suffisamment intégrés pour qu'on ne les remarque pas, et parce que certaines ethnies ont probablement conservé des traditions vestimentaires. C'est encore le chasseur qui sommeille dans le tueur qui m'offre cette piste. Dans beaucoup de tribus du Sud, on s'habille en tenue tribale pour partir à la chasse, avec des gris-gris, en ivoire ou en corne par exemple...

Azim se fendit d'un sourire triste.

— Toujours cette idée de chasseur, n'est-ce pas ? Mais c'est cohérent, je vous félicite. C'est tout à fait cohérent. Là où je suis moins d'accord avec vous, c'est sur l'intégration des Noirs. À vos yeux peut-être, mais (il se pencha vers l'Anglais) aux regards d'un Cairote, le Soudanais reste un Soudanais. Je vais aller poser quelques questions dans les quartiers où vivaient les victimes, on ne sait jamais.

Ils se mirent en route vers dix heures, lorsqu'ils estimèrent qu'il n'était plus trop tôt pour aller interroger

---

1. À cette époque, le Soudan n'est pas autonome et est directement rattaché à l'Égypte, d'où des liens très étroits et une forte immigration (en partie forcée par l'esclavage, abondamment pratiqué surtout à la fin du XIXe siècle).

les familles des victimes précédentes. Azim allait tenir le rôle principal, Jeremy ne parlant pas l'arabe. Cependant il souhaitait être présent, pour montrer que l'autorité britannique manifestait son implication et surtout pour juger lui-même de l'ambiance et des attitudes.

Ils commencèrent par le quartier El-Huseiniya, au-dessus du cimetière de Bab el-Nasr. Ils durent abandonner l'automobile à l'entrée de la sharia Nigm el-Din, et poursuivirent à pied dans le dédale de ruelles obscurcies par les hautes façades en décomposition. Les rues étaient en terre battue et les immeubles avaient plusieurs siècles pour certains, sans avoir jamais fait l'objet du moindre entretien.

Ils mirent plus de trois quarts d'heure pour trouver la minuscule maison où s'entassaient les huit personnes de la famille de Samir, qui avait été retrouvé dans le cimetière tout proche.

On les fit asseoir sur des coussins rapiécés et on leur offrit du thé brûlant et extrêmement sucré.

Plusieurs enfants en haillons criaient en jouant dans la pièce mitoyenne.

Azim s'entretint avec le patriarche, un homme usé jusqu'aux tendons, la peau parchemineuse, que son physique d'homme septuagénaire devait vieillir de vingt ou trente ans. L'affliction joua avec ses traits lorsque Azim évoqua le nom de son fils.

La table basse sur laquelle sa femme posa un plateau rond était une cage à poule retournée. En remarquant cela, Jeremy eut encore plus de difficulté à boire son thé sucré, tant ce breuvage devait représenter un trésor au regard de leurs finances.

Les phrases s'échangeaient entre les deux Arabes, Azim interrompant son interlocuteur de temps à autre, probablement pour obtenir un éclaircissement.

À plusieurs reprises, Jeremy capta l'expression de

peur que la maîtresse de maison dissimulait à peine. Azim semblait focalisé sur le père uniquement.

Parfois, un visage brun faisait une apparition depuis l'ouverture menant à la cuisine, jamais le même, jamais du même âge. Aux sons des voix et à la stridence ou au ton grave des hurlements que poussaient les enfants à côté, Jeremy supposa qu'il y avait au moins un adolescent d'une quinzaine d'années, et plusieurs petits entre cinq et dix ans. À peine apparu, l'enfant disparaissait et retournait dans la horde bruyante que la mort d'un des leurs ne semblait pas avoir rendue plus calme.

Jeremy rongeait son frein en silence, la barrière de la langue et de la culture lui interdisait toute action. Il percevait la nécessité de poser des questions à la femme également. Avoir son avis. Sonder son âme de mère meurtrie. Et comprendre cette inquiétude.

Alors qu'il terminait de se brûler les lèvres sur son thé, l'inattendu se produisit : Azim se tourna subitement vers la femme et s'adressa à elle. Le mari voulut répondre mais Azim le fit taire d'un geste impérieux.

La pauvre femme, prise entre deux feux, osa à peine ouvrir la bouche. Azim ajouta quelque chose.

Elle se mit alors à bredouiller.

Et comme si les vannes du barrage au sud d'Assouan s'ouvraient d'un coup, les mots jaillirent en flopées intarissables. Elle réprima ses larmes jusqu'à ce qu'elle ait tout dit.

Jeremy crut saisir le dernier mot, car elle le prononça après un temps, presque du bout des lèvres, la peur collée au palais : « Ghûl. »

— Ghûl ? répéta Azim, surpris.

On ne tarda pas à les mettre poliment, mais assurément, dehors. Sur le point de sortir, Jeremy s'adressa à Azim :

— Dites-leur que c'est pour les remercier de leur coopération.

— Pardon ?

Jeremy tendait quelques livres égyptiennes à la maîtresse de maison. L'Anglais décela une réticence dans l'œil mouillé de la femme, mais la mère prit le dessus et elle attrapa les billets d'un geste vif.

Un peu plus tard, les deux enquêteurs remontaient une rue malodorante pour rejoindre leur voiture.

— Qu'avez-vous appris ? voulut savoir Jeremy.

— J'ai posé les questions d'usage, ce qui avait déjà été fait au début de l'enquête, et les réponses sont les mêmes : pas de détail particulier dans les jours précédant la disparition de leur fils, pas d'individu étrange tournant autour de chez eux, rien de tout cela. J'ai insisté en parlant d'un homme noir, rien. Leur fils était sage et n'avait aucune raison de suivre un inconnu. La nuit où il a été tué, il aurait dû se trouver dans sa chambre, avec ses frères. Il est sorti pendant que tout le monde dormait, sans difficulté, c'est une très vieille maison où on peut entrer et sortir sans bruit.

— J'ai vu que vous avez interrogé la mère, qu'a-t-elle dit ?

— Eh bien... Pas grand-chose en fait. Elle parle beaucoup avec ses voisines, elles se succèdent à son chevet depuis le décès. Et elles potinent. Ça se dit, ça ? Elles potinent ? Oui ?

— Oui, Azim, fit Jeremy un peu exaspéré par cet écart dans leur conversation.

— L'une d'entre elles est l'amie d'une amie de la mère de la fillette assassinée au début du mois. Vous me suivez ?

— Oui, je crois.

— Ça crée des liens, des commérages. Et les femmes dans ces milieux sont la conscience du quartier, ses yeux et ses oreilles aussi. Certaines ont vu des choses. Ici, d'autres à Abbasiya, dans le secteur très pauvre. Et elles pensent savoir ce qui tue leurs enfants.

Jeremy stoppa sa marche, il fixa Azim, les yeux grands ouverts.

— Et ?

— Oh, ça ne va pas plaire au petit Anglais que vous êtes.

— Dites toujours.

— Vous n'êtes pas ici depuis assez longtemps pour croire en nos contes, n'est-ce pas ?

— Je ne parle même pas l'arabe, Azim...

— Les femmes pensent que ce qui tue leurs enfants est une *ghûl*.

Sans le faire répéter, Jeremy secoua la tête, faisant signe qu'il écoutait l'hypothèse à défaut d'y croire.

— Une goule, c'est ça ? Où ai-je lu ça ? Dans Bram Stoker, j'imagine... Qu'est-ce donc, une sorte de vampire ?

— La *ghûl* est un démon femelle, une créature maléfique, comme les *djinns* par exemple. Les *Mille et Une Nuits* en parlent souvent. C'est un monstre nécrophage qui peut revêtir une apparence tantôt hideuse, tantôt séduisante.

— Azim, ces femmes affabulent, elles se font peur, et elles déterrent les vieilles superstitions. Celle-ci convient parce que c'est une métaphore de ce qu'est vraiment le tueur. Un homme en apparence, qui peut séduire les enfants, et un monstre à l'intérieur, capable de les torturer.

Azim lissa rapidement les bords de sa moustache.

— Pas une métaphore si l'on en croit ce qu'elles disent, contra-t-il. Parce qu'il y a des témoins de sa présence. On a vu un être étrange rôder la nuit, renifler les vêtements des enfants qui séchaient sur les toits, tenter d'entrer dans des chambres de gamins par les fenêtres, heureusement sans réussite, une chose habillée d'une robe noire, et d'une capuche profonde pour dissimuler son horrible apparence. Ses mains sont crochues, elle se déplace en silence, et rares sont les témoins de sa présence. On murmure même que les animaux, terrifiés, s'écartent de son chemin.

— Voyons, vous savez bien qu'on ne trouvera aucun témoin, aucun nom je veux dire, c'est un mythe, et il y a des tas de gens malintentionnés pour faire croire qu'ils ont vu cette bête, mais lorsqu'on enquête, on ne trouve jamais personne.

— Parce que Le Caire est ainsi, bâti d'ombre et de lumière, de savoir et d'ignorance, sur des mythes et des promesses. Et voyez le résultat ! La plus grande ville du monde arabe ! Fière et convoitée ! Vous autres Blancs venez des Amériques rien que pour contempler ses pyramides.

— Épargnez-moi le discours militant, Azim. Bon, et rien d'autre que cette histoire de goule ?

Azim parut déçu par la sécheresse de son collègue. Son entrain s'estompa d'un coup, avec son sourire naissant.

— Non, je ferai un mémo ce soir sur tous les petits détails que j'ai notés concernant le gamin et ce que ses parents m'ont dit.

Ils rejoignirent leur automobile en silence pour aller visiter les autres familles. Ils y passèrent la journée.

À chaque fois, il s'agissait d'une famille nombreuse, très pauvre. Rien d'anormal n'avait été signalé avant la disparition de leur enfant. Jeremy tint à donner quelques billets à chaque famille, il se délesta ainsi d'une somme importante, sous les yeux aussi surpris qu'admiratifs d'Azim.

Les deux enquêteurs se séparèrent en fin de journée, Azim partant pour le poste de police afin de rédiger ses notes, Jeremy à son *qahwa* habituel pour se délasser d'une journée supplémentaire.

Il n'y était pas depuis une heure qu'Azim entra, la sueur au front. Il fouilla le café du regard, une feuille à la main.

Lorsqu'il aperçut Jeremy, il se précipita à sa table en y posant le document.

— La même école !

Jeremy s'enfonça dans son siège.

— Je suis un âne ! tonna Azim, je n'ai pas fait le rapprochement lorsque les parents m'ont donné les informations, et mes hommes n'avaient pas pensé à demander ce renseignement au moment de l'enquête. Les enfants morts fréquentaient la même fondation. Keoraz. Ça n'est pas vraiment une école, mais ils y allaient pour recevoir une formation, c'est un point commun entre eux !

Dans les vapeurs du tabac, Jeremy avait brusquement le même regard absent qu'un aveugle.

— Vous allez bien ? s'inquiéta Azim en vérifiant furtivement que les verres posés devant l'Anglais étaient bien les vestiges de cafés et non d'alcool.

Jeremy finit par hocher la tête.

— Je connais quelqu'un à cette fondation.

Il posa sa main sur la feuille.

— Laissez-moi me charger de cette partie, si vous le voulez bien.

Et il fit disparaître le rapport dans sa poche.

17

Marion fit claquer le journal en le refermant d'un coup.

Elle bouillait d'impatience à l'idée de lire la suite mais elle devait se soulager auparavant. Par curiosité, elle tourna tout de même quelques pages et capta des mots surprenants, une scène sous les pyramides... Une conversation animée...

Marion allait poser le livre sur sa chaise et partir en quête de toilettes mais se ravisa. Elle préféra le prendre avec elle ainsi que son trousseau de clés.

Une porte grinça à l'entrée de Belle-Chaise.

Marion tourna la tête, prête à s'expliquer, mais il n'y avait personne. La porte était fermée.

Le vent sifflait par intermittence entre les jointures, créant une respiration chuintante dans toute l'abbaye. Était-ce lui le coupable ?

Ne commence pas à imaginer des choses...

Marion sortit et ne tarda pas à traverser un petit jardin potager suspendu d'où elle surplombait une partie du village et de la baie.

Un petit renfoncement de sable était à l'abri des regards et des éléments.

Elle avait une telle envie que l'idée d'uriner ici lui

effleura l'esprit. Elle la chassa en vitesse, moins outrée par l'indécence de l'acte et du lieu que par la peur de se faire attraper.

Marion descendit des marches et se perdit encore dans les couloirs sans fin de l'édifice. Une lumière spectrale se frayait un chemin tant bien que mal au travers des fines rosaces, meurtrières et fenêtres en ogive.

Au détour d'un pilier, elle stoppa net et fit volte-face brusquement, se rendant compte qu'elle venait de passer par là.

En se tournant, elle prit conscience d'un mouvement au loin. Le temps pour elle de focaliser sur cette ombre distante et la silhouette avait disparu.

Ce qu'elle avait cru en distinguer ressemblait à une bure similaire à celles que portaient les hommes de la fraternité. Elle n'avait rien vu de plus, ni corpulence ni démarche, encore moins un visage.

L'avait-on remarquée ?

Si tel était le cas, le frère se serait certainement arrêté, au moins pour la saluer, présuma-t-elle.

« Lui ne réprimandera pas ta présence ici et il saura t'indiquer les toilettes... » murmura une petite voix en elle.

Marion se précipita en avant. Elle gagna les marches, grimpa sur la passerelle de granit où avait disparu l'individu, et s'engouffra sous une arche.

Elle traversa en toute hâte la pièce suivante en direction de l'unique escalier qu'avait pu emprunter celui qu'elle pistait.

En dévalant le colimaçon elle fit une pause rapide devant une fenêtre pour découvrir une cour allongée en contrebas.

La silhouette y trottait à vive allure. Impossible à identifier car elle était entièrement recouverte d'une robe noire avec une capuche rabattue sur la tête qui, de loin, ressemblait à un habit de moine.

Marion accéléra le rythme et fut à nouveau dehors, respirant fort.

Plus aucune trace de son fugitif.

Parce que plus elle y réfléchissait, plus il lui semblait que l'autre ne marchait pas seulement mais s'empressait de fuir.

Tu divagues... C'est cette histoire policière qui te monte à la tête...

Marion soupira bruyamment en reprenant son souffle.

Quelle aventure ! Oui, enfin... aventure est un bien grand mot...

Frère Serge lui revint en mémoire. Lui et son souci de voir Marion s'occuper, qu'elle ne s'ennuie pas trop.

Bon, il faut voir le bon côté, faire pipi n'est plus une urgence en passe de devenir une catastrophe...

La cour donnait sur la salle des gardes que Marion traversa en se réjouissant de voir la guérite de l'accueil vide, la guichetière se réchauffant autour d'un café avec le ou les guides contraints d'attendre toute la journée la venue plus qu'incertaine de visiteurs. Elle passa sous la barbacane pour rentrer chez elle.

Après s'être soulagée, elle se fit chauffer un thé qu'elle emporta sur le canapé d'angle pour poursuivre sa lecture.

La vision de cette personne s'enfuyant dans son costume mystérieux la titillait.

Les frères avaient-ils pour habitude de déambuler avec leur capuche relevée ? Elle n'en avait pas l'impression... Mais tout était envisageable.

Tout de même, entre l'énigme qu'on lui avait lancée à son arrivée, la visite « secrète » de ses appartements et cette présence étrange, il y avait de quoi se poser des questions ! Certes l'énigme était bon enfant, l'intrusion ici sans doute bienveillante et dans un but sécuritaire, néanmoins Marion jugeait l'accumulation oppressante.

C'est le lieu. Il te rend parano. Je veux dire, encore plus *parano que tu ne l'étais déjà.*

Tôt ou tard, elle allait découvrir que le frère qu'elle avait poursuivi n'avait rien à voir avec elle, il se trouvait là par hasard et était juste pressé.

La porte qui grince... Dans la grande salle où je lisais. La porte a grincé quand je me suis levée, comme si on m'épiait et qu'on reculait pour ne pas se faire prendre.

Cette hypothèse induisait qu'on l'avait suivie dans les couloirs du Mont, l'espionnant... Dans quel but ? La fraternité avait accepté de la cacher, pas d'exercer sur elle une surveillance permanente, ça n'était pas dans leurs attributions, il ne fallait pas délirer. Marion secoua la tête, elle allait un peu trop loin.

Il était temps de passer à autre chose, de replonger dans l'Égypte des années 1920.

Elle fit l'inventaire rapide de son frigo depuis le sofa et se souvint qu'elle avait une poêlée de légumes pour le déjeuner. Tout était réglé, elle avait la journée entière pour elle.

Pour lire.

Elle n'avait pas lu trois mots qu'elle se levait pour aller pousser le guéridon devant la porte d'entrée.

— Voilà, fit-elle. Comme ça ma paranoïa aussi sera contente.

Marion s'allongea sous la baie vitrée, la tasse de thé dans une main, le journal dans l'autre.

18

Pendant qu'Azim tentait d'identifier la quatrième victime, Jeremy Matheson cahotait au gré des heurts du tramway qui l'emmenait vers le site de Gizeh.

Après le relief insaisissable de la ville, le désert offrait une linéarité exceptionnelle.

Jeremy avait effectué de plus ou moins longs séjours dans cette mer de sable, où l'horizon interminable de dunes safran déchirait la rétine sous le contraste d'un ciel incroyablement profond et indigo. Le désert, c'était l'infini mis à la portée des hommes. Le silence y devenait obsédant, l'absence de tout son créait au bout de quelques jours un bourdonnement continu, avant que l'oreille et le cerveau ne s'acclimatent à cette torpeur caniculaire.

Jeremy plaqua une paume contre la vitre à l'approche du plateau de Gizeh.

Le triangle des pyramides s'imposait à lui avec force, comme un avertissement à son éphémérité. Elles ne surgissaient pas du sable, au contraire, c'était le désert tout entier qui se déroulait pour elles en un tapis sans fin comme autant d'hommages que de grains de sable.

Depuis les hauteurs du Caire, elles excitaient les

curiosités ; une fois à leur pied, on tremblait d'émerveillement tout autant que d'un respect craintif.

La ligne 14 du tramway se terminait, à huit kilomètres du centre-ville du Caire, devant l'hôtel Mena House, caravansérail prisé par tout le gotha occidental.

La saison touristique approchait de sa fin, mais les pyramides attiraient toujours autant de monde. Le soleil n'était pas levé depuis plus de deux heures que déjà une trentaine de têtes blanches coiffées de chapeaux extravagants arpentaient les arêtes de la Grande Pyramide, se découpant sur le ciel bleu en petites taches recourbées sous le poids de l'effort.

L'Égypte était la destination prisée de tous les aristocrates européens, de toutes les têtes couronnées de la planète et de leurs suites interminables.

Oasis de luxe au milieu du désert naissant, le Mena House disposait de terrasses incomparables pour prendre du repos sous l'œil de ces tombeaux démesurés.

Jeremy savait qu'il allait la trouver ici, à prendre son petit déjeuner face aux merveilles. Il avait appelé le matin même, très tôt, à la villa d'Héliopolis où on lui avait annoncé que « madame n'était pas là ». À cette heure, elle ne pouvait avoir passé la nuit qu'ici.

Elle adorait leurs chambres.

Jeremy se remémora son visage dans l'ombre d'un éventail, et ses yeux brillants de convoitise. Elle et lui, à déjeuner au Gezira Sporting Club. Et sa bouche qui murmurait par-delà la feuille de l'éventail, comme elle adorait jouir avec lui sous la bienveillance des pyramides.

Son irrévérence, son effronterie verbale en un tel lieu, creusait toujours le ventre de Jeremy. Elle n'avait pas son pareil pour s'affirmer, et pour jouer de son assurance avec les hommes, elle le faisait avec une grâce si charmante et si sexuelle que personne n'osait jamais rien lui dire. On ne pouvait que rire, baisser les yeux ou gonfler la poitrine lorsqu'elle décidait de provoquer, de jouer, et elle s'y prenait avec suffisamment de délicatesse pour que personne d'autre ne le remarque.

La chaleur sortait du sol autant qu'elle descendait en nappe épaisse du ciel.

Jeremy déglutit difficilement. La soif se faisait pressante.

La soif de quoi ? De qui ?

Il ferma les yeux pour oublier ces mots idiots, ces pensées inutiles, et entra dans l'hôtel.

Elle avait toujours la même chambre, celle qui était un peu isolée, « pour ne pas avoir à se taire », disait-elle dans ses moments osés.

Jeremy retira ses lunettes de soleil et frappa à la porte.

Dans le silence qui suivit, la lucidité lui revint et il sut qu'il n'avait rien à faire ici. C'était dangereux. Pour lui.

Une part de son être se mit à espérer qu'on ne réponde pas.

La porte s'entrouvrit sur un homme en livrée blanc et or, qui portait un fez rouge.

— Monsieur ?

— Je souhaiterais parler à Mlle Leenhart, s'il vous plaît.

Le domestique fronça les sourcils.

— Vous devez faire erreur, monsieur, il n'y a pas de mad...

— Faites-le entrer, fit une voix féminine dans son dos.

L'homme s'exécuta et Jeremy pénétra dans la suite aux larges baies qui laissaient entrer toute la lumière du plateau dans le vaste salon.

Une terrasse en bois courait sur toute la longueur de la pièce. Le jasmin diffusait ses vagues entêtantes depuis les jardins de l'hôtel par les fenêtres ouvertes.

Jeremy sortit pour venir face à la table dressée sous un parasol de tissu. Les plus belles porcelaines étaient posées sur la nappe brodée, entre les pots de confitures.

Et dans son fauteuil de rotin, une femme se redressa après s'être tamponné l'extrémité des lèvres avec sa serviette.

Sa beauté, qu'il connaissait pourtant, souffla une fois encore Jeremy.

Ses longs cheveux noirs sur sa peau si blanche.

Ses grands yeux verts sous une frange de cils incroyablement longs.

Joues bombées vers l'intérieur qu'un grain de beauté en plein milieu venait souligner. Ses bras si fins, si longs.

Elle portait une robe verte qui s'ouvrait des deux côtés, sur les flancs, que Jeremy ne lui avait jamais vue, avec un gros nœud sur le décolleté. Une robe qu'il n'avait jamais touchée, il ne l'avait jamais ouverte. Cette idée lui pinça le cœur.

Ses lèvres d'un rose timide s'ouvrirent sur un sourire poli.

— Tu as oublié ? Je suis Mme Keoraz désormais.

— S'il te plaît...

Elle inclina le visage, laissant retomber une mèche d'ébène sur son front. Elle pouvait être aussi élégante et belle que froide et distante. Elle vira en un instant au second aspect.

— Si tu viens prendre de mon temps, alors respecte ce que je suis, le coupa-t-elle, tout sourire effacé.

Elle prit une tranche de pain qu'elle habilla de confiture de roses.

— Tu sais que je ne t'appellerai jamais ainsi, dit-il en tirant une chaise en face d'elle pour s'y asseoir. J'ai besoin de toi.

— Ce qui n'est pas réciproque. Que veux-tu ?

Toujours le même répondant, capable de troquer sa langue de velours contre celle du serpent, rumina Jeremy. Cette allusion fit naître en lui un bouquet de souvenirs qui lui meurtrirent la poitrine.

— Alors ? insista-t-elle.

Il inspira longuement avant de se lancer.

— J'ai besoin de ton aide. C'est à propos de ta fondation.

— Celle de Francis, tu veux dire.

Jeremy serra les mâchoires, creusant encore plus ses joues déjà émaciées.

— Celle dont tu t'occupes, lâcha-t-il entre ses dents. Ne joue pas à ça avec moi, Jezabel.

— À quoi ?

— Tu le sais très bien ! À ce petit jeu du chaud-froid. Pas avec moi, je te connais trop bien.

Elle reposa sa tartine pour le dévisager.

— Et alors ? Ça ne marche pas ? Ose me dire que ça n'a aucun effet sur toi. Je sais comment faire mal aux hommes, ne me sous-estime pas dans cet art, vous m'êtes transparents. J'ai été curieuse, je vous ai aimés, je vous ai collectionnés, je vous ai observés sous toutes les coutures, et puis, je me suis lassée. Vous m'êtes transparents. Je vois au travers de toi comme au travers de tous les autres. Alors ne viens pas ici pour me solliciter et me dire que je ne produis aucun effet sur toi, sinon pourquoi faire une tête pareille ?

Jeremy se redressa, conscient d'avoir trop baissé le menton. Elle le noyait parmi tous les autres, ne lui donnant aucune importance, elle ne faisait de lui qu'un nom de plus, un plaisir de plus, sans tenir compte de ce qu'il était.

Oui, elle avait raison, elle savait s'y prendre pour lui faire mal. C'était exactement ça. Ne pas lui accorder d'importance et agir comme si leur histoire n'avait été qu'un domino de plus dans son jeu à elle.

— Jez... dit-il tout bas après un temps.

Il ne parvint pas à continuer ; elle se mit à manger en l'observant, sans l'aider, attendant de voir quels mots allaient s'extraire de la mélasse qui tournait en lui.

Jeremy fit ce qu'il savait être une terrible erreur face à elle. Il baissa les yeux. Il échappa à l'étau de ses iris d'émeraude pour balayer du regard les baies donnant sur ses appartements. Derrière elle, la porte vitrée s'ouvrait sur la chambre. Sur un immense lit moelleux dont les draps s'étalaient sur le plancher. Jeremy avala sa salive tandis que le fossé en lui devenait abîme.

— Il... Il est là ? parvint-il à demander.

— Qui ? L'homme qui me donne du plaisir ?

Jeremy voulut la haïr. La détester jusqu'à la bannir de son existence.

Elle n'avait pas dit « monsieur Keoraz ? » ou même « mon mari ? » ce qui aurait été déjà assez douloureux, non, elle l'avait instrumentalisé pour son plaisir. Ce qui était encore pire. Et elle le savait. Elle savait que Jeremy l'avait aimée par-delà les émotions de l'esprit ou du cœur, jusqu'à considérer leurs jouissances comme la seule matérialisation de cet amour puissant. L'amour charnel avait été tout. Parce qu'elle ne jouait pas dans ces moments-là, c'était l'unique temps de repos, le seul instant où elle était elle-même, à nu, à vif. Et celui qui la possédait dans l'orgasme pouvait contempler son âme véritable.

Cette jalousie-là dépassait toutes celles du quotidien perdu pour Jeremy. Elle le savait. Elle le narguait.

— Il fait visiter la place à des amis londoniens, confia-t-elle. Pourquoi ? Tu souhaites lui parler, peut-être ?

— Arrête. J'ai besoin que tu m'aides. Il ne s'agit pas de moi. Mais d'enfants.

Un mouvement subtil dans l'alchimie des composantes de son visage indiqua à Jeremy qu'il l'avait ferrée.

— Des enfants de ta fondation qui disparaissent.

Elle reposa le morceau de pain entamé directement sur la nappe, et ses yeux se plissèrent pour n'être que deux longues fentes sombres.

19

Pendant ce temps, Azim usait le pavé et la terre battue des quartiers est du Caire. Un dessinateur souvent
employé par la police avait accepté de lui faire un portrait aussi fidèle que possible de la dernière victime en
prenant soin de ne pas reproduire les blessures qui lui
déformaient le visage. Le détective Matheson lui avait
demandé de lui laisser l'enquête sur la fondation qui
prenait en charge l'éducation des enfants tués, mais il
ne lui avait pas demandé de s'en tenir éloigné.

En se rendant au siège, le petit Égyptien avait identifié la quatrième victime. Il était parvenu à rencontrer
un certain nombre d'intervenants jusqu'à ce que l'un
d'eux reconnaisse immédiatement le portrait de
l'enfant.

Seleem Yehya, dix ans.

Azim transféra l'information au secrétariat de la
police. Par chance, pour être acceptés par la fondation,
les enfants devaient être enregistrés avec le maximum
d'informations. À commencer par l'adresse où on pouvait les trouver. Les anciens quartiers du Caire avaient
cette particularité que les rues n'avaient pas toutes des
noms et encore moins des numéros. Lorsqu'on demandait son chemin il fallait en général se guider d'après

des points de repère comme une fontaine, une maison aux volets bleus ou un carrefour à cinq embranchements... L'adresse de Seleem était retranscrite selon ce code.

Avant midi, Azim avait retrouvé les parents de l'enfant, et s'était fait l'émissaire de la funeste nouvelle.

Il les avait interrogés brièvement, entre les sanglots et les cris de rage, avant de disparaître dans la rue sordide qu'ils habitaient.

Seleem avait le même profil que les précédentes victimes. Un enfant calme, vif et curieux – d'où sa présence à la fondation –, et qui ne cherchait pas les ennuis.

Et surtout : il était décrit comme obéissant.

Comment le meurtrier pouvait-il parvenir à faire sortir des enfants sages de chez eux, en pleine nuit, et de leur plein gré ?

Le désir d'en apprendre un peu plus sur cette fondation le faisait bouillir d'impatience. Mais il avait promis au détective Matheson de n'en rien faire, de l'attendre.

La clé du problème était dans la méthode de l'assassin pour faire venir les gamins jusqu'à lui. Azim le pressentait.

Comment attire-t-on un petit garçon ou une fillette à soi ? Comment l'incite-t-on à sortir sans bruit de chez lui, sans en parler, au beau milieu de la nuit ?

Un Occidental avec de l'argent ou tout simplement des objets originaux apportés de son pays pouvait susciter cette curiosité. Mais cette hypothèse impliquait un Anglais parlant l'arabe, capable de mettre ces enfants en confiance, et qui risquait de surcroît de se faire remarquer plus facilement dans ces quartiers qu'un Arabe. Sauf s'il se déplaçait en djellaba. Ou s'il connaissait très bien le secteur, pour éviter les rues fréquentées. Tout était possible en fin de compte.

Azim ne cessait de se répéter ces interrogations.

Il avait bien une petite idée, mais elle était irrecevable.

Un charme.

Un envoûtement maléfique, à la manière des *ghûls*, qui attirent leur proie par des manipulations démoniaques, des mensonges et des sortilèges.

Bien sûr, ça ne tenait pas debout.

Pas plus que cette rumeur qui hantait les quartiers est. Que le tueur était une *ghûl*.

Pourtant... cela pouvait expliquer bien des éléments. *La violence extrême* – aucun homme ne pouvait être aussi brutal avec un enfant, sauf un dément devenu animal. *Les traces de griffes énormes* – ils n'avaient aucune explication plausible pour l'heure, personne en dehors de ce vieux médecin blasé ne pouvait croire que ce soit bien des ongles qui aient provoqué de telles entailles, et encore il ne s'était pas fait cette opinion d'après ses connaissances médicales mais à défaut d'autres idées. *Les charmes* – qui expliqueraient que les enfants viennent délibérément au tueur. Et surtout : *les témoignages* – l'hypothèse découlait de là, après tout, de témoins ayant vu la bête.

Les témoignages.

— Si c'est là le fondement de son existence, à ce monstre, alors c'est par là qu'il faut chercher pour en avoir le cœur net ! dit Azim à voix haute tandis qu'il marchait dans une rue de Darb el-Ahmar, un quartier ancien de la ville.

Il s'arrêta pour boire à une fontaine et s'aspergea le visage et le cou avant de repartir pour El-Abbasiya retrouver la famille qu'ils avaient visitée la veille avec Jeremy Matheson.

Chemin faisant, il s'étonna que son collègue anglais n'ait pas réfuté l'hypothèse de la *ghûl*. Il était tellement

171

fermé à l'irrationnel qu'il n'avait même pas cherché à l'écouter.

Azim lui avait confié que les *ghûls* étaient des démons femelles. Or, on avait trouvé du sperme sur chaque victime. L'Anglais n'avait pas été assez attentif.

Azim tournait et retournait cette question dans son esprit depuis un moment déjà. Évidemment, cette histoire de *ghûl* n'était qu'une légende pour faire peur... mais qui ou quoi se dissimulait derrière cette chose errant dans les ruelles la nuit ? Car Azim ne doutait pas qu'il y eût bien quelque chose. Il connaissait ses semblables, prompts à enjoliver les événements, mais il n'y avait jamais de fumée sans feu. Derrière l'histoire de la *ghûl* se cachait une réalité.

Azim retrouva la maison en deuil, les enfants n'étaient pas là. Il n'y avait que le père et son épouse. Le détective interrogea cette dernière pendant plusieurs minutes, demandant les noms des femmes qui pourraient le renseigner, et où les trouver. Puis il partit à leur recherche.

Il en trouva deux sur les trois. La première mentionna son oncle comme témoin direct de la créature ; Azim demanda à le rencontrer. Il vivait dans le quartier de Gamaliya.

La seconde lui parla d'une autre femme dont le mari disait avoir épié la *ghûl*. Le cœur d'Azim fit un bond lorsqu'il apprit que ce couple vivait sous le cimetière de Bab el-Nasr, également à Gamaliya. Il ne s'agissait pas des mêmes personnes. Azim prit les informations nécessaires et la remercia.

Une heure plus tard, il était en compagnie d'un vieil homme, la moustache grise, la peau tannée par des décennies de soleil brûlant, marchant en djellaba bleue, couleur propre aux Touaregs, les « Hommes Bleus du

172

désert ». Azim donna la raison de sa venue, et expliqua que sa nièce l'envoyait à propos de cette « bête » qu'il disait avoir vue.

Ils marchaient côte à côte, descendant une rue si fine que les immeubles surannés qui montaient de part et d'autre la faisaient ressembler à un gouffre profond.

— Racontez-moi dans quelles circonstances c'est arrivé, demanda le détective.

— Il était tard, j'avais passé la soirée chez un ami qui tient encore un *ghoraz*[1]. Vous savez, c'est plus pareil maintenant, avec ces Anglais. Ils disent que nous sommes indépendants, et pourtant ils veulent faire fermer toutes les fumeries. Qui sont-ils pour nous imposer ça, hein ?

— Bien sûr. Mais revenons à ce soir-là, vous dites que vous étiez dans un *ghoraz*. Vous avez beaucoup fumé ?

— Pas plus que d'habitude.

— Et vous étiez en train de rentrer chez vous lorsque c'est arrivé ?

— Oui, c'était un peu plus bas, on va y arriver. Je marchais lentement, j'avais l'esprit allégé par les fumées. Et puis tout à coup, j'ai senti qu'il y avait quelque chose. C'est ma nuque qui a frémi d'abord. J'ai cru que mes cheveux se redressaient tout seuls ! Alors j'ai pas réfléchi, je me suis collé contre le mur. Faut dire qu'il faisait assez sombre, y a pas la lumière à gaz des beaux quartiers ici !

Le vieil homme s'était mis à parler fort, criant presque.

— Je comprends, le tempéra Azim en posant une main sous son coude, comme pour le guider.

— Je me suis collé au mur, vraiment vous savez !

---

1. Fumoir à haschisch.

C'est mon corps qui m'a guidé, qui m'a sauvé la vie ! Et vous savez pourquoi ? Parce que le haschisch m'avait ouvert l'esprit à une meilleure compréhension du monde. Mon esprit était ouvert aux choses de l'au-delà ! Et il a senti ce qui approchait, et il a donné l'avertissement à mon corps, et lui me l'a transmis, pour que moi, l'homme en surface, je comprenne que quelque chose d'inhumain approchait.

Il fallait prendre ce témoignage avec un maximum de recul, tempéra Azim, presque déçu. Le vieil homme était probablement trop sous l'effet de la drogue ce soir-là pour avoir été lucide. Il fallait faire la part de ce qui pouvait être vrai mais enjolivé, et ce qui n'était que le fruit d'une cervelle en plein délire.

— Et la *ghûl* a surgi de l'ombre, emmitouflée dans sa robe noire, une grosse capuche sur la tête pour s'y cacher. Elle marchait lentement, elle était très grande, presque deux mètres, et elle est entrée dans l'impasse en bas.

De fait, ils arrivèrent à une croisée de chemins, elle-même aussi étroite que les rues qui en partaient. Le vieil oncle désigna l'endroit où il se trouvait ce soir-là et pointa son doigt vers l'impasse où la bête était entrée.

— Même si mon corps me tenait, je n'aurais pas su ce qu'elle était vraiment si elle n'avait pas relevé son visage avant de partir. Elle a voulu regarder en hauteur et là, j'ai vu sous la lune ses traits de démon. Elle n'a pas de visage, rien que de la chair et des dents ! J'en fais des cauchemars toutes les nuits depuis.

Azim se pencha pour examiner l'intérieur de la voie en cul-de-sac. Elle n'était pas très profonde et peu haute par rapport au reste du quartier, plusieurs maisons d'un étage se suivaient, dont certaines étaient dans un tel état de délabrement qu'il était impensable d'y vivre.

— Vous êtes resté longtemps après ça ? questionna le détective.

— Au moins cinq minutes. J'étais paralysé, j'ai eu vraiment peur, vous savez. Et puis j'ai longé les maisons le plus vite possible et je suis remonté chez moi.

— Donc vous êtes passé devant l'impasse ?

— Oui. On n'y voyait pas clair, mais je crois qu'elle était vide. En tout cas le monstre n'en était pas ressorti quand je suis passé.

Azim hocha la tête en balayant les façades du regard. Il compta treize portes. Mais il était possible de fuir par le mur tout au fond, qui n'était pas très haut.

— Vous connaissez bien le quartier ? demanda Azim à son interlocuteur qui acquiesça. Alors vous savez peut-être où on débouche de l'autre côté du mur, tout au fond ?

— Dans une arrière-cour, pleine de gravats.

Donc, on pouvait partir dans toutes les directions. Azim eut du mal à cacher sa déception.

— Vous l'avez revu depuis ?

— Oh que non ! Et je n'y tiens pas !

Azim remercia l'homme et partit en quête du second témoin, un marchand de vêtements. Il le trouva à sa boutique, en pleine prière. Le muezzin avait appelé les fidèles pour *Asr*, la prière de l'après-midi. Azim attendit sur le pas de la porte qu'elle se termine. Il récita en silence ses prières du Coran. En acceptant d'entrer dans la police à une fonction aussi importante, il avait également accepté de mettre de côté ses pratiques religieuses pendant les heures de travail.

Le commerçant avait vu la même créature. Un être grand, couvert d'une robe noire et d'une capuche.

— Grand comment ?

— Je sais pas, une tête de plus que moi.

L'homme mesurait environ un mètre soixante-dix.

On était tout de même moins dans la démesure dépeinte par le vieux fumeur de haschisch qui voyait une *ghûl* de deux mètres. Un mètre quatre-vingt-cinq, quatre-vingt-dix, supposa Azim.

— J'étais sur ma terrasse, poursuivit le témoin, et je l'ai vue passer juste en dessous, sur le toit du voisin. Là elle s'est intéressée à des vêtements d'enfants qui séchaient, et elle a sauté sur la maison d'à côté, où elle a passé un peu de temps devant une lucarne pour essayer de s'y introduire. C'est un accès à la chambre des enfants de mon voisin. Elle voulait y entrer, mais comme elle n'a pas pu l'ouvrir, elle est repartie. Je suis certain que c'est elle qui tue les gamins. C'est ce qu'elle cherche la nuit.

— Elle se déplaçait de toit en toit ?

— Oui, et avec beaucoup d'agilité, elle ne fait pas de bruit.

— Vous avez discerné son visage ?

Il y eut un blanc entre les deux hommes.

— Oui. (Le marchand prit son souffle pour se lancer.) Elle regardait souvent en arrière. Et lorsqu'elle est passée sous mes yeux, elle s'est avancée et avant de sauter chez le voisin, elle a tourné la tête.

Il s'assit sur un tabouret, le regard dans le vague.

— Allah soit remercié, je n'ai pas vu ses yeux, je crois qu'elle m'aurait pris la raison. Elle n'avait pas...

Il passa une main sur ses propres joues, sur son nez, puis sur son menton et ses lèvres.

— Elle n'avait rien d'humain. Pas de peau, pas de relief, rien que des tendons, du sang, et des dents. Des dents qui luisaient jusqu'au bord des mâchoires, presque jusqu'aux oreilles. Jamais je ne pourrai l'oublier.

Azim était captivé par le récit, il en oubliait où il était et ce qu'il faisait au milieu de toutes ces étoffes qui pendaient du plafond.

— Et ses mains... J'ai vu ses mains également, et même dans la nuit j'ai pu distinguer qu'elles n'étaient pas humaines. Ses doigts étaient trop longs, et... Et elle avait des griffes énormes, plus menaçantes encore que les serres de l'aigle.

Azim cligna des paupières et retrouva toute sa lucidité. Il demanda quelques renseignements au commerçant pour découvrir qu'il vivait à moins de cinq cents mètres à vol d'oiseau de l'endroit où la *ghûl* avait été aperçue par le vieux fumeur.

— Vous avez des enfants ? demanda Azim.

— Quatre.

— Alors ne les laissez pas dormir sur le toit, même s'il fait chaud.

L'homme s'approcha d'Azim.

— Vous êtes fou ? J'ai *vu* ce monstre. Jamais je ne ferai une chose pareille ! Et mes enfants ne sortent plus seuls.

— Sage précaution. Même si je pense qu'il y a peu de chances pour que cette... *chose* repasse dans votre secteur...

— On ne vous a pas dit ? s'étonna le marchand. Elle n'est pas venue qu'une seule fois. Je l'ai vue plusieurs fois.

20

Du délire.

Marion se leva pour étirer ses muscles engourdis.

Cette histoire de créature rôdant la nuit, cette goule, était du pur délire.

Elle considéra la reliure noire du journal.

Quel genre de texte était-ce ? Sur quoi était-elle tombée ? Pour la première fois depuis qu'elle avait entamé sa lecture, elle était gênée. Elle avait éprouvé un malaise à l'évocation des meurtres d'enfants, pourtant cela faisait partie du récit, de l'enquête. Mais cette histoire de monstre témoignait d'une certaine naïveté dont Marion ne savait pas si elle devait l'imputer à l'homme ou à l'époque.

L'auteur, Jeremy Matheson, écrivait à la première personne ce qu'il avait vécu ou ressenti, et faisait une longue parenthèse sur ce que son collègue, cet Azim, avait entrepris pendant ce temps, laissant entrevoir qu'ils en avaient parlé ensuite. Il était curieux de constater comme il pouvait se montrer précis dans ses descriptions, presque romanesque par endroits. Il allait jusqu'à prêter des émotions précises à Azim, tellement intimes qu'il était peu probable qu'ils en aient véritablement conversé. Non, Jeremy avait supputé, déduit ou imaginé.

Néanmoins, la théorie de la goule restait dure à avaler.

Marion étouffa un bâillement.

C'était le milieu de l'après-midi, elle n'avait fait qu'une courte pause pour déjeuner, et ses heures de lecture la rendaient toute groggy.

Le temps était triste, le ciel déclinant toute une gamme de gris, du blanc cassé au zénith à un horizon cendré.

Elle enfila un pull chaud et opta pour le trench afin de faire une balade, le froid s'était intensifié depuis deux jours. Le contact du journal dans sa poche était presque rassurant.

Si l'histoire de goule la dépassait, elle devait bien avouer qu'elle était suspendue à ce récit, et excitée par ce que les pages jaunies lui réservaient encore. Depuis qu'elle l'avait trouvé, elle ne se séparait presque jamais de son précieux trésor. Il exerçait sur elle une fascination perverse. Il provoquait un voyeurisme qu'elle ne refrénait à aucun moment.

Elle longea le petit cimetière, et contourna l'entrée de l'église paroissiale Saint-Pierre pour retrouver la Grande Rue. De là elle s'enfonça dans un goulet entre deux bâtisses anciennes et gagna la courtine des remparts. Tour après tour, elle déambula sous le souffle puissant du vent. En contrebas, la mer avait laissé dans sa traîne nocturne des bras d'eau, des flaques aux reflets d'absinthe dont certaines renvoyaient aux cieux une image déformée.

Le rocher de Tombelaine jaillissait au loin, seul avec sa nuée de bernaches. Perdu, il inspirait à Marion une certaine mélancolie, ce fragment de France en exil, damné pour toujours parmi les brumes et les marées de la baie.

Damné ou privilégié, corrigea-t-elle...

Le dépouillement de sa silhouette la fit davantage pencher vers la tristesse.

Une tache sombre se déplaçait dans la diagonale entre le Mont et Tombelaine. Marion força sur ses yeux et elle eut confirmation de ce qu'elle avait pressenti : un homme, marchant paisiblement, revenait vers elle.

Il fit un large détour et Marion estima qu'il n'y avait aucune raison à cela, lorsqu'elle se remémora ce qu'on disait de la baie. Les sables mouvants avaient fait leur lot de victimes. Ils mordaient les chevilles et aspiraient les mollets, suçotant leur pâture à petit feu, jusqu'à ce que la marée montante vienne noyer ce qui dépassait.

Le flâneur connaissait visiblement le chemin, et se rapprochait de l'enceinte.

Quand il fut à courte distance, Marion détailla son apparence, un homme d'un certain âge, grand et élancé, non pas brun comme elle l'avait tout abord pensé mais coiffé d'un bonnet de marin sur des cheveux blancs. Il avait une démarche élégante et avançait les mains dans les poches d'une vareuse bleu marine.

Il lui fit alors un petit signe du bras, pour la saluer.

Elle fut d'abord étonnée puis constata qu'elle était l'unique personne sur toute la longueur des remparts et qu'elle l'observait depuis un moment déjà, il n'avait pas manqué de s'en rendre compte.

Marion lui répondit par le même geste.

À sa propre surprise, elle se mit en route sur les courtines, parallèlement au promeneur, descendant vers l'entrée du village.

Ils se rencontrèrent sous la voûte de la porte du Roy.

L'inconnu ôta son bonnet, laissant ses cheveux blanc de lys en bataille, et s'inclina légèrement en plaçant ses mains derrière son dos.

— Madame.

181

Il était bien plus âgé qu'elle ne l'avait d'abord estimé. Au moins octogénaire, devina Marion. Son visage disparaissait en partie sous une barbe d'une semaine à l'éclat aussi pur que ses cheveux, et deux profonds sillons entaillaient ses joues verticalement. Ses yeux étaient à peine discernables sous la protection de ses paupières mi-closes, pourtant il en émanait une vivacité étonnante, ils la transperçaient littéralement. L'homme se tenait parfaitement droit, son maintien n'avait rien de forcé, il accompagnait naturellement un charisme certain. Jeune, il avait assurément été étourdissant car, malgré l'âge, Marion le trouvait très attirant.

— Je ne crois pas avoir eu l'honneur de vous rencontrer, cependant, je pense savoir qui vous êtes. Le village est petit, et les informations circulent bien vite, plus encore que sur cet Internet dont tout le monde parle. Vous êtes en retraite avec la fraternité, n'est-ce pas ?

— C'est exact.

— Permettez-moi de me présenter : je suis Joe.

— Joe ? répéta-t-elle.

— Oui, c'est mon nom. Je vous souhaite la bienvenue, madame...

— Oh, pardon, Marion.

Elle lui tendit la main qu'il serra affectueusement. Sa peau était parchemineuse ; « peut-être à cause du froid », supposa-t-elle.

— Ravi de faire votre connaissance. C'est que nous n'avons pas beaucoup de visiteurs durant l'hiver, encore moins de résidents de longue durée.

Il avait une pointe d'accent que Marion ne parvenait pas à localiser. Alsace, songea-t-elle sans certitude.

Décidément, le Mont était une véritable tour de Babel, la plupart des habitants qu'elle y croisait n'étaient pas originaires des environs mais s'étaient importés des quatre coins du pays.

— Je vous ai aperçue sur les remparts tout à l'heure, c'est un circuit somptueux, et si je peux me permettre un conseil : montez-y au crépuscule, c'est à vous brûler les yeux de beauté. Les herbus prennent des teintes orange et violette au loin, c'est incroyable.

Marion replaça une mèche derrière son oreille.

— J'en prends bonne note, merci. Vous êtes allé jusqu'à Tombelaine ?

— En effet.

— Ce doit être un bel endroit.

— Ça l'est. Je peux vous y emmener à l'occasion si vous le souhaitez, il y a à peu près six kilomètres aller-retour. En revanche n'y tentez pas votre chance seule, les lises de la baie sont fourbes. Il faut connaître pour s'y rendre.

— C'est ce que j'ai entendu dire. Je serai ravie de vous y accompagner la prochaine fois. Vous... Vous vivez ici si je comprends bien...

— Oui, un peu plus haut, mais venez donc prendre le thé, si vous n'êtes pas occupée ?

Marion hocha la tête et marcha dans les pas du vieil homme lorsqu'il se mit à grimper la Grande Rue.

— L'accueil de la fraternité est à votre goût ? demanda-t-il.

— Oui, tout le monde est sympathique, arrangea Marion. Et je dispose de tout le calme dont je rêvais.

— Le calme ! Vous êtes bien inspirée de choisir Le Mont-Saint-Michel si c'est le calme que vous recherchez. Et la méditation dans l'abbaye y est exceptionnelle ! Nul autre lieu ne s'y prête mieux.

— À vous entendre, j'en déduis que vous êtes ici depuis longtemps.

— Oh, oui. Rien toutefois en comparaison de cette...

pierre, dit-il en levant la tête vers la masse jaillissante du sommet.

En escaladant la rue, Marion fut surprise de constater qu'il était vraiment beaucoup plus grand qu'elle, il devait approcher un mètre quatre-vingt-dix.

— Où logez-vous ? interrogea-t-il. En face du cimetière je suppose ?

— Oui, les informations vont-elles si vite ici ?

— Plus que vous ne l'imaginez, rit-il. En fait, la fraternité a pour habitude de loger ses retraitants dans des appartements en combles plus bas dans le village s'ils sont plusieurs et dans cette maisonnette lorsqu'il n'y en a qu'un seul.

Il se pencha vers elle et lui adressa un sourire complice en ajoutant :

— Je vous l'ai dit : je suis ici depuis longtemps... Tout le monde connaît les habitudes des uns et des autres sur le Mont.

— Je vois ça... À ce propos, combien êtes-vous à y vivre en ce moment ?

— Eh bien... Il y a Béatrice, la commerçante, et son fils. L'employé des postes ne vient que pour travailler, tout comme le personnel de l'hôtel et du restaurant de la Mère Poulard en cette saison... Ah, le veilleur de nuit Ludwig vit parmi nous. Les membres de la fraternité, et moi-même. Cela fait donc... treize ! Mon Dieu, je n'y avais jamais fait attention. Vous êtes doublement la bienvenue désormais ! La quatorzième pensionnaire du Mont, pour déjouer le mauvais sort !

— Oh, ne me donnez pas un rôle de cette importance, on pourrait ne plus vouloir me laisser repartir... s'amusa Marion.

— Nous voici arrivés à destination.

Ils entrèrent dans une maison moyenâgeuse, aux plafonds élevés, aux fenêtres larges et au parquet grinçant sous les pas. L'humidité et l'odeur de la cire se partageaient l'endroit. Joe fit passer Marion dans un salon démesuré, où la cheminée prenait plus de place qu'une armoire normande.

— Installez-vous, j'arrive.

Il revint après quelques minutes, un plateau dans les mains, et leur servit un thé brûlant avec des palets au beurre.

— Alors, comment avez-vous échoué ici, si je puis dire ? voulut-il savoir.

— Par hasard.

Joe fit un hochement sec de la tête.

— Comme ça ? Par hasard ?

— Presque. J'avais envie... besoin, de repos. De me ressourcer. Je me suis renseignée sur ce qu'il était possible de faire, sur les différents lieux de retraite. Le vœu, provisoire, de silence n'est pas trop mon truc, alors j'ai exclu un couvent en Savoie, et le suivant sur ma liste était Le Mont-Saint-Michel. Je ne me suis pas posé plus de questions et j'ai tenté ma chance, mentit-elle avec aplomb.

Joe la dévisagea et s'arrêta sur la blessure de sa lèvre qui commençait à cicatriser. Il la fixa ensuite dans les yeux. Marion l'observa en retour, il semblait prêt à recevoir sa confidence, s'imaginant avoir une femme battue fuyant son mari, ou la victime d'une agression venue ici retrouver la paix intérieure. Quelle que fût son opinion, Marion percevait qu'il n'était pas dupe et qu'il devinait quelques raisons plus dramatiques à cette retraite.

— Que diriez-vous d'un bon feu ? s'enthousiasma-t-il d'un coup.

Sur quoi il se leva pour disposer une bûche et des brindilles dans l'âtre.

— Pour ma part, je suis là depuis la guerre, c'est dire !

185

Marion porta sa tasse de thé chaud à ses lèvres et souffla doucement dessus.

— Vous connaissez donc tout le monde, et chaque recoin ici, je présume.

Joe attrapa un vieux journal qu'il déchira en lamelles avant de les froisser pour les glisser sous l'amas de bois.

— J'espère bien !

Marion se retint de lui poser la question qui trottait dans son esprit.

Elle aspira une gorgée de thé.

Les fenêtres du salon donnaient sur un minuscule jardin en friche dominé par les remparts. Le ciel grisâtre diluait la lumière du jour en une vaste coupole.

Joe craqua une allumette pour allumer les boules de papier dans la cheminée.

Marion laissa sa curiosité prendre le pas sur sa réserve et demanda :

— Si vous êtes là depuis les années quarante, peut-être avez-vous entendu parler d'un Anglais qui aurait séjourné sur le Mont...

Joe se désintéressa de son feu naissant.

— Un Anglais ? répéta-t-il. Pourquoi un Anglais ?

— C'est... À tout hasard, des choses qu'on m'a racontées, je voulais juste savoir si c'était vrai ou si on s'était payé ma tête, inventa-t-elle.

— Qui vous a raconté ça ? Frère Gilles ?

Marion fit un effort pour resituer le frère Gilles parmi toute la fraternité. C'était le plus âgé, pas aimable, avec son profil d'aigle. *Un vieux ronchon*, se remémora-t-elle aussitôt. Il était trop proche, elle devait trouver quelqu'un d'autre, son mensonge risquait d'être découvert.

— Non, du tout, répliqua-t-elle, c'est à Avranches, un groupe d'hommes qui voulaient plaisanter, j'imagine. Ils m'ont dit qu'un Anglais était venu au Mont pour y séjourner...

Joe secoua la tête.

— Ah, la ville... Ils ne sont pas dignes de confiance. En tout cas il n'y a pas eu d'Anglais ici, pas que je sache. C'était important pour vous ?

Marion se surprenait à mentir avec une facilité grisante. Les mots et l'assurance lui venaient spontanément, sans aucune hésitation, aucune peur, ses mains n'étaient pas moites et ses jambes ne tremblaient pas. Elle se découvrait en menteuse patentée à la solde de la DST d'une certaine manière.

Cette idée lui plut. Elle embrassait à son rythme une nouvelle carrière, celle d'espionne.

— Pourquoi vous intéressez-vous à la présence d'un Anglais ? interrogea Joe. Il y a des centaines de choses plus divertissantes et mystérieuses dans l'histoire de l'abbaye, pourquoi ça ?

— Comme ça, on m'a dit qu'un Anglais avait séjourné ici quelque temps avant de repartir en laissant derrière lui un journal intime. Mais apparemment personne n'a jamais retrouvé ledit journal. Avec l'ennui, cette histoire a suffi à m'interpeller.

Joe ouvrit les mains devant lui en signe d'impuissance.

— Désolé mais je n'ai jamais entendu pareil récit, et pourtant je suis le genre de vieux bonhomme qu'on vient interroger d'habitude pour ça, je suis un peu les yeux et les oreilles de ce roc solitaire. Si je peux me permettre, n'écoutez pas trop ce qu'on vous dira en ville, le Mont suscite bien des rumeurs, elles sont rarement vraies.

Les flammes s'élevaient peu à peu dans son dos, faisant crépiter les branches assaillies.

Marion but du thé et savoura un palet en réchauffant ses mains sous la tiédeur de la cheminée.

— Tout à l'heure vous m'avez demandé si c'était frère Gilles qui m'avait confié cette histoire d'Anglais... Vous le connaissez bien ? questionna Marion.

Joe croqua dans un des gâteaux et s'essuya le menton à l'aide d'une serviette en papier.

— Oui, nous sommes un peu comme cette vieille pierre tous les deux. Quasi immuables au milieu de cette baie.

— Je crois qu'il ne m'apprécie guère, confia Marion.

— Ne vous tracassez pas pour ça. Il n'aime personne, ni vous, ni moi, ni les touristes de passage. En tout cas personne qui ne soit pas directement rattaché au Mont. Si vous n'êtes pas né ici ou tout comme, vous êtes à ses yeux un parasite sur « son » abbaye, un cancrelat susceptible d'abîmer ce legs des temps anciens.

— Pourquoi ne vous apprécie-t-il pas alors ? Vous êtes là depuis bien avant lui, non ?

— Frère Gilles ? Non, il est arrivé un an avant moi, avec sœur Luce que vous avez sûrement remarquée.

Marion se souvint d'une très vieille femme, au profil étrangement similaire à celui de frère Gilles, tout aussi taciturne et revêche.

— En effet...

— Et depuis ils sont les dépositaires de l'esprit du Mont-Saint-Michel, du moins le pensent-ils !

Joe se mit à rire, d'un rire contenu bien que sincère.

— Frère Gilles et sœur Luce, ils sont... de la même famille ? s'intéressa Marion.

— C'est un vaste débat ! Je ne sais pas. À les voir, tous les deux aussi acerbes et méfiants, on pourrait le croire. Finalement, je ne sais toujours pas s'ils se ressemblaient déjà à l'époque ou si c'est cette aigreur qui les a rapprochés dans leur physique. Je n'arrive plus à me souvenir comment ils étaient, plus jeunes. C'est ça vieillir, ma chère, c'est oublier, ou confondre. Ou ne plus avoir la force d'aller loin dans les efforts de la mémoire. Alors on rabâche ce qu'il nous reste.

— Vous m'avez l'air en pleine forme pour quelqu'un qui tient ce discours.

— Ne vous fiez pas aux apparences, Marion, encore moins ici qu'ailleurs.

Il prit l'assiette de palets et la lui tendit pour qu'elle se serve, avant d'en prendre un à son tour.

— Vous avez rencontré tout le monde ? demanda-t-il.

— Oui, tous ceux que vous avez cités.

— Tous de braves gens.

— C'est ce qu'il m'a paru. En fait, c'est amusant parce que je découvre chaque habitant de ce... cette île en quelque sorte, et je me surprends à tous les apprécier pour le peu que je les connais, moi qui suis d'habitude de nature méfiante, pour ne pas dire misanthrope. Vous savez, j'ai souvent pensé, bêtement j'en conviens, que seules les personnes ayant de sinistres secrets à garder pouvaient vouloir s'installer sur un caillou comme celui-ci, à l'écart du monde.

Joe joignit ses paumes devant son nez et appuya son menton sur ses pouces en contemplant le feu.

— Des secrets, toutes les familles du monde en ont, confia-t-il. Toutes. Plus ou moins bien gardés. Ce ne sont pas les secrets qui conduisent ici. Mais les réponses. Celles et ceux qui y vivent le font parce que leur âme est comme ce Mont, faite de vérité tantôt occultée par les brumes, tantôt dévoilée par le soleil. Nous y sommes parce que nous sommes faits de souvenirs fluctuants, comme la marée. Nulle autre place ne saurait mieux nous convenir.

— Vous parlez pour vous-même ? osa Marion.

— Non, je ne crois pas. Plutôt au nom de tous les habitants du Mont.

Joe dressa un index tordu vers elle.

— Je vous vois pâlir, rit-il, n'ayez crainte, je parle par métaphore, Le Mont-Saint-Michel n'est pas le repaire des mélancoliques, je me contente de... décrypter les âmes. Je me trompe souvent, cela dit.

Sur quoi il rit de plus belle.

— Je ne vous ai pas effrayée au moins ?

— Non, il m'en faut plus. Et depuis que je suis ici, je commence à ne plus sursauter pour un rien.

— Vraiment ? C'est préférable, c'est plein de bruits indéfinissables dans ce village, surtout la nuit. Alors si vous vous habituez...

— Je ne crains pas les bruits, mais les plaisantins.

Joe fronça les sourcils. Marion avala sa salive. Maintenant qu'elle avait commencé, elle ne pouvait plus faire marche arrière. Et puis ce vieil homme lui inspirait confiance.

— Le lendemain de mon arrivée j'ai trouvé une enveloppe chez moi, enfin dans la maison que j'occupe. Quelqu'un qui voulait s'amuser. Sous forme d'énigme. Ça n'était rien d'autre qu'un jeu pour me souhaiter la bienvenue... et pour me tester, je crois.

— Vous tester ? Qu'est-ce qui vous fait dire ça ?

— Un simple plaisantin m'aurait souhaité la bienvenue directement dans l'enveloppe, se contentant de la déposer à l'intérieur de la maison. Là il fallait déchiffrer un code et sortir sur le Mont pour découvrir la vraie teneur du message.

Joe acquiesça.

— C'est original. Et vous avez eu la perspicacité d'aller jusqu'au bout, félicitations.

— Je n'ai que ça à faire.

Sa réplique tomba comme une guillotine fendant

l'air. Ils demeurèrent silencieux une minute. Marion finit par reposer sa tasse et se lever.

— Je vous remercie pour tout.

— Si je peux me permettre de paraphraser votre plaisantin : soyez la bienvenue ici, chez moi. Maintenant que vous savez où je vis, passez donc me rendre visite.

Marion le salua et sortit sous le vent frais qui sifflait dans la Grande Rue. Elle descendit le pavé jusqu'au petit escalier qui contournait l'église paroissiale, longea le cimetière jusqu'à sa porte.

Chemin faisant, elle pensa à Joe. À sa présence agréable, à son visage souriant et confiant, et à son âge. Elle ne comprenait pas pourquoi il lui était si agréable. Il avait au moins quatre-vingts ans, même s'il en paraissait trente de moins dans son maintien.

Elle déposa son manteau dans le vestibule et alluma le salon.

Il ne lui fallut pas cinq secondes pour la remarquer.

Elle trônait là comme une insulte à son intimité.

Une grosse enveloppe posée sur le sofa.

21

Le même papier que pour le premier message.
Cette fois, il n'y avait aucune énigme.
Pas de jeu non plus.
Rien qu'une demande. Presque un avertissement.

« Parce que vous étiez la première à nous rendre visite depuis longtemps, j'ai voulu jouer avec vous. Je constate avec surprise que vous avez mis la main sur quelque chose qui m'appartient. Ça n'était nullement prévu dans notre petit jeu, jeu qui n'avait pour but que de nous divertir l'un l'autre sur cet immense roc trop calme. Mais à peine commencé, le jeu prend fin. Car en vous appropriant ce qui est mien, vous m'avez froissé. Je sais que là n'était pas votre souhait, aussi suis-je enclin à passer l'éponge dès à présent. À la condition sine qua non *que vous me rendiez mon bien. Déposez-le ce soir là où vous aviez trouvé le message de bienvenue, à la tour Gabriel. Et nous serons quittes. En espérant être votre ami, une fois ce malentendu réglé. »*

Il ne faisait aucun doute pour Marion que le bien en question était le journal. Elle n'était entrée en possession de rien d'autre depuis son arrivée.

Elle retourna à son trench et sortit le carnet d'une des poches.

Sa couverture de cuir craquelé était froide au toucher. *Narrative of Arthur Gordon Pym*, mentionnait le titre en vieilles lettres dorées. À la longue, il devenait encore plus étrange que du Poe.

Et les bizarreries de son contenu se répercutaient sur la réalité, remarqua Marion. À la manière du livre que trouvait le héros du roman *L'Histoire sans fin* de Ende. Qui n'avait jamais rêvé de posséder un livre s'ouvrant *véritablement* sur un autre monde ?

Marion ouvrit la couverture et fit défiler les pages usées.

La magie de ce texte-ci opérait depuis 1928, et étirait ses bras d'encre jusqu'à modifier les heures de cet hiver, plus de soixante-dix ans plus tard.

Qui savait qu'elle avait trouvé le journal ?

Béatrice.

Marion ne voyait pas Béatrice se déguiser en mystérieux comploteur à ses heures perdues. Mais leur amitié était toute fraîche, elle ne pouvait se vanter de parfaitement connaître la vendeuse.

Question de feeling... Je ne la sens *pas faire ce genre de truc...*

Qui d'autre pouvait savoir pour le journal ?

Frère Damien.

Le soir de la découverte il était passé la voir, le journal était sur le guéridon de l'entrée, et son regard s'était posé dessus. Bien qu'il n'ait rien dit, peut-être l'avait-il reconnu. Dans ce cas toute la fraternité pouvait être au courant.

Il y avait également Ludwig, le veilleur de nuit.

Elle l'avait croisé en rentrant de chez Béatrice, le livre était sous son bras, il avait pu le voir.

En fait, tout le monde était susceptible d'écrire ces lettres.

Marion entra dans la cuisine pour se servir un verre d'eau.

S'il fallait procéder par élimination, elle pouvait rayer Joe de sa liste des suspects. Il était à Tombelaine cet après-midi et en sa compagnie ensuite. Et la lettre avait été déposée pendant qu'ils étaient ensemble. Le Mont était suffisamment petit pour qu'on puisse repérer ses faits et gestes ; si on la voyait s'absenter, il était aisé de s'introduire dans la maison.

Voilà qui était peut-être la solution du problème.

L'auteur des lettres avait la clé. Et la fraternité disposait des doubles aux dires de sœur Anne.

S'il fallait toujours procéder par élimination, Marion choisit de ne garder que les hommes de la communauté religieuse. Il n'y avait pas d'accord au féminin dans la dernière lettre, on parlait d'être « votre ami » pas « amie ». Ça pouvait être un leurre. Pour l'instant, Marion continua dans sa logique première.

Il restait cinq personnes.

Frère Damien, « fausse route », exalté en permanence, et apparemment sportif.

Frère Gaël, le petit jeune du groupe. Timoré.

Frère Christophe, « frère anémie ». Perpétuellement lent et essoufflé.

Le désagréable et vieux frère Gilles et enfin le grand manitou des uns et des autres : frère Serge et son physique presque inquiétant.

Tout de même, elle suspectait des hommes d'Église.

Étaient-ils exempts de toute faille ou tout vice pour autant ?

Marion hocha la tête avec vigueur. L'auteur de cette lettre se cachait parmi ces cinq-là.

Et maintenant ? Qu'allait-elle faire ?

— Si tu veux récupérer ton bouquin, il va falloir autre chose qu'une lettre déposée dans mon dos, mon coco... lança-t-elle à voix haute.

Elle était agacée par cette lâcheté déguisée en mystère. Non seulement elle n'allait pas abandonner le journal en pleine nature, mais elle n'allait plus le lâcher.

Et ce soir, à l'heure où ce couard attendrait dehors, dans le froid, qu'elle sorte rendre le livre, elle serait confortablement installée à le lire.

Et s'il voulait mettre la main dessus, il lui faudrait évoluer à visage découvert, face à elle, et le lui demander.

Alors elle verrait ce qu'il conviendrait de faire.

Elle en avait assez des cachotteries et des plaisantins.

Au début, cette énigme, l'intrusion chez elle pour vérifier ses affaires, tout ça était presque amusant dans le contexte. Là, il allait un peu trop loin.

Étrangère sur ce mont, elle l'était, mais il faudrait bien l'accepter.

Personne n'avait le choix, elle moins que quiconque.

22

Jeremy Matheson et Azim dînèrent ensemble dans un restaurant italien du boulevard Sulliman Pasha.

Azim mangeait avec appétit, fier de son avancée significative dans l'enquête.

— Ça n'est plus une légende, on sait que c'est vrai maintenant ! exposa-t-il, la bouche pleine.

— Azim, on ne va tout de même pas croire les élucubrations de deux... illuminés, pour conduire notre enquête ! Vous l'avez dit vous-même, le premier était sous les effets de la drogue lorsqu'il a cru voir cette... goule !

— Je conviens qu'il faille relativiser ses propos, mais il a bien vu quelque chose ce soir-là, j'ai contemplé le visage de la peur dans ses yeux, et leurs descriptions à tous deux correspondent.

— Imagerie populaire commune. Ils ont les mêmes références, les mêmes mythes, alors quand l'un d'entre eux prend un infirme en train de fuir après sa rapine pour un monstre, les autres font de même.

— Écoutez, on a peut-être une chance de coincer cette chose, ou quoi que ce soit, si on place des hommes à nous dans ce quartier. Le marchand me l'a dit, il l'a aperçue trois fois en trois semaines, à chaque fois lorsqu'il va fumer sur son toit dans la nuit. C'est un insomniaque.

Jeremy termina son fond de vin d'une traite. Puis il secoua la tête.

— Je ne mobiliserai pas une trentaine d'hommes la nuit pendant une semaine ou deux sous prétexte qu'un mélancolique insomniaque croit voir passer sous ses fenêtres le monstre de son enfance. Nous avons plus important à faire.

— Comme ?

— Demain matin, nous avons rendez-vous à la fondation Keoraz, pour rencontrer son directeur.

Azim demeura silencieux, ressassant sa frustration.

— Pourquoi connaissez-vous cette fondation ? finit-il par demander.

Jeremy eut un sourire de composition tandis qu'il sauçait son assiette d'un morceau de pain. Azim eut l'impression que son collègue anglais attendait d'en arriver à cette question depuis le début du repas. Il termina de mastiquer, prenant son temps, avant de repousser son assiette en disant avec douceur :

— À cause d'une femme, mon ami.

Azim allait lever un verre d'eau à sa bouche, mais il stoppa son geste, une main sur le pied en cristal.

— Je suis autrefois tombé amoureux d'une femme qui est aujourd'hui l'épouse du mécène qui a créé cette fondation.

— M. Keoraz ?

Jeremy jouait avec sa serviette tout en parlant. À la mention du nom du mécène, Azim le vit la serrer si fort que ses articulations blanchirent.

— Lui-même. Il est le portefeuille, c'est lui qui alimente les caisses de la fondation, mais il y a un directeur, M. Humphreys.

— Et vous avez toujours des contacts avec cette femme ?

— Si on peut appeler ça des contacts. Mais je connais d'autant cette fondation que Jezabel y était bénévole, et j'avoue que, pour elle, j'y ai participé également.

— Vous ?

L'image du détective Matheson solitaire et taciturne que tous connaissaient n'allait pas avec celle d'un Jeremy amoureux et bénévole auprès d'enfants cairotes défavorisés.

— Oui... Ça a duré quelques mois à l'automne-hiver 1926, et nous nous sommes séparés.

Il s'ouvrait d'une voix plus basse, moins d'assurance dans le corps, il retombait en avant, un coude sur la table.

— Depuis quand êtes-vous séparé de cette femme ? demanda Azim.

— Janvier de l'année dernière, un peu plus d'un an. Elle a rencontré son mari à la soirée du Nouvel An, un dîner organisé par le mécène de la fondation pour tous ses bénévoles.

— Vous y étiez ?

Jeremy acquiesça d'un clignement de paupières.

Azim répondit en faisant disparaître ses lèvres à l'intérieur de sa bouche.

— Quoi qu'il en soit, c'est une coïncidence qui va nous aider, fit remarquer le petit homme.

— La communauté anglaise du Caire n'est finalement pas aussi étendue que ça, c'est évident qu'à un moment ou à un autre, on doit conduire une enquête sur des proches. Je n'appelle pas ça une coïncidence, rien de plus qu'une « fatalité prévisible ». Au fait, félicitations pour l'identification du garçon, j'ai appris tout à l'heure en passant par le bureau.

— Je suis passé voir la famille, pour les informer du décès. La fondation est en tout cas le point commun entre les victimes, il n'y a plus aucun doute.

199

Jeremy passa une main sur son visage. Il avait les traits tirés. Lorsque le serveur passa à leur portée, il le héla et commanda à nouveau du vin.

— Je peux vous demander un service, Azim ? Jusqu'à demain matin, on ne parle plus de tout cela, je vous en saurai gré.

Azim prit la demande comme un coup de fouet. C'était leur travail, et Jeremy avait expressément exigé d'être sur cette enquête.

La présence de cette Jezabel dans l'investigation était pour quelque chose dans ce malaise subit, Azim en aurait juré.

— À votre guise, répondit-il.

Jeremy se resservit un grand verre de vin et en but la moitié d'un coup.

Pendant une seconde, Azim eut l'intime conviction que l'Anglais lui cachait autre chose. Mais aussi vite et fort qu'elle était venue, la certitude se mua en doute, puis se dissipa.

Le siège de la fondation Keoraz était installé sur la longue et large sharia Abbas, avec pour voisins une église catholique et le bâtiment de la compagnie des télégraphes et téléphones.

En ce début de matinée, les véhicules étaient nombreux, slalomant entre les tramways en délivrant dans l'air à peu près frais le cri rauque de leur belle mécanique.

Une fois encore, Jeremy trouva le contraste saisissant.

Entre une ville à l'ouest, riche et occidentale, et son pendant oriental, bien plus chaotique. L'une se composait d'un maillage aéré de rues perpendiculaires, à l'architecture européenne, avec des trottoirs plantés d'arbustes décoratifs, d'immeubles aussi hauts que modernes, et de boutiques dignes de celles de Paris,

Londres ou Milan. Tandis que l'autre ville s'étalait sous les tentes des bazars, sinueuse, tressée d'autant d'impasses que d'allées étroites, dont les habitations n'avaient pas changé depuis plusieurs siècles, reflétant les différentes cultures musulmanes qui s'étaient succédé au Caire. La première ville était propre, inodore, et d'une disparité cossue ; le soir venu, le rire contenu des jeunes Anglais se mêlait à celui plus tapageur des Français et des Italiens. La deuxième cité était poussiéreuse, et respirait le cuir, les saveurs exotiques, la transpiration d'une masse humaine entassée, tandis qu'à la nuit tombée le chant des muezzins couvait du haut de ses mille minarets un horizon de toits aussi confus qu'une mer en colère. L'une était économique et politique, l'autre aussi mystique qu'historique.

Le directeur de la fondation Keoraz accueillit les deux détectives dans son bureau, au dernier étage. C'était un Anglais de quarante ans, au torse imposant et à la barbe bien fournie, il ressemblait en tout point, sauf pour le caractère, au professeur Challenger dont l'illustre Arthur Conan Doyle avait conté les exploits dans ses romans.

Sans leur demander leur avis, et malgré l'heure matinale, il servit deux brandys, un pour lui et l'autre pour Jeremy, tandis qu'Azim eut droit à un verre d'eau.

— Allons, dites-moi, que puis-je faire pour vous ? demanda-t-il en allant s'asseoir derrière son bureau encombré de papiers.

— Comme je vous l'ai expliqué hier au téléphone, cela concerne des enfants de votre fondation.

— C'est terrible ce que vous m'avez confié. Il y aurait un tueur d'enfants ici, au Caire ? Vous avez des pistes ?

Jeremy fit écran d'un geste de la main pour signifier qu'il n'irait pas plus loin.

— L'enquête est en cours, éluda-t-il. Avez-vous trouvé les fiches des enfants comme je vous l'avais demandé hier ?

Le directeur posa un index sur une fine pile de dossiers.

— Tout est là, les quatre petits.

— Vous avez consulté ces informations, j'imagine. Des remarques ? Nous cherchons un lien éventuel entre eux, ou n'importe quel élément singulier.

Humphreys referma la main qui émit une série de craquements secs. Ses doigts étaient déformés par l'arthrose.

— Non, rien. Enfin... quelques détails, voyez.

Il fit glisser les feuillets de papier cartonné vers le détective anglais.

Humphreys attrapa son verre et savoura le fumet de son brandy avant d'en faire couler une rasade dans sa gorge. Il considérait le clocher de l'église à présent, ayant pivoté face à la fenêtre.

— Bien que nous ne nous soyons pas rencontrés à l'époque, je me souviens que vous étiez parmi nos bénévoles, détective.

Jeremy leva le nez des fiches pour étudier le directeur qui poursuivit :

— Je... Je ne vois pas comment vous dire cela, mais... Eh bien, peut-être que vous ne vous en souviendrez pas, mais ces quatre enfants dont nous examinons le dossier ont été dans vos classes, monsieur Matheson.

Azim fronça les sourcils. Il examina son collègue qui ouvrait les yeux plus grands que nécessaire.

— Pardon ? balbutia le détective anglais.

— Oui, insista Humphreys, c'est bien ce que je pensais, vous n'aviez pas remarqué. Ils sont tous passés entre vos mains, lorsque vous vous étiez proposé pour nos séances de lecture. Je vois que vous ne vous en

202

souvenez pas, remarquez, je vous comprends, ils sont nombreux, et pour beaucoup d'entre nous, ils se ressemblent tous.

Jeremy ouvrit un peu brutalement les pochettes pour examiner les quelques pages tapées à la machine. Il passait d'un enfant à l'autre avec une nervosité croissante.

— C'est un détail important ? questionna le directeur.

Jeremy se redressa pour le fixer.

— À votre avis ? rétorqua-t-il froidement.

La sueur s'était emparée de son front en une poignée de secondes.

Azim s'avança sur sa chaise jusqu'à poser ses coudes sur le rebord du bureau et réclama poliment :

— Vous pourriez nous dresser une liste de tous les enfants qui sont passés dans les classes du détective Matheson, s'il vous plaît ?

Humphreys examina le petit Égyptien coiffé d'un turban avant de guetter la réaction de son homologue anglais, attendant une confirmation ou une infirmation. Visiblement, le directeur n'avait que peu d'estime pour les « locaux », remarqua Azim. Pour un homme dirigeant une fondation d'aide aux enfants de la rue, c'était préoccupant. « Encore un politicien qui a accepté un poste en préparant son avenir davantage que par désir ou amour dudit travail. »

D'un mouvement de l'index, Jeremy indiqua qu'il approuvait l'idée d'Azim.

— Bien, je devrais pouvoir vous obtenir ça lundi ou mardi. Dites, maintenant que j'y pense, ça peut avoir un lien ; nous – la fondation – avons porté plainte en janvier pour un cambriolage. Et... Le plus curieux c'est que rien n'avait été dérobé. On avait forcé la porte de derrière pour entrer dans les locaux et dans les bureaux. Le forban pensait sûrement trouver des liquidités en abondance, je me souviens qu'une porte avait été malmenée pour pénétrer dans la pièce de notre coffre.

— On vous a dérobé beaucoup d'argent ? questionna Jeremy.

— Non, le coffre lui a certainement paru au-delà de ses moyens en définitive, il ne l'a même pas ouvert ! Deux serrures fracturées pour cela !

— Il n'y a rien d'autre dans cette salle ? renchérit Matheson.

— C'est celle de nos archives, celle où sont conservés nos dossiers du personnel et ceux des enfants.

— C'est maintenant que vous le dites ? ragea le détective anglais.

Azim commençait à s'inquiéter de l'état de son partenaire.

— C'est une information qui peut avoir son importance, intervint Azim face à la mine déconfite du directeur. Que contiennent les dossiers sur les enfants ?

Cette fois, Humphreys ne fit pas la fine bouche pour répondre au petit Égyptien :

— La même chose que ce que je vous ai apporté là, ce qu'il faut savoir sur l'enfant, nom, date de naissance si elle est connue, lieu où joindre les parents, constatations médicales, et tout le suivi pédagogique. Un professeur en particulier est attribué à chaque enfant, c'est lui qui rédige des fiches régulièrement sur les progrès de son pupille, avec d'éventuelles remarques sur le comportement.

— Constatations médicales, vous dites ? répéta Azim.

— Oui, bien sûr, pour le cas où, on ne sait jamais. La plupart de ces enfants arrivent chez nous à la demande des parents qui veulent leur donner une chance, pour se constituer un bagage de savoir-vivre et de connaissances. Nous sélectionnons les enfants sur candidature et sur entretien. Et lorsqu'ils sont acceptés, notre première tâche est de les envoyer subir un examen médical, ce qui n'a jamais été fait auparavant.

— Où ça ?

— À l'hôpital Lord Kitchener, ce qu'il y a de mieux avec l'Hôpital anglo-américain, sauf que le premier est plus grand et nous connaissons les médecins.

— Lord Kitchener ? s'étonna Azim.

Il se tourna vers Jeremy.

— Comment s'appelle le docteur qui a autopsié les victimes ?

— Benjamin Cork.

— Ah ! Le docteur Cork ! s'écria le directeur. Bien sûr, c'est un des médecins qui examinent nos enfants.

Azim haussa les sourcils et brandit le plat de la main devant lui, en signe d'effarement.

— Ça commence à faire beaucoup de coïncidences !

Jeremy, toujours aussi morose, contesta d'un signe de tête.

— Non, tout s'explique. L'hôpital Kitchener est spécialisé pour les femmes et les enfants, le docteur Cork est spécialisé dans le domaine des enfants, c'est pourquoi il a été chargé des autopsies. Rien d'anormal, Azim. Le Caire anglophone est un monde aussi petit que l'arabophone peut être immense.

— Bon... Soit, concéda Azim. Et ces enfants-là, les quatre victimes, quelque chose de particulier dans leur dossier ?

— Non, j'ai vérifié, rien de plus, assura Humphreys. Ils... Ils étaient attentifs, deux étaient un peu turbulents, sans gravité. Tous très curieux, ils acceptaient les cours supplémentaires. C'est tout. Je vous laisse prendre ces fiches, pensez à me les rapporter lorsque l'affaire sera classée.

•

— Votre mécène a-t-il les clés du bâtiment ? questionna Jeremy.

— Francis Keoraz ? Non, ça n'est pas nécessaire, il est le... l'âme généreuse de la fondation, pour le reste, je suis responsable de tout ici. Il passe nous voir de temps à autre, dire bonjour aux enfants, rien de plus.

Jeremy frotta le lobe de son oreille en émettant un léger sourire.

Le directeur s'empara de son brandy qu'il termina en se pourléchant les lèvres. Quelques minutes plus tard, les deux détectives étaient dans la rue.

— Vous ne vous souveniez vraiment pas avoir eu ces enfants dans vos classes ? sonda Azim.

Jeremy marchait le regard lointain.

— Non, répondit-il évasivement.

— C'était des cours de lecture que vous donniez, c'est ça ?

— Oui. Plutôt des séances de lecture, en anglais. Je ne leur apprenais rien, je ne suis pas qualifié pour ça, je leur lisais des histoires, que la plupart ne comprenaient même pas, ils n'avaient pas le niveau de langue, les meilleurs devaient à peine balbutier quelques mots d'anglais, mais c'était une initiation comme une autre, pour leur former l'oreille. Écoutez, Azim, on a déjà parlé de ça, je vous ai dit que je l'avais fait pour cette femme. C'est elle qui avait insisté auprès de la fondation pour qu'on me prenne. Je n'y trouvais aucun plaisir, je ne m'intéressais pas aux enfants, alors de là à me rappeler leur visage...

Azim lissa sa moustache, un peu embarrassé.

— C'est que... Ça devient très personnel, dit-il. D'abord votre lien avec la fondation, et maintenant votre lien avec ces quatre pauvres gosses, je crois qu'il serait préférable que vous...

Jeremy s'immobilisa.

— Que je quoi ?

Les pupilles bouillonnantes de l'Anglais étaient braquées sur celles d'Azim. Ce dernier comprit qu'il était inutile d'insister. Si personnelle que devînt l'enquête, jamais il ne parviendrait à raisonner Jeremy Matheson. Et en référer à leur hiérarchie serait catastrophique. Matheson avait bien trop de relations pour se faire évincer d'une enquête qu'il voulait à tout prix conduire, l'unique conséquence serait sa mise à l'écart à lui, Azim, de cette sinistre histoire. Et il voulait finir ce qu'il avait commencé.

— Rien... rien.

Azim leva les bras devant lui, en signe de reddition.

La déception se lisait sur ses traits, ce qui eut pour effet de calmer la colère de Jeremy. Celui-ci reprit, plus calmement :

— Je m'excuse, Azim. Tout cela devient très personnel, et justement, je ne compte pas fuir pour attendre que d'autres détectives viennent me raconter ce qui se passe. C'est à moi de comprendre, à moi de régler le problème.

Azim tiqua. *Régler le problème ?* Il avait parlé comme s'il savait déjà ce qui se tramait, quel était son lien avec les meurtres. Azim décida de ne pas donner de suite pour l'heure, les circonstances ne lui étaient pas favorables. Il se contenta de poursuivre la conversation :

— Le chef m'a demandé de lui rédiger un rapport détaillé aujourd'hui, et je ne peux pas lui cacher tout ça.

— Je sais bien. Il ne m'écartera pas de l'enquête, quoi qu'il en soit. J'ai trop d'*amis* qui pourraient nuire à sa carrière. Faites votre job.

Les deux compagnons reprirent leur marche le long de l'avenue au trafic discontinu. Après un temps, Azim changea d'approche, il fit part de sa déduction à voix haute :

— Je pense que nous serons d'accord pour affirmer que l'effraction, fin janvier, à la fondation a un lien direct avec nos crimes ? Je serais tenté de penser que le tueur est entré pour consulter les dossiers des enfants et, pour une raison encore inconnue, a choisi des gamins qui avaient assisté à vos lectures. Il a pu également se faire une idée du caractère de ses futures victimes à travers les fiches rédigées par les professeurs.

— Je suis d'accord. Il jauge leur caractère, leur personnalité, au travers des bilans pédagogiques. Il connaît leurs traits fondamentaux, certains de leurs défauts, et par conséquent comment les appâter.

— D'autant que d'après M. Humphreys ils étaient tous très curieux. À ce sujet, vous l'avez trouvé comment, le directeur ?

— Je ne l'aime pas.

— Je suis content de vous l'entendre dire. C'est partagé. Dites-moi, je suis désolé de revenir là-dessus, mais ce médecin, le docteur Cork, pourquoi n'a-t-il rien dit lorsqu'il a autopsié ce gamin ? Il le connaissait, non ? C'est lui, enfin, c'est un des médecins qui auscultent les élèves de la fondation, alors il a sûrement reconnu cet enfant, non ?

— Je pense qu'il l'a reconnu, répondit Jeremy, l'œil noir. Et à sa manière, il me l'a fait comprendre. Mais c'est avant tout un professionnel.

Azim resta à guetter son partenaire pendant une dizaine de secondes puis haussa les sourcils.

— Le programme de cet après-midi ? finit-il par réclamer.

Jeremy progressait tout en observant les voitures qui les dépassaient.

— Vous rédigez votre rapport, j'ai besoin d'un peu de temps seul, pour réfléchir.

Azim ouvrit la bouche et préféra aussitôt se taire.

Ils se quittèrent sous l'œil de plus en plus brûlant du soleil. Jeremy s'arrêta en face de la gare centrale pour déjeuner, puis il longea les voies ferrées qu'il enjamba afin de regagner son chez-lui.

Il passa sous l'auvent, satisfait de trouver un peu d'ombre, et bloqua ses pas aussitôt, tous les sens en alarme.

Sa nuque se mit à le picoter. En chasseur qu'il était, il savait reconnaître les signes du corps et de l'intuition confondus.

Il était en danger.

Un danger imminent.

23

Marion relut les dernières lignes du journal :

« Je m'immobilisai aussitôt. Ce frisson sur la nuque, cet étirement à la base des oreilles, je savais les interpréter. À force de chasser sur les terres de prédateurs africains j'avais développé cette intuition propre aux êtres vivant à l'écoute de la nature. Je savais reconnaître l'association de mon corps avec la partie encore sauvage de mon esprit comme l'annonce d'une menace possible. La concentration extrême de mes sens venait de capter de subtiles altérations dans mon environnement, un danger imminent envisageable. »

Le récit de l'enquête devenait de plus en plus intrigant, et il se pimentait à présent d'un soupçon d'action. Marion était captivée.

Ce Humphreys, directeur de la fondation, lui semblait étrange. Bien sûr, elle devait relativiser, tout ce qu'elle lisait passait par le filtre subjectif de Jeremy Matheson ; finalement ses déductions étaient plus qu'orientées, sinon amenées par les opinions mêmes du détective. Quoi qu'il en soit, tous les enfants assassinés avaient un rapport direct avec la fondation, ça n'était pas une coïncidence mais plutôt le lien entre le tueur et ses victimes. Restait à remonter ce fil.

Soudain Marion posa sur les pages à l'écriture serrée un regard troublé.

À quel point tout cela était-il vrai ?

Quelle était la part de l'invention, et celle du réel ? Y avait-il seulement eu des meurtres d'enfants au Caire en 1928 ?

Marion scruta son salon. Il lui aurait suffi d'une connexion Internet pour faire un peu de recherche. Elle jura.

Pas fichus d'avoir un minimum de technologie, ces moines...

Et elle n'avait pas vu d'ordinateur chez Béatrice.

Peut-être dans une des nombreuses salles des logis abbatiaux ?

Sinon il lui faudrait passer du temps dans une bibliothèque bien fournie en périodiques anciens, et là, avec un peu de chance elle débusquerait quelques articles mentionnant cette affaire. Elle était suffisamment sordide pour avoir traversé la Méditerranée jusque dans nos journaux de l'époque... Du moins fallait-il l'espérer.

Des périodiques d'époque.

Elle fit claquer ses mains l'une contre l'autre en signe de victoire.

Il y en avait dans les combles de la bibliothèque d'Avranches, elle en avait aperçu des piles entières, elle les avait triés elle-même, s'extasiant devant le charme désuet des couvertures au parfum de poussière. Il était possible que les réponses à ses questions se trouvent parmi ces pages.

Elle se redressa dans le sofa.

Il était l'heure du dîner, un peu tard pour solliciter quelqu'un sur le Mont pour la conduire et pour se faire ouvrir les portes de la mairie d'Avranches.

Elle soupira longuement.

Sa curiosité attendrait le lendemain.

Elle avait de quoi tenir, songea-t-elle en soupesant le livre noir.

La faim commençait à la tirailler, aussi décida-t-elle de faire durer le suspense et de remettre sa lecture à plus tard. Elle ouvrit son frigo en quête d'idée pour son repas avant de mettre une casserole d'eau à bouillir. Omelette aux pommes de terre et lardons.

Si elle ne voulait pas s'encroûter il lui faudrait surveiller davantage son alimentation, et demander à frère Damien s'il était contre l'idée d'avoir une partenaire de jogging. Courir sur la digue serait dynamisant au début, le temps de se familiariser avec le paysage, puis deviendrait d'une monotonie affligeante lorsqu'elle aurait appris par cœur chaque centimètre carré du parcours. Resterait la vue splendide sur Le Mont-Saint-Michel lui-même.

Elle commencerait le lundi suivant, c'était tranché. Encore trois jours de relâche et elle s'attaquerait à la fermeté et à la ligne de son corps.

Marion savoura son omelette sous la lumière tamisée du salon, sans musique, avec la mélopée sinistre du vent glissant sur les toits pour unique compagnie.

— Et dire qu'un pauvre type est probablement dehors à l'heure qu'il est, à attendre que je vienne déposer le journal au pied de la tour... murmura-t-elle entre deux bouchées. L'imbécile...

Elle ne cessait de s'interroger sur la nature du lien qui unissait son mystérieux interlocuteur et le journal qu'elle s'était approprié. Était-ce le sien ? Peut probable. Jeremy Matheson avait la trentaine en 1928, ce qui lui aurait fait environ cent ans aujourd'hui. Difficile.

Mais possible.

Encore qu'il n'y eût que très peu d'hommes âgés sur le Mont.

Frère Gilles.

Et ce Joe !

Ils semblaient très âgés tous les deux, mais de là à leur donner cent ans...

Et Jeremy était un Anglais.

Sauf qu'avec plus de soixante-dix ans de pratique du français, il a pu perdre son accent...

Non, elle allait bien trop loin. L'auteur du journal pourrissait dans une tombe quelque part dans le monde. Cependant, quelqu'un sur le Mont savait pour l'existence de ce livre noir, et souhaitait le récupérer. Quelqu'un qui l'avait égaré ?

Ou tout simplement rangé, voire dissimulé, dans la bibliothèque pour ne pas être un jour surpris avec pareilles confidences dans ses affaires... Marion ne savait que penser.

Elle termina avec un laitage et hésita à s'accorder un verre d'alcool pour finir sa soirée. À partir de lundi, elle serait stricte avec elle-même, elle pouvait bien s'offrir ce luxe...

Elle se servit un gin orange dans un grand verre et s'allongea sur le sofa avec le livre noir sous le bras.

Qui que tu sois à m'attendre vainement dehors, je vais continuer ce récit sans toi, et peut-être qu'avec un peu de temps... peut-être que je te rejoindrai...

24

Jeremy était statique, guettant le moindre mouvement autour de lui. Un train passa au loin, masquant tout bruit éventuel.

Il savait que quelqu'un était venu, ou était peut-être encore là. On avait visité son wagon en son absence.

Des objets avaient bougé dans la progressive et minutieuse collection de poussière qu'il avait entrepris de faire prospérer au sein de son fatras.

Des détails infimes, mais significatifs à ses yeux. Il ne s'agissait pas d'une fouille en règle, juste d'une main curieuse et baladeuse qui avait erré parmi ses affaires.

Il approcha la porte du wagon et agrippa un pied de tente qui traînait là avec d'autres éléments. Il la fit coulisser avec fracas.

La lumière du jour filtrait par les fenêtres, bien qu'absorbée en partie par le velours des murs. Il grimpa les trois marches et inspecta la pièce principale.

Personne.

Rien n'avait bougé.

Il alla jusqu'au cabinet de toilette dont il ouvrit la porte du bout du piquet. Vide.

Il passa à la chambre.

Le parfum l'agressa d'un coup. Remontant les narines, il dévala la pente de son corps, rejaillit vers la mémoire et tomba sur le cœur avec la caresse douloureuse d'une plume tranchante comme le fil du rasoir.

Cette odeur était si familière. Si douce et cinglante à la fois. Jeremy lâcha son arme improvisée et s'assit sur le lit. C'était un parfum fruité, presque masculin.

C'était celui qu'elle portait.

Elle en mettait une touche entre ses seins avant de faire l'amour, toujours.

Jeremy se rendit alors compte qu'il manquait la photo sur la table de chevet. Elle l'avait prise.

Son poignet rencontra un angle piquant.

Un carton manuscrit.

« Ton invitation pour la fête de ce soir au Shepheard's, "Féerie cingalaise". Costumée. L'occasion ou jamais d'interroger mon mari pour ton enquête. Amuse-toi bien.

« Jezabel. »

Elle jouait avec lui. Aussi cruellement qu'un chat avec sa souris, refusant des heures durant de la mettre à mort, prolongeant, pour son unique amusement, son agonie.

La nuit tombait sur la ville, dans la sharia Ibrahim Pasha les lampadaires à gaz gagnaient en intensité, nimbant les façades de bleu et d'orangé.

Le célébrissime hôtel Shepheard's était prêt pour ce qu'on allait appeler « le bal de la décennie ». Sous la vaste marquise de la façade principale, au sommet d'une dizaine de marches couvertes d'un tapis rouge, deux palmiers gardaient l'entrée. Quantité de bougies dans des lanternes avaient été ajoutées au dernier moment pour souhaiter la bienvenue aux invités.

Jeremy, qui avait fait la route à pied depuis la gare,

dépassa les portiers albanais et monta jusqu'à l'entrée du hall. Il montra son carton d'invitation à un homme en costume, qui lui indiqua en retour le restaurant principal. Devant les portes ouvertes de la grande salle, un couple distribuait des turbans à la gent masculine et des bracelets en forme d'animaux aux femmes.

Jeremy déclina le couvre-chef, estimant que son habit de safari suffisait pour lui ouvrir l'accès à la soirée.

L'hôtel faisait parler de lui à travers toute l'Europe et même jusqu'aux États-Unis d'Amérique. Jeremy constata, une fois encore, que cette réputation n'était pas usurpée.

Les murs étaient recouverts de lianes longues et fournies, des palmiers s'accotaient aux parois comme des colonnes végétales tandis que d'énormes ventilateurs faisaient s'agiter les feuilles en bruissant à peine. Des masques monstrueux de créatures mythologiques apparaissaient ici et là sous la végétation, éclairés de l'intérieur par des bougies monumentales. Sur des perchoirs sculptés, une galerie entière d'oiseaux multicolores se dandinait sous les rires des convives. Jeremy repéra instinctivement un tigre et plus loin un lion, tous crocs dehors. Le travail de taxidermie était admirable. D'autres mammifères sourdaient de la frondaison, entre les tables rondes. Ces dernières étaient couvertes de nappes aux couleurs vives, et sur chacune se tenait un chandelier massif, autour duquel s'enroulait un serpent luisant sous l'éclat des flammes.

De part et d'autre de l'allée centrale, on avait dressé des huttes indigènes soigneusement tressées, dessinant un chemin jusqu'au fond de la salle, où une scène en forme de temple à la gloire de Kali attendait les danseurs. La statue de la déesse s'élevait à plusieurs mètres, veillant de ses orbites où brûlaient des bougies sur le public ébahi. À ses pieds, une horde de musiciens cingalais jouait d'un rythme lancinant sur des percussions.

Les tambours faisaient vibrer l'air, et la lumière rouge des lieux tremblait en harmonie, comme envoûtée.

Plus d'une centaine de personnes se bousculaient gentiment, dans des costumes chatoyants, une coupe de champagne à la main. Parmi ceux-là, Jeremy ne tarda pas à repérer des politiciens importants et des industriels, tel Aboud Pacha, septième fortune mondiale.

On fêtait la victoire éclatante du cheval du directeur de l'hôtel, Charles Behler, à l'Allenby Cup, plus tôt dans la journée. La joie, l'émerveillement et le prestige rayonnaient jusqu'aux plafonds.

— Je vois que tu as trouvé mon invitation.

C'était Jezabel. Jeremy se tourna pour la découvrir dans une robe légère, tout en perles. La fine couche de crêpe qui était en dessous suffisait à peine pour dissimuler sa poitrine. Seule Jezabel pouvait se permettre une telle indécence sans que cela provoque un scandale retentissant.

— Tu es entrée chez moi, lança Jeremy en guise de salut.

— Il fut un temps où ça ne te dérangeait pas.

La repartie fusa, sèchement :

— Il fut un temps, en effet.

— Oh, mais le grand chat s'est transformé en vipère ! Si tu veux rencontrer mon mari, il est là-bas, en compagnie du chef de la police...

Elle tendit le bras vers une table un peu à l'écart. Jeremy reporta son regard sur les courbes parfaites de ses épaules, son cou fragile, les veines palpitantes sous la pression des émotions.

« Ou sous leur absence », pensa-t-il.

Ses longs cheveux noirs étaient à présent réunis en une nappe savamment composée dans laquelle venaient se prendre des boutons de fleurs roses et violettes.

— Je te remercie, souffla Jeremy.

Il lui tourna le dos et alla tout droit vers les deux hommes. Le chef de la police se leva en le reconnaissant.

— Quelle bonne surprise, détective ! J'imagine que vous venez lier plaisir et travail ; cocktail merveilleux, je vous en félicite !

Jeremy lui serra la main et lui répondit d'un sourire factice.

En face, M. Keoraz était moins chaleureux. Approchant la cinquantaine, ses cheveux grisonnants séparés en deux bords par une raie précise, il avait la sévérité des hommes de peu d'imagination peinte sur le visage. Son menton était abîmé par des rasages trop précipités, trop brutaux, ses lèvres étaient fines, quasi absentes, et son nez pointu comme une arête.

— Détective... le salua-t-il.

— Je vous présente M. Keoraz, introduisit le chef de la police. Gentlemen, je vous laisse faire connaissance, j'ai les maharadjas du Kapurthala et du Mysore à saluer.

Jeremy se retrouva seul avec le puissant mécène.

— En fait, nous nous sommes déjà rencontrés, précisa-t-il. Au dîner de la nouvelle année, il y a un peu plus d'un an.

— Je sais.

Sa voix était aussi tranchante que son profil.

— J'ai quelques questions à vous poser, et comme vous êtes un homme occupé, je profite de la moindre occasion.

— Vous avez bien raison. Je suis moi-même un homme organisé, clé de tous les succès.

Sur quoi, Keoraz désigna un paquet de feuilles agrafées. Jeremy se démit la nuque pour voir qu'il s'agissait d'une copie du rapport complet qu'Azim avait rédigé dans l'après-midi.

— Vous ne...

Keoraz coupa le détective :

— Mon ami, votre supérieur a bien voulu me livrer cette copie toute fraîche, paraît-il, de l'avancée de votre investigation. Pour un homme comme moi, c'est important de savoir que l'enquête est diligentée avec célérité et efficacité. Il s'agit de ma fondation après tout.

Démonstration de pouvoir, comprit Jeremy. Keoraz faisait étalage de sa toute-puissance, signifiant par là même qu'il était inutile de lui nuire ou de vouloir lui imposer quoi que ce fût. Il menait la danse, personne ne le conduisait.

Dans le dos du millionnaire, Jeremy aperçut le docteur Cork et sa barbe blanche, lui aussi présent.

Il rebaissa les yeux pour voir Keoraz faire signe à quelqu'un de venir. Le directeur de la fondation, Humphreys, apparut à leurs côtés.

— Bonsoir, détective. Comment allez-vous depuis ce matin ? Ah, vous ne connaissez pas mon adjoint, Pierre Berneil !

Le directeur s'effaça pour laisser place à un homme plus petit, marchant avec une canne. Celui-ci salua Jeremy avec un accent français indéniable.

Keoraz en profita pour se lever en prenant le rapport de police.

— Je me sauve, tant de choses à faire... Détective, passez donc me voir demain soir, à notre villa d'Héliopolis, vous voyez n'est-ce pas ? J'ai cru comprendre que vous et ma femme aviez été proches à une époque, elle a dû vous en parler si vous vous êtes revus depuis.

Jeremy acquiesça en silence, il n'y avait plus rien à dire, Keoraz menait la partie.

— Ça me laissera le temps de consulter ce rapport, de savoir où vous en êtes, rapporta Keoraz. Le temps presse, détective, pour rien au monde je ne souhaiterais qu'il y ait un autre enfant tué...

Il adressa un salut nonchalant à l'assemblée et se confondit avec la foule costumée.

Azim s'allongea sur le lit de camp installé à côté de son bureau. Il était fourbu. Le courage lui manquait pour accomplir les dernières tâches qu'il s'était imposées. Il ouvrit un œil en direction de la pendule murale. De toute façon il était trop tard maintenant.

Prendre un peu de repos. Voilà ce qu'il devait faire. Afin d'attaquer la journée suivante avec aplomb.

Quatre enfants morts.

Il rouvrit les paupières. *Comment dormir lorsqu'on sait que des enfants sont peut-être en train de mourir ?*

Il jura en arabe.

Que pouvait-il faire de plus ? Il y avait déjà quatre morts et...

Tout doucement, Azim se releva.

À bien y réfléchir, ils pensaient qu'il y en avait quatre, mais c'était depuis que les meurtres étaient rapprochés les uns des autres. Qu'est-ce qui permettait d'affirmer que le tueur ne s'était pas défoulé plus tôt ? Une affaire isolée, traitée en vitesse, sans retentissement.

Azim attrapa son turban qu'il remit sur son crâne et sortit vers les escaliers. Il monta au troisième, où se trouvaient les archives. Il n'y avait plus personne, il était déjà trop tard.

— La peste ! lâcha-t-il entre ses dents.

Sans savoir précisément ce qu'il cherchait il lui était

impossible de s'y retrouver dans le classement sans fin qui occupait les quatorze étagères.

Il redescendit et passa la tête dans plusieurs bureaux jusqu'à ce qu'il déniche un visage familier.

— Inspecteur Dogdson ! J'ai une question.

— Allez-y, mon brave.

— Auriez-vous souvenir d'une affaire avec assassinat d'enfant ? De meurtre commis avec une grande barbarie ? Où les corps porteraient les traces d'une rage incroyable.

Dogdson lâcha la pipe qu'il tenait au coin de sa bouche.

— Ah. C'est votre enquête. Les mômes brisés en deux.

Il observa le petit Égyptien par-dessus ses lunettes à large monture marron.

— Ma foi, non, répondit-il. Avant votre enquête à vous, non. Mais ça n'est pas à moi qu'il faut demander, c'est au vieux Nichols, c'est lui la mémoire de la police. Il s'est retiré il y a six mois, il attend sans impatience aucune son rapatriement au pays. Vous voulez qu'on l'appelle ? J'ai le numéro pour le joindre.

— Il est un peu tard peut-être.

— Que nenni ! C'est un couche-tard, et ça lui fera plaisir qu'on le sollicite. Installez-vous, mon vieux, je recherche le numéro.

En moins de trois minutes, Nichols était à l'autre bout de la ligne.

— Non ? Ça ne te dit rien non plus ? répéta Dogdson un peu déçu. Bon, tant pis. Prends soin de toi, et à dimanche pour les cartes.

Il raccrocha en reprenant sa pipe éteinte.

— Désolé mon vieux, c'est pas de veine ce soir. Il ne se souvient pas de meurtre d'enfant aussi atroce que ceux-là. Tout de même, comment fait-on pour être zin-

zin à ce point, hein ? Casser la colonne vertébrale d'un pauvre gamin. Qu'on l'entende se faire fusiller jusqu'ici celui-là, si vous l'attrapez !

Azim tapota amicalement l'épaule de l'inspecteur et sortit dans le couloir.

— Monsieur ?

Azim vit une femme qui tenait une machine à écrire portative. Une des secrétaires. Celle-ci veillait tard, remarqua-t-il.

— Je peux faire quelque chose pour vous, madame ?

— En fait, c'est moi qui peux peut-être quelque chose pour vous. J'ai entendu votre conversation avec l'inspecteur et je... J'ai souvenir d'une affaire, il y a moins de deux mois.

Azim s'appuya contre le mur, oubliant la bienséance.

— C'était un meurtre, dans le secteur misérable de Shubra au nord de la ville, poursuivit-elle. Un homme... comment dire ? Brisé en deux ? C'est moi qui ai retapé le rapport d'enquête pour en faire les copies, c'est pour ça que je m'en souviens. Et c'était... atroce. Vraiment. L'homme avait été massacré, les membres brisés, et la colonne vertébrale cassée en deux.

Elle posa une main sur sa poitrine, cherchant à reprendre son souffle.

— Mon Dieu, c'était incroyable. Et, on... on avait même arraché sa langue, le pauvre homme.

Cette fois Azim vit les larmes monter dans les yeux de la secrétaire. Il s'approcha d'elle.

— Allons, allons... fit-il maladroitement.

— Oh, ça n'est pas tout. Il y avait une véritable perversion là-dessous, car on a retrouvé autre chose sur son corps, un peu partout.

Elle réprima un haut-le-cœur.

— De... De la semence. Humaine, si vous voyez ce que je veux dire.

Azim eut un frisson. Cette fois c'était très ressemblant. Même barbarie, même acharnement à vouloir briser le corps humain. Et enfin le même acte de débauche perverse : le meurtrier avait répandu sa semence sur sa victime.

La secrétaire avait déjà fait apparaître un mouchoir dont elle se servit pour éponger ses paupières humides.

— Vous devriez en parler avec le détective qui a conduit l'enquête, monsieur. C'est le détective Matheson.

Cette fois, le frisson se transforma en sueur froide.

25

Marion ouvrit les yeux assez tôt ce vendredi matin.

Elle avait veillé tard en compagnie du journal, pourtant son désir d'aller enquêter à Avranches s'était fait plus pressant encore qu'un réveil.

À neuf heures elle était dans les rues du village, le livre noir enfoui dans une poche de son trench, elle passa devant la boutique de Béatrice qui n'était pas encore ouverte. Marion sonna à la porte adjacente et son amie rousse la fit monter à l'étage.

— Tu es bien matinale ! Sers-toi un café, je dois me sécher la tignasse, lança Béatrice par-dessus son épaule.

Marion ouvrit les placards pour trouver une tasse et versa le liquide couleur de pétrole dedans.

— Ne manque plus qu'une clope et j'ai le cocktail « haleine fraîche » du matin, chuchota-t-elle.

Béatrice réapparut en se frictionnant les cheveux.

— Insomnie ou désir compulsif de bavarder ? interrogea-t-elle. Attends, laisse-moi deviner ! Tu as épuisé tous tes numéros d'*Ici Paris* et tu es en pleine crise de ragots, alors tu t'es dit « ma petite Béa va me soigner ça »...

— Pourquoi, il s'est passé quelque chose dans le village ?

— Ne rêve pas, ta présence est déjà un bouleversement en soi. Alors, tout va bien ?

Marion approuva en déglutissant son café.

— J'aurais un service à te demander, fit-elle en reprenant son souffle. J'ai besoin que tu me prêtes ta voiture pour quelques heures.

— Quand tu veux. Sauf ce matin, Grégoire est parti avec, il fait deux-trois courses pour nous et le vieux.

— Quel vieux ? Tu veux dire Joe ?

— Oui, je vois que vous avez fait connaissance. Greg lui prend ses grosses courses et Joe lui donne un peu de monnaie pour le remercier. Du coup pas de bagnole ce matin. C'est urgent ?

— Urgent, non... C'est mon impatience surtout.

Béatrice entreprit de se tresser une natte.

— C'est ton fameux bouquin, avoue ?

Marion acquiesça.

— Je deviens accro.

Elle hésita à mentionner l'épisode de la veille, l'enveloppe et la demande mystérieuse, mais elle se tut. Elle s'était promis de n'en rien dire tant qu'elle n'y verrait pas plus clair.

— Eh bien raconte-moi, qu'est-ce qu'il s'y passe dans ce livre ? insista Béatrice.

Marion termina sa tasse et haussa les sourcils.

— Je te raconterai tout mais j'aimerais me trouver un chauffeur avant qu'il soit déjà midi, je file. Merci pour le café.

Marion bondit dans la rue et la fraîcheur humide du village l'assaillit sans tarder.

Elle devait s'en remettre à la fraternité.

Exactement ce qu'elle aurait préféré éviter. Si l'auteur des lettres était un de ses membres, il ne tarderait pas à apprendre qu'elle avait passé une partie de son vendredi à Avranches, dans les réserves de la bibliothèque. Elle pouvait aussi attendre l'après-midi, le retour de Grégoire.

Son impatience ne tiendrait pas jusque-là. Elle gravit les marches jusqu'à ce qu'elle domine tous les toits et quitta le pavé profane pour celui de la foi. Elle entra dans les logis abbatiaux et se perdit dans le dédale de couloirs étroits et d'escaliers à vis avant de tomber sur la salle où la fraternité prenait ses repas. Il n'y avait personne.

C'est la voix acérée de frère Serge qu'elle entendit résonner derrière une porte.

— ... importe, c'est de la politique. Ce qui m'inquiète c'est la sauce à laquelle ils pourraient nous manger. Je ne me laisserai pas évincer au profit de ces manipulateurs.

— Calmez-vous, vous dramatisez tout. Il n'est pas question...

La deuxième voix était celle de sœur Anne, Marion la reconnut tout de suite.

Elle préféra ne pas interrompre ce qui ressemblait à un débat important, et elle fit demi-tour. Au rez-de-chaussée, elle aperçut le profil sévère de sœur Luce qui étendait du linge dans une grande pièce.

— Pardonnez-moi... s'aventura doucement Marion. Je ne vous dérange pas ?

Sœur Luce contracta les traits de son visage – Marion compara cette altération du faciès avec une araignée sur le dos, qui resserre ses pattes contre son abdomen, une réaction de défense peu ragoûtante – et elle fit face à l'intruse.

— Que voulez-vous ?

— Je cherche quelqu'un pour m'emmener à Avranches.

— À Avranches ? Rien que ça ?

Marion tourna sa langue dans sa bouche, elle ne devait pas répondre à la provocation, *laisse la vieille bique se fatiguer toute seule.*

— Oui, si loin, répondit-elle avec un large sourire.

— Voyez avec frère Damien, c'est lui le plus enclin à faire la route en voiture.

« Frère fausse route, encore lui », pensa Marion.

La vieille femme saisit un pantalon de pyjama en toile et l'étala sur le séchoir.

— Et peut-être savez-vous où je peux le trouver ? insista Marion.

Si pour certains membres de la communauté religieuse, Marion était la bienvenue, d'autres voyaient en elle une source de tracas, une retraitante un peu spéciale, imposée, empiétant sur la quiétude de leur spiritualité.

Sans s'interrompre, sœur Luce la renseigna :

— Certainement en bas du village, à la poste, nous avions du courrier à envoyer.

Marion la salua et erra encore cinq minutes pour trouver la sortie avant de redescendre toute la Grande Rue jusqu'à la poste où elle vit en effet frère Damien. Il refusa gentiment, avec cette bonhomie permanente qui lui était propre, car c'était aujourd'hui jour de la Passion, consacrée au jeûne, à la réflexion, la prière et la méditation. Marion insista au nom de son ennui grandissant, et lui promit qu'il aurait tout le temps qu'il voulait pour ses activités spirituelles et qu'ils rentreraient avant la fin d'après-midi. Il céda face à cette âme en peine, non sans soupirer.

À bord de la Simca, frère Damien gloussa :

— Je vous conduis à Avranches, mais je ne sais même pas ce que nous allons y faire !

C'était là tout le problème de Marion. Ne pas lui

228

dire la vérité tout en se faisant ouvrir les portes des combles de la bibliothèque. Et trouver ensuite de quoi le tenir à l'écart.

— C'est pour m'occuper, dit-elle enfin.

— J'imagine bien, mais à quoi ?

Maintenant qu'elle savait qu'il aimait courir tous les matins ou presque, son physique la troublait. Il avait ce visage rond, sympathique, propre aux amateurs de bonne chère, tandis que son corps était celui d'un homme athlétique, il y avait cette discordance entre le haut et le reste qui la surprenait. Frère Damien était de ces hommes un peu potelés qui s'était mis au sport intensivement jusqu'à troquer ses graisses contre du muscle, et pourtant son visage, lui, était demeuré le même.

— Dites, ça vous dérangerait si je me joignais à vous pour faire du jogging ? changea-t-elle de sujet.

Frère Damien fut surpris, il ouvrit ses mains posées sur le volant et déplia ses doigts à plusieurs reprises, à la manière d'un chat savourant ses caresses.

— Avec moi ? Eh... bien, pourquoi pas. C'est que je cours tout seul d'habitude.

— Si ça vous dérange, je n'insisterai pas.

— Non, non, répondit-il sans empressement. Faut tout de même que je vous dise : je cours beaucoup, hein...

— J'ai cru comprendre. Je vous accompagnerai sur le début du parcours et je vous laisserai filer à votre rythme, c'est juste pour se lancer, ne pas être toute seule au début, c'est plus motivant pour moi.

Il se balança d'avant en arrière sur son siège, sans quitter la route des yeux.

— C'est sûr, c'est mieux pour commencer.

— Lundi, je me lance.

— Ah non, pas lundi, c'est une journée de prière.

Et cette fois pas d'exception. Mardi matin, je passerai vous prendre.

Marion approuva.

— Alors, qu'allons-nous faire ? insista-t-il.

— Des recherches.

— Très bien ça ! Dans la bibliothèque en plus ! Vous savez, j'adore les jeux d'esprit, je suis un cruciverbiste invétéré, dès que j'ai un peu de temps, je me mesure à une petite grille. Ces jeux intellectuels me font un bien fou ! Alors, en quoi pourrais-je vous être utile ?

Marion voulut dire : *en allant t'enfermer loin de moi jusqu'à ce soir*, mais elle s'en abstint. Elle se garda également de lui avouer être aussi amateur de mots croisés, elle n'avait pas envie de s'embarquer dans une conversation pompeuse sur les petits trucs de chacun pour bien réussir sa page.

— Puisque je vais passer du temps ici, autant que je sois renseignée sur l'histoire du coin, trouva-t-elle enfin à répondre, je pensais me documenter sur la région, son histoire, ses anecdotes...

— Dans ce cas, ça n'est pas à la bibliothèque qu'il faut aller mais au mus...

— Si, le coupa-t-elle. J'ai vu des périodiques qui dataient des premières décennies du XXe siècle dans les combles, j'aimerais les consulter.

Frère Damien eut l'air de ne pas partager son avis mais face à sa détermination, il capitula.

Ils retrouvèrent la salle mal éclairée et ses étagères de savoir désormais catalogué. Marion se souvenait avoir rangé les journaux dans la partie gauche, tout au fond en bas des rayonnages. Elle éloigna frère Damien en lui demandant :

— Si vous pouviez me trouver tout ce qui est du genre magazine, journal, almanach de... jusque dans les années 1950. Tout ce qui est susceptible de m'apprendre l'histoire typique du coin.

Frère Damien ne dissimulait pas son désaccord avec cette idée de venir ici et de s'y prendre de cette manière pour se cultiver sur la région mais il obtempéra tout de même.

Marion retrouva sans peine les revues d'actualités dont elle s'était souvenue. Il s'agissait de *La Gazette de la Manche*, du *Petit Journal*, et de *L'Excelsior*. Elle délaissa le premier, trop local.

Elle souleva les lourdes piles pour répandre par petits tas les tirages qui correspondaient à l'époque qu'elle cherchait, le premier trimestre 1928. Elle mettait de côté tous les numéros, de janvier à avril de cette année. Assise en tailleur entre deux hautes parois de livres, elle triait ce qu'elle voulait décortiquer ensuite.

Puis vint le temps de la fouille proprement dite. Page après page, elle survola tous les exemplaires empilés entre ses jambes. De temps à autre, frère Damien venait lui montrer un article pour lui demander s'il l'intéressait et s'il devait le mettre de côté. Marion hochait la tête poliment et se replongeait dans sa lecture.

La partie consacrée aux nouvelles internationales était essentiellement orientée sur la politique, agrémentée de quelques faits divers cocasses et de grandes nouvelles scientifiques. La matinée défilait au gré des mots imprimés avec plus ou moins d'homogénéité sur ces pages brunies par les décennies.

Marion releva le nez pour s'apercevoir après trois heures de fouille qu'elle était juste à côté de l'emplacement réservé aux livres en langues étrangères. Là où elle avait découvert le journal intime de Jeremy Matheson.

Elle vérifia alors qu'il était bien dans la poche de son trench, avec la même anxiété qu'une mère surveillant son enfant qui joue au loin dans le parc. Le contact de la couverture rugueuse la rassura.

À midi et demi elle abandonna frère Damien qui lui répéta qu'il observait le jeûne, et alla commander une salade océane dans le café en face de la mairie. Elle y lut *Ouest-France* où il était toujours question de son affaire en une.

Cette folle histoire qui l'avait exilée ici.

Loin de chez elle, de sa famille, de ses quelques amis.

Neuf jours qu'elle était arrivée au Mont. Personne ne lui manquait véritablement. Sauf sa mère. Surtout les coups de téléphone en fait. Prendre des nouvelles, en donner, partager des opinions sur l'actualité. Entendre le son de sa voix.

Ses collègues de travail n'étaient pas indispensables à son équilibre. Elle le savait depuis longtemps. Ils n'avaient jamais vraiment accroché ensemble. Trop de pédanterie chez certains, trop de superficialité chez d'autres, trop d'intellectualisation systématique avec le reste, non, elle ne s'était jamais sentie dans son environnement parmi eux. Et ses amis d'enfance étaient restés pour la plupart à Lyon, sa ville natale ; ils s'étaient perdus de vue avec les années.

Marion effleura sa lèvre supérieure, la cicatrice se résorbait, elle ne serait bientôt plus qu'un souvenir.

Le souvenir des néons glauques du parking de son immeuble.

De cet homme sur sa moto un soir où elle rentrait du cinéma, seule dans son sous-sol. Il avait freiné juste devant elle.

La moto avait rugi, plusieurs fois, à la manière d'un avertissement. Derrière sa visière noire, l'homme l'avait fixée, à moins d'un mètre. Sa main droite abaissant la poignée sans arrêt pour faire cracher son moteur.

Marion avait vu la main se lever. Presque au ralenti. Et pourtant elle n'était pas parvenue à fuir.

Le poing s'était abattu sur sa bouche, entaillant sa lèvre sur ses dents.

Elle était tombée à la renverse. Plus choquée que réellement souffrante.

Et la moto s'était mise à lui tourner autour. Des cercles restreints, les roues crantées frôlant ses chevilles, ses doigts.

Marion n'avait pu se relever. Elle s'était recroquevillée.

Et l'engin avait hurlé dans ses oreilles, vociférant, l'insultant, la menaçant, lui promettant les pires tourments.

La roue avant s'était soulevée brusquement, pour retomber à moins de dix centimètres de sa tête.

Marion pleurait.

Incapable de bondir sur ses jambes.

Ça avait été le pire de tout. Cette faiblesse.

Plus encore que l'agression, c'était sa réaction de peur qui avait traumatisé Marion. Une terreur pure, incapacitante.

La roue écrasée sur ses cheveux l'avait dominée, la moto ronflant encore et encore.

Avant de reculer doucement.

Et de disparaître en pétaradant.

Il avait fallu un quart d'heure à Marion pour parvenir à s'asseoir, dix minutes supplémentaires pour rejoindre l'ascenseur et monter chez elle. Dès que la moto s'était arrêtée devant elle, elle avait compris que ça n'était pas un délinquant de passage, mais un messager.

Un messager portant un avertissement là où elle avait cru recevoir la mort.

Comme le lui avait dit la DST, elle ne faisait pas que *déranger*, elle *ébranlait*. Et on allait le lui faire comprendre.

La DST pouvait lui venir en aide, à condition qu'elle

accepte de disparaître. Ceux à qui elle nuisait avaient des méthodes cruelles.

Soit elle se taisait, soit *ils* se chargeraient de lui imposer le silence.

Tant qu'elle refuserait de se mettre sous la protection de la DST, elle serait en danger.

Marion avait demandé – non sans une certaine effronterie – au type de la DST pourquoi ne pas la supprimer si les autres étaient si déterminés que ça.

L'homme avait souri. On n'était pas dans un film, avait-il répondu. Tuer quelqu'un était compliqué. Et les risques si grands qu'ils n'en valaient pas la peine.

Mais son cas était différent. On tenterait peut-être de lui faire peur.

Et... cela pourrait aller loin. On commencerait par des coups de téléphone au milieu de la nuit, sans rien dire, juste une respiration. Puis la boîte aux lettres serait forcée régulièrement, vidée de son courrier. Un jour ce serait sa voiture qui serait mise à sac. Puis son appartement. Il était même possible de payer un ou deux marginaux pour organiser un viol. Ça s'était déjà vu. Ceux qu'elle avait ébranlés étaient puissants. Et déterminés.

Et si improbable que cela semblât, le meurtre pouvait être l'ultime degré de leur politique du silence.

La DST les connaissait, mais demeurait impuissante. Il fallait toute la puissance du système dans son intégralité pour que Marion soit en sécurité. La justice, la police, l'opinion publique et les médias. Ces derniers étaient le plus simple à obtenir. Les autres allaient demander davantage de temps. Quelques semaines. Quelques mois. On n'avait pas su lui répondre. Et même alors, elle devrait se montrer prudente, tout était possible malgré tout. Même les hommes célèbres *disparaissaient* parfois. La divulgation de l'affaire à la presse ne saurait la protéger si elle n'était accompagnée de toutes les précautions. Combien d'hommes étaient tombés mystérieusement ces dernières années ? Pierre Bérégovoy s'était-il vraiment suicidé ? Alors où était passé son précieux carnet de notes qui ne le quittait jamais ? François de Grossouvre s'était-il tiré une balle dans la tête sans que personne ne l'entende en plein milieu de l'Élysée, alors que l'autopsie avait mis en évidence « une luxation avant de l'épaule gauche et une ecchymose à la face » pour un homme retrouvé assis à son bureau ? Jean-Edern Hallier était-il tombé tout seul de son vélo pour se fracasser la tête dans le caniveau ?

Tout était possible.

Marion s'était toujours considérée comme une femme forte. Au caractère bien trempé, qui savait ce qu'elle voulait. Et au moment le plus crucial de son existence, où elle aurait dû se montrer forte, frapper ce motard, courir pour s'enfuir, pour sauver sa vie, elle s'était effondrée.

Le lendemain elle avait rappelé l'homme de la DST pour accepter leur protection, pour disparaître. C'était ce qu'il y avait de mieux à faire, lui avait-il répété. Le plus sûr.

Elle n'avait pas les moyens de s'offrir des gardes du corps et la DST ne procédait pas ainsi. Leur méthode était plus expéditive, plus sûre aussi : la faire disparaître le temps de préparer son retour, sa sécurité à venir.

Marion plia *Ouest-France* et régla son addition avant de retrouver frère Damien qui était assis dans un coin, contemplatif.

— Je méditais, précisa-t-il.

Pour couper court à toute explication, Marion lui rendit un sourire et alla s'installer aussitôt entre ses monticules de journaux. Elle reprit ses recherches à un numéro de mars 1928 de *L'Excelsior* et ses photographies pas toujours très définies.

Elle épuisa la pile consacrée à ce titre au bout d'une heure et demie et passa au *Petit Journal* et à son supplément illustré. Frère Damien était particulièrement silencieux depuis qu'elle était rentrée de sa pause déjeuner. Elle se demanda si elle ne l'avait pas froissé en esquivant sa présence. Elle eut la réponse peu après, sous forme d'une respiration continue, un peu sifflante. Il s'était endormi.

Vers quinze heures, les lignes se mélangeaient tandis qu'elle les survolait, les manchettes ne voulaient plus dire grand-chose, et elle se rendit compte qu'elle accordait à chaque page bien moins de temps qu'elle ne l'avait fait avec les premiers exemplaires.

C'est pourtant là que ses yeux s'arrêtèrent sur un titre évocateur :

« Affreuse découverte en Égypte – des enfants assassinés ! »

Ses mains se crispèrent sur le papier, elle porta la feuille sous son nez.

« La découverte, il y a deux jours, du corps sans vie d'un garçon cairote porte à quatre le nombre des victimes d'un monstre infâme qui terrorise la belle cité égyptienne. La police locale, aidée par un inspecteur britannique, tente par tous les moyens d'appréhender le malade avide de sang qui sillonne les ruelles des faubourgs est. Selon la porte-parole d'un club féminin en vogue sur place, "ce malade ne s'en est pris pour l'instant qu'à des enfants des quartiers éloignés mais qui sait si demain il ne hantera pas nos squares et les rues plus célèbres du Caire !". Cette triste affaire commence à inquiéter les familles anglaises et françaises qui, comme on le sait, sont nombreuses, et le gouverneur, Lord Lloyd, pourrait bien faire un communiqué officiel pour les rassurer dans les jours à venir.

Une fois encore, les charmes du pays des Pharaons sont associés au sang et aux mystères qui paraissent inséparables sous l'ombre des pyramides. »

Outre le ton emphatique de l'article, Marion fut atterrée par la distance et le manque de compassion qui en ressortait. Surtout de la part de cette femme qui ne s'émouvait pas pour ces enfants morts mais s'inquiétait de savoir que les rejetons des colons pourraient bien être des victimes potentielles. Marion avait peine à croire qu'on puisse être à ce point détaché. C'était sûrement un propos sorti de son contexte ou déformé par l'éloignement... Marion tentait de se convaincre tant bien que mal.

Au-delà de ce constat, elle tenait la preuve que le journal de Jeremy Matheson n'était pas le fruit d'un esprit délirant.

Tu le savais. C'est trop personnel, trop construit pour être une invention...

L'article lui permettait enfin d'asseoir sa crédulité sur du concret. Chaque ligne de ce journal intime respirait encore plus ce parfum de vie perdue désormais.

Jeremy Matheson était réel.

Et qui sait, peut-être était-il encore vivant, quelque part...

26

Mars 1928.

Les vapeurs de l'alcool flottaient encore dans la chambre, entêtantes et écœurantes. Jeremy ouvrit un œil, sa conscience tentait âprement de s'extraire de la pelote gluante qu'étaient les limbes du sommeil. Maille après maille, la lumière se frayait un chemin jusqu'à son cerveau.

L'odeur la dépassa.

Un spasme secoua violemment l'estomac du détective.

Il chavira précipitamment pour vomir sur le sol et non sur lui, mais rien ne sortit de sa bouche pâteuse.

Les pulsations de son cœur se mirent à résonner sous son front, lourdes. Obsédantes.

C'était comme si tout l'alcool qu'il avait absorbé la veille s'accumulait derrière ses yeux après avoir asséché son corps, tournoyant jusqu'à aspirer ses globes oculaires et sa cervelle en un mouvement incontrôlable.

Il agrippa ses cheveux en grognant.

Une tache noire apparut là où il n'attendait qu'un grand flou blanc, face à la fenêtre. Il cligna les paupières avec insistance jusqu'à faire le point.

Un homme était là, le toisant depuis un moment déjà. Jeremy prit appui sur un coude.

Le visage se fit plus contrasté, les traits se formèrent sous le contre-jour.

— Azim ? fit l'Anglais d'une voix caverneuse.

— Habillez-vous, il faut qu'on parle.

Jeremy grommela.

— Allez, debout, ordonna Azim sans ménagement.

— Quelle heure est-il ?

— L'heure de bavarder.

Jeremy haussa un sourcil, et se redressa. Il disparut dans la salle de bains où Azim l'entendit maugréer tandis qu'il prenait une douche froide.

Quelques minutes plus tard, Jeremy se peignait maladroitement face à son compagnon assis au bureau.

— Eh bien ?

— Pourquoi ne pas m'en avoir parlé ?

Jeremy arrêta son geste, le peigne encore dans les cheveux.

— Parlé de quoi ?

— Arfff ! Ne me prenez pas pour un idiot sous prétexte que je ne suis pas anglais ou pire, parce que je suis arabe ! Je sais pourquoi vous vouliez à tout prix cette enquête ! Je sais !

— Oh, non, Azim, vous ne savez rien...

— Le meurtre de Shubra. La même violence, une fureur inhumaine, et les mêmes démonstrations de plaisir pervers. Vous y étiez, c'est vous qui conduisiez l'enquête ! J'ai lu votre rapport.

Jeremy lança le peigne sur une table laquée. Il tourna sur lui-même, lentement, puis alla chercher son paquet de cigarettes pour en allumer une.

— Dites-moi pourquoi vous êtes en colère ? demanda Jeremy subitement plus calme.

— Vous aviez des éléments qui peuvent servir à notre enquête, vous auriez dû m'en faire part !

— Rien de concluant. Je n'avais rien qui puisse nous aider. Je vous en aurais parlé, il me fallait un peu de temps.

L'Anglais avait retrouvé sa sérénité, il fixait Azim au travers du nuage de fumée qui l'enveloppait, cherchant à le sonder.

— Sommes-nous partenaires ou concurrents ? interrogea l'Arabe. Si nous travaillons de concert, j'aimerais que nous puissions tout partager. Je n'hésite pas à vous tenir au courant de mes déductions les plus folles, m'en est témoin cette histoire de *ghûl*. J'en attends en retour la même franchise, monsieur Matheson.

Jeremy expira deux colonnes de fumée par les narines.

— Je suis navré. Je ne voulais pas vous blesser.

Il tendit la main avec sa cigarette coincée entre l'index et le majeur pour montrer un canapé à Azim. Les deux hommes s'assirent face à face. Jeremy se massa la nuque de sa main libre, cherchant les mots adéquats pour se lancer.

— Le meurtre de Shubra était le massacre d'un pauvre type, un clochard. Lorsque je suis arrivé sur les lieux, c'était... pire qu'un trou d'obus dans un bataillon. Le clochard était cassé en deux, littéralement. La mâchoire disloquée pour mieux pouvoir lui briser les dents et lui arracher la langue. Il était en morceaux. Ce jour-là nous étions en service minimum, j'ai dû tout faire seul. Jusqu'à ramasser son cadavre au milieu de ce taudis, ce galetas.

Jeremy se tut le temps de tirer sur sa cigarette.

— C'était un crime dépassant l'entendement. Une sauvagerie comme je n'en avais jamais vu. Un meurtre totalement gratuit. J'ai interrogé le voisinage, on connaissait vaguement la victime de vue, un clochard local, qui n'avait aucun lien avec personne, et

241

encore moins la moindre propriété qui eût pu susciter des convoitises. On l'avait purement et simplement mis en charpie pour le plaisir. Alors j'ai fait mon boulot, j'ai cherché des indices, des témoignages, rien. Ça s'était fait dans le plus grand anonymat. Je n'ai rien trouvé. L'enquête est restée au point mort.

Il aspira une dernière bouffée et écrasa le mégot dans un verre sale qui traînait sur la table depuis la veille, puis reprit :

— Quand j'ai entendu ces deux flics parler dans le couloir du massacre d'un gamin, décrivant à peu de chose près ce à quoi j'avais été confronté un mois plus tôt, j'ai vu rouge. Parce que je n'avais pas été capable de remonter la piste de ce... malade, un gosse avait enduré les mêmes souffrances inadmissibles.

Pour la première fois depuis le début de ses aveux, Jeremy planta ses yeux dans ceux de son compagnon.

— C'est à moi de mettre la main sur celui qui fait ça. Je dois régler cette histoire au plus vite, moi et personne d'autre. Si j'avais pu coffrer cette pourriture dès le meurtre du clochard, ces quatre enfants seraient en vie.

L'écho métallique d'un train passant à proximité meubla le long silence qui suivit.

— Nous allons l'avoir, dit enfin Azim. Je vous assure que nous l'aurons. Maintenant, vous dites n'avoir absolument rien trouvé sur le premier crime qui puisse nous aider ?

— Rien du tout.

— Bon...

Jeremy retrouvait son aplomb, il prit une deuxième cigarette qu'il garda entre ses doigts sans l'allumer.

— Nous sommes invités ce soir chez le mécène de la fondation, informa-t-il. Ce salopard a obtenu une copie de votre rapport, il sait tout de notre enquête à l'heure actuelle.

Azim parut contrarié à cette annonce.

— Ah ? Il est si influent que ça ?

— Il est riche. Et il est au Caire depuis longtemps. Deux cartes majeures pour être assuré de gagner toutes les parties.

— Je crois que vous allez devoir y aller seul, j'ai déjà prévu mon emploi du temps. Puisque cette histoire de *ghûl* vous paraît insensée, je me suis permis de m'en charger et d'approfondir un peu les recherches.

— C'est-à-dire ? interrogea l'Anglais.

— J'ai deux ou trois petites idées à creuser. Je préfère autant les garder pour moi, tant que ça ne rime à rien.

— Azim, ne perdez pas votre temps avec cette fausse piste.

— Soyons lucides, nous n'avons rien pour l'instant, je ne vous sers à rien, alors je vais faire comme je l'entends.

Jeremy ouvrit la bouche pour insister mais il comprit combien son collègue était déterminé, qu'il était inutile de poursuivre.

— Soit, si vous n'avez rien de mieux à faire...

— Et vous ? Comment allez-vous occuper votre journée ?

— En creusant dans le passé de Keoraz.

Pendant qu'Azim battait le pavé des quartiers est, Jeremy fit le tour de ses différentes sources, en commençant par quelques journalistes en qui il avait une confiance absolue. Il fila ensuite à l'ambassade britannique où il accéda aux archives sans avoir à user de son carnet d'adresses.

Il rassembla méthodiquement tous les renseignements possibles concernant Francis Keoraz.

Keoraz était né d'une famille argentée de Londres, il avait fait ses études à Oxford avant de reprendre une entreprise d'importation familiale. Il n'avait pas fait la Grande Guerre. Pendant que d'autres mouraient au front, il avait rencontré sa première épouse, qui fut l'une des dernières victimes de la grippe espagnole en 1919, alors qu'elle venait tout juste d'accoucher. Aussitôt, Keoraz était parti pour Le Caire, avec son tout jeune fils, fuyant l'Angleterre et la tristesse. Il avait pris la tête de la banque de son père, et l'avait fait prospérer au fil des ans.

Keoraz était célèbre pour ses colères phénoménales, son goût pour le pouvoir et la domination. Les rares inconscients qui s'étaient dressés volontairement sur son chemin avaient été balayés, piétinés ; et dans sa rage de ne pas être obéi aveuglément, Keoraz s'était acharné pour les ruiner, voire les déshonorer.

Il était le genre d'individu à se faire des ennemis vindicatifs.

Son remariage avait fait taire bien des rumeurs qui le disaient inverti – et ce, malgré son fils – car on ne lui connaissait aucune conquête féminine depuis son installation en Égypte. Il avait suffi qu'il rencontre Jezabel Leenhart.

Sur simple demande, Keoraz avait à sa table toutes les personnalités influentes de la ville, jusqu'aux membres du gouvernement.

Il aimait, ou plutôt : avait aimé, le polo qu'il avait pratiqué jusqu'à s'en lasser, ainsi qu'il l'avait fait avec la plupart de ses hobbies. Keoraz était un nomade des passions, prendre ses marques et se sédentariser dans ses humeurs, ses loisirs et sa vie en général ne lui correspondait pas. Une fois acquise et maîtrisée, toute chose devenait fade à ses sens.

C'est ce qui l'avait fasciné en Jezabel, comprit Jeremy.

Rien ni personne n'était plus versatile que Jezabel.

Ni moins apprivoisable.

Elle constituait un défi dont il ne se lasserait jamais.

Keoraz était de ces êtres haïssables pour le commun des mortels. Il était né dans l'opulence, avait su y évoluer pour se faire sa propre place, et quoi qu'il ait tenté, la réussite l'avait toujours attendu en fin de parcours. Beaucoup lâchaient des « nanti », « veinard » dans son dos, lui ne justifiait ses succès que d'un maître mot : « travail ».

À force de tout avoir, Keoraz avait perdu du plaisir au quotidien. C'était ce qui pouvait expliquer qu'il se soit tourné vers le mécénat. Un homme de sa trempe ayant conquis tout ce qu'il avait désiré, après avoir vécu centré sur lui-même, se tournait vers les autres.

Il cherchait de nouvelles satisfactions.

De nouveaux plaisirs.

Jeremy lut ses notes pour synthétiser ce qu'il savait. Keoraz pouvait s'ériger en modèle, malgré son caractère volcanique et son tempérament par trop dominateur.

Jeremy relut encore les dernières phrases.

Et un rictus apparut sur son visage.

Un modèle.

Ou, pourquoi pas, un homme ayant transgressé les dernières barrières qui lui résistaient sur la planète. Celles de la morale.

À force de soif de pouvoir, de tyrannie et de réussite permanente, il avait glissé, perdant le contrôle de ses désirs, de ses ambitions. Pour écouter l'ultime facette de son personnage qu'il n'avait jamais satisfaite : le prédateur. Abandonnant, pour une fois dans sa vie, le plein contrôle de son être. Laissant la bête – le chasseur ! – s'exprimer.

Il était descendu de sa villa luxueuse pour arpenter les ruelles anonymes des quartiers pauvres, enveloppé dans une cape noire.

Et le premier clochard venu lui avait servi de temple.

Pour abriter la foi en sa violence contenue pendant si longtemps.

Un temple où libérer sa rage.

Un temple transitoire, dont la perfection consistait à disparaître à mesure que se dévidaient les passions inavouables, un temple qui se délitait en emportant avec lui ce qui ne pouvait rester, ce qui ne devait rester. Cette offrande honteuse.

Et pour la première fois, Keoraz s'était pris au jeu.

Loin d'être repu ou soulagé, il avait en lui le *besoin*.

La nécessité de recommencer.

Cette fois, il avait franchi la dernière frontière, atteint la pureté même de l'horreur, la quintessence de la destruction.

Les enfants.

Et parce qu'il n'était plus aux commandes, parce que le monstre en lui guidait ses plaisirs, il ne pouvait plus s'arrêter. Cela ne finirait pas. Jamais.

Sauf dans le sang.

Jeremy ferma les yeux en songeant à la limpidité de ce raisonnement. Comment pouvait-on l'ignorer ? Était-il lui-même en état de grâce pour voir comment les éléments s'imbriquaient ensemble ? Non, on ne pourrait arguer que la jalousie l'aveuglait, absolument pas. La logique de cette étude était par trop cohérente.

Un après-midi.

Voilà ce qu'il lui avait fallu pour percer à jour Francis Keoraz.

27

Un oiseau gazouillait sur le rebord de la fenêtre.

Marion ouvrit les yeux.

Elle perçut immédiatement la chaleur au creux de ses reins, entre ses cuisses. Le fantôme d'un homme quitta sa peau, ondula sous les draps et se dissipa avec les dernières volutes de la nuit.

Marion cilla à plusieurs reprises.

Ses seins étaient tendus, et elle se sentait aussi étourdie que si elle venait de faire l'amour. Son corps était en demande. Ses fesses se contractèrent et se déhanchèrent légèrement, pour chercher le plaisir disparu.

Elle avait rêvé. De lui.

Jeremy était venu lui rendre visite.

Pour lui faire l'amour.

Les souvenirs des dernières pages lues lui revinrent en mémoire.

Les déductions du détective sur la personnalité de Francis Keoraz.

Cette perversion cultivée par une vie d'excès, de réussite incessante.

Les muscles de Marion se détendirent, l'excitation retomba. Elle tira les draps pour offrir son corps nu à la fraîcheur du matin.

Elle avait besoin d'une bonne douche. Pour se réchauffer, se réveiller, et effacer ses errances nocturnes et leur goût salé sur sa peau.

Devant sa tasse de café et sa tranche de pain grillé tartinée de miel, Marion accompagnait encore l'investigateur anglais dans sa quête.

Il était doué pour la réflexion criminelle. « L'esprit de chasseur », comme il disait. Néanmoins Marion le trouvait un peu trop prompt à déduire que Keoraz était le tueur d'enfants. Certes, l'éclairage sadique que Jeremy donnait à sa personnalité ne pouvait que confirmer cette suspicion, pourtant elle le trouvait trop empressé. Malgré ses dénégations, n'y avait-il pas une certaine jalousie maladive qui, sciemment ou non, le conduisait à voir en Keoraz le coupable idéal ?

Cependant, son argumentaire sur ce qu'était le millionnaire au fond de lui tenait tout à fait la route.

Marion avait souvent parlé avec des enquêteurs de la police judiciaire de passage à l'IML, elle se souvint d'une conversation avec un jeune flic féru d'histoires policières et de criminologie. Il lui avait expliqué comment la recherche criminelle avait fait un bond de géant en une trentaine d'années, avec les ordinateurs, les fichiers d'empreintes digitales qu'on pouvait consulter depuis tout le pays, avec l'apport de la science et de l'ADN, sans parler des expertises olfactives qui étaient sur le point d'arriver. Aujourd'hui l'enquête reposait sur des faits concrets, des preuves tangibles, là où auparavant il arrivait qu'une affaire soit bouclée sur une alchimie instable d'intime conviction et de « faisceau concordant d'éléments tendant à prouver que ». De l'abstrait qui envoyait des hommes et des femmes en prison, qui parfois les condamnait à mort.

Autrefois, on conduisait une enquête sur la force des témoignages, et surtout des aveux. En l'absence des uns et des autres, seules les déductions logiques de l'inspecteur permettaient de cerner un suspect.

C'est ce que faisait Jeremy. Sans indices matériels, il n'avait que son raisonnement pour trouver un coupable, pour enrayer le massacre des enfants, le plus vite possible.

En l'absence de preuve tangible, il lui fallait rassembler les faits pour leur trouver un auteur cohérent, armé uniquement de son intuition et de son expérience.

Jeremy se précipitait-il vers la solution Keoraz car elle était pour l'heure l'unique, ou avait-il ce « flair » des grands détectives pour être si rapidement sur la bonne piste ?

Marion avait hâte de lire la suite.

— Va d'abord t'aérer la tête, dit-elle à voix haute. Ça te fera du bien.

Elle s'emmitoufla dans son trench en veillant une fois encore à emporter le livre noir avec elle. C'était décidé, elle ne s'en séparerait plus.

L'oiseau qu'elle avait entendu au réveil était encore là, deux mètres au-dessus d'elle, sur le muret de la terrasse du cimetière. Elle ne savait pas de quelle espèce il s'agissait. Blanc et noir, ou peut-être bleu... Un oiseau courageux pour affronter l'hiver au Mont.

Tu veux dire un oiseau désorienté... qui ne devrait plus être là depuis longtemps.

— C'est à leur comportement qu'on juge l'état de notre planète, dit un homme dans son dos.

La voix posée et chaleureuse ne pouvait appartenir qu'à Joe. Marion se tourna pour le saluer.

— Bonjour, Marion.

— Bonjour.

— Lorsque la terre va mal, ses enfants se mettent à faire de curieuses choses. Les oiseaux ne migrent plus au bon moment, les femelles n'allaitent plus leurs petits, et parfois c'est le ventre du monde en personne qui grogne et frappe notre civilisation. Remarquez comme il n'y a jamais aucune haine, rien qu'un coup de semonce, un coup de crocs pour prévenir. La haine est propre à l'homme.

— Semonce qui parfois tue des milliers d'hommes, de femmes et d'enfants.

— Un drame, un traumatisme pour nous. Une pichenette à l'échelle de la vie. C'est l'homme dans son individualité et dans l'instant présent qui crée une émotion intense, la mort d'un être humain est affreuse, lorsqu'on parle de dix mille décès en quinze cent et quelques cela devient presque moins grave. En apparence... Tout est question d'échelle.

— Je vous trouve bien philosophe ce matin.

— C'est que vous me surprenez sur le chemin de l'église.

Le visage de Marion s'illumina.

— Vous fréquentez donc notre douce fraternité !

Joe croisa les mains dans son dos, toujours aussi grand et charismatique.

— Raté, très chère.

Il pivota pour jeter un coup d'œil à l'église paroissiale qui se dressait derrière lui.

— Je faisais ma promenade matinale avant d'aller prier notre bon Seigneur, ici même. Je laisse aux touristes et aux amateurs de grandeur religieuse les messes de l'abbaye.

Marion fit la moue pour signifier qu'il l'avait eue.

— Mais peut-être que vous me feriez le plaisir de venir à ma table ce soir pour dîner, proposa-t-il. Je crois que mon âge avancé m'autorise ce genre d'invitation franche sans paraître grossier.

Marion lui offrit son plus charmant sourire.

— Que puis-je apporter ?

— Oh, vous ne trouverez rien sur ce caillou, venez donc avec votre bonne humeur, elle nous enivrera bien mieux qu'un vin coûteux. Vingt heures à ma porte. Bonne journée, Marion.

Marion le vit entrer dans l'église Saint-Pierre par la porte latérale puis elle descendit vers l'entrée du village. Pour la première fois depuis son arrivée, elle s'étonna de trouver plusieurs touristes qui sillonnaient les artères moyenâgeuses. C'était le week-end. Marion sortit sur la digue et entama une longue marche au pied du sanctuaire. Profitant de la marée basse, elle dépassa les Fanils, contourna la tour Gabriel qui lui rappela des souvenirs d'énigme et finit par atteindre la chapelle Saint-Aubert au nord-ouest du Mont. Les arbres décharnés par le mois de novembre bien entamé grinçaient dans le vent, serrés les uns contre les autres sur la pente qui courait sous la Merveille.

D'ici, le clocher témoignait d'une intimidante puissance. Ses ouvertures ciselées dominaient la baie plus certainement qu'un phare moral, dictant au nom des préceptes religieux la conduite de chacun, et rappelant de sa hauteur le châtiment promis aux désobéissants.

Son ombre écrasait Marion.

Celle-ci s'assit pour admirer la mer de sable humide et les polders au loin, sur sa gauche. Elle resta là un moment, avant de rentrer.

Dépassant la place à l'entrée du village, Marion eut un élan de joie lorsqu'une fillette lui rentra dedans en s'excusant maladroitement. La petite n'avait pas plus de dix ans, et ses lunettes rouges étaient à présent de travers. Marion s'accroupit à son niveau pour les lui remettre en faisant mine de loucher et la fillette la gratifia d'un rire franc. Les parents étaient juste derrière, veillant aux réactions de chacun. Marion les salua en passant.

Sa poitrine se souleva d'un coup, l'oxygène avait brusquement un goût amer. Celui de sa situation personnelle. De sa solitude. De son célibat. De son âge. Le contact avec les enfants lui mettait du baume au cœur. Mais la renvoyait à elle-même avec toute la cruauté idoine.

Marion évitait ce genre de pensées habituellement. Elles ne la conduisaient nulle part. Nulle part d'agréable.

Une demi-douzaine de touristes était attablée chez la Mère Poulard et cette manifestation de vies nouvelles inspira Marion, elle entra pour se joindre à ces visages. Elle commanda la célèbre omelette et savoura davantage encore les conversations – si banales fussent-elles – qui l'entouraient.

Elle prit quatre thés au total et s'accorda deux parts de tarte aux pommes, étirant ce moment de détente jusqu'au milieu de l'après-midi. Lorsqu'elle ressortit dans la Grande Rue, elle croisa sœur Gabriela, la jeune religieuse à la voix musicale. Elles bavardèrent quelques minutes avant que Marion ne se propose pour l'aider dans sa tâche qui consistait à coller des affichettes rappelant qu'un concert philharmonique était donné dans l'abbaye le lundi soir. Marion apprit la nouvelle avec étonnement et plaisir, au moins cela occuperait-il une de ses soirées.

Elle retrouva sa maisonnette en fin de journée, pour y prendre un bain chaud tout en écoutant la musique qui hurlait depuis la chaîne hi-fi du rez-de-chaussée.

Le dilemme vint ensuite lorsqu'il fallut choisir sa tenue pour aller dîner. Elle n'avait pas un choix très large, ayant laissé à Paris l'essentiel de sa garde-robe. Ni trop habillé pour ne pas mettre Joe mal à l'aise, ni trop décontracté pour ne pas le froisser. Elle se décida enfin pour un pantalon à pinces noir, un sous-pull

– qu'elle avait payé une fortune un jour d'ivresse dépensière – sous un gilet en laine des plus classiques. Le miroir lui renvoyait l'image d'une femme encore belle, la peau douce, aux traits soignés, à la ligne désirable.

Plus pour longtemps si tu continues à bouffer comme ça...

Une femme qui prenait soin d'elle.

L'image d'une femme ayant presque quarante ans...

Célibataire.

Elle se mordit la lèvre inférieure.

Les mèches blanches parmi la blondeur de ses cheveux ne détonnaient pas, au contraire, elles lui conféraient cet aspect original, presque exotique, qui se mariait bien avec ses rires sonores et ses grimaces taquines.

Marion prit une barrette et tira sur ses cheveux pour les nouer au-dessus de sa nuque. Un soupçon de maquillage et elle se sentirait prête.

Comme pour un rendez-vous.

Avec un homme d'au moins quatre-vingts ans...

Elle se trouvait pathétique.

Mais tous les prétextes sont bons pour se sentir un peu belle, de temps en temps...

Et à vingt heures précises elle frappait à la porte de Joe.

Le vieil homme avait revêtu un costume beige pour l'occasion, et une chemise au col amidonné dans lequel il avait noué un foulard bordeaux, cependant il n'avait pas rasé sa barbe.

Elle lui tendit une bouteille de vin rouge.

— J'avais ça dans mes placards, un cadeau de la fraternité pour mes nuits désespérées, s'amusa-t-elle. Pour le cas où ma bonne humeur nous ferait défaut...

Il la débarrassa et la fit entrer.

— J'espère que vous avez de l'appétit, prévint-il, je crois que malgré les années je suis toujours aussi incapable de doser convenablement, j'en ai fait pour tout un bataillon !

Marion découvrit qu'il avait sorti la belle porcelaine pour le dîner, sur une nappe brodée.

— C'est parce que nous sommes samedi soir, expliqua-t-il en suivant son regard. Je vous en prie, asseyez-vous.

Marion se fit servir un verre de vodka à défaut de gin.

Un jeu d'échecs recouvrait une partie de la table basse du salon, les pièces étaient encore disposées selon une partie en cours.

— Vous jouez ? interrogea Joe.

— J'adorerais, mais j'ai peur d'être mauvaise.

— Eh bien, il faut essayer ! Je manque de partenaires ici.

— Qui était l'adversaire aujourd'hui ?

Joe se frotta les mains.

— Grégoire, le fils de Béatrice. Un très bon joueur.

— Lui ? Je ne le voyais pas jouer aux échecs...

— Et pourtant. C'est un brave gamin. Il dépérit sur le Mont, j'en ai peur. Il a besoin de vie, et d'une présence masculine, pour ça je ne pense pas me tromper.

Marion scruta le visage du vieil homme. Il ne lâchait pas le plateau de jeu de vue, presque triste.

— Vous l'aimez bien, n'est-ce pas ?

Joe hocha la tête.

— Grégoire ? Il vient souvent jouer avec moi, nous discutons, de tout et n'importe quoi. C'est un gamin qui aurait bien besoin d'un père, voilà tout. C'est difficile pour lui de vivre avec sa mère loin de tout. Béatrice a fait ce choix pour elle, un désir personnel, Grégoire s'en sort moins bien avec cette solitude.

Joe se redressa et son humeur joviale réapparut.

— Allons, mangeons si vous le voulez bien.

Il leur servit des coquilles Saint-Jacques qu'ils dévorèrent en plaisantant sur le fait qu'on ne pouvait avoir de secrets en vivant dans un village si petit. Tout le monde savait tout sur chacun.

— C'est justement là qu'est le piège, rétorqua Marion. C'est ici qu'on peut venir enfouir un lourd passé, dans ce quotidien balisé, sous un masque qu'on se crée avec un peu de temps. Et justement parce que tout le monde croit tout savoir sur les autres, les secrets restent profondément enterrés.

Le visage de Joe s'éclaira sous un large rictus.

— Je vois que vous commencez à cerner l'esprit du Mont, dit-il fièrement.

— C'est l'esprit des petites communautés. L'esprit insulaire également. J'en ai déjà parlé avec Béatrice.

Il leva l'index pour souligner qu'il comprenait d'où venaient ses déductions.

Le bar et sa purée de pommes de terre maison accompagnée de poireaux leur permirent de faire plus ample connaissance, d'aller un peu plus loin dans l'intimité de chacun. Joe confia à Marion qu'il avait toujours été célibataire avant d'essayer de la faire parler à son tour. La bouteille de vin se vidait au fil du repas, Marion se sentait gagnée par l'alcool. Une certaine euphorie l'envahissait progressivement, elle se sentait bien aux côtés du vieil homme, le dîner succulent, elle se laissait volontairement happer par l'ivresse.

Elle finit par se dépeindre comme une femme un peu trop « rentre-dedans », trop exigeante, perpétuellement insatisfaite. À peine était-elle engagée dans une relation sérieuse qu'elle débusquait déjà les défauts de son partenaire pour finir par ne plus voir que cela et s'en débarrasser sans tarder. Au travail, elle n'était pas assez sociable, n'appréciant pas suffisamment ses collègues. En fin de compte, elle vivait un peu en autarcie, avec deux ou trois « amies » pour sortir à l'occasion, lorsqu'elles parvenaient à se défaire de leur mari et à caser les enfants...

Elle faillit mentionner Jeremy Matheson, et dresser un parallèle entre elle et lui, et évita la bévue de justesse.

Pendant le dessert, Joe lui fit un portrait peu reluisant des membres de la fraternité qu'il connaissait. Frère Gilles était sa cible préférée, il voyait en l'homme au profil de rapace un faucon plus redoutable encore que ceux qui habitaient présentement la Maison Blanche. Manipulateur, il était encore plus pernicieux depuis que ses velléités d'accession à un titre plus prestigieux avaient été brisées, ses supérieurs démasquant en lui un trop-plein d'ambition par rapport à sa foi. L'unique plaisir qu'il lui restait était d'exercer son pouvoir de bas étage sur les membres de la communauté et de s'en glorifier.

Frère Serge ne valait guère mieux, digne d'un parrain de la mafia selon Joe, gardant plus qu'un œil sur ses ouailles, il avait la réputation d'être très autoritaire et un peu trop strict, mais Joe et lui s'étaient toujours tenus à l'écart l'un de l'autre, Joe ayant eu une réelle affection pour l'ancien responsable de la fraternité, parti presque dix ans auparavant.

Joe décrivit ensuite frère Christophe – frère anémié pour Marion – comme un grand hibou un peu illuminé, et il fit rire Marion lorsqu'il avoua qu'il ne serait pas étonné de découvrir frère Christophe, couvert de tatouages cabalistiques, en train de sanctifier le nom du Démon... Il avait l'air trop gentil pour être sincère.

Sœur Luce était le pendant féminin de son acolyte, frère Gilles, fourbe et maligne. « Un cœur aride » fut l'expression qu'il employa pour la décrire, et Marion se demanda un instant si cela ne cachait pas un secret de leur passé commun. Elle s'imagina une histoire d'amour platonique entre Joe et sœur Luce, sous le regard jaloux de frère Gilles, qui expliquerait cette distance entre les deux hommes aujourd'hui.

Joe avoua ne rien savoir de frère Damien, arrivé trop récemment dans la fraternité, sinon « qu'il avait la candeur du benêt peinte sur la face ». Il parla de sœur Anne, celle qui était la plus proche de Marion, comme d'une femme bonne et intelligente, une femme de confiance. Pour les autres, frère Gaël et les sœurs Gabriela et Agathe, ils n'étaient à ses yeux que de « jeunes religieux encore pleins d'espoir et de promesses ».

Mise en confiance par toutes ces confidences, Marion expliqua à son hôte sa manie d'affubler tout le monde d'un surnom funeste et Joe eut peine à se contenir en entendant parler de « frère fausse route et consorts ». Il fut rassuré d'apprendre que lui-même n'en avait pas.

C'est un peu titubante que Marion rentra chez elle, aux alentours de vingt-trois heures, après avoir promis de revenir bientôt pour renouveler ces fous rires.

Elle se coucha de bonne humeur, les yeux brillants.

Le désir de lire un peu avant de s'endormir s'immisça entre les vapeurs du vin. Elle descendit prendre le journal dans la poche de son trench et remonta en vitesse retrouver la chaleur des draps.

Bientôt, elle n'eut plus que sa veilleuse d'allumée. Elle n'avait pas ouvert le livre depuis cinq secondes qu'un éclair illumina le cimetière au-delà de sa fenêtre.

Les premières gouttes de pluie se mirent à tomber, lentement, hésitantes.

Marion se cala dans son lit et reprit le cours de sa lecture.

28

Chacun savait ce qu'il avait à faire.

Si on parvenait à bien coordonner tout le monde, le plan pouvait fonctionner.

Azim récapitula une fois encore pour s'assurer qu'il n'avait omis aucun détail.

Les volontaires seraient postés dans moins d'une heure. Sa journée passée à sillonner El-Gamaliya n'avait pas été vaine. Le vieux toxicomane avait accepté aussitôt, malgré sa peur. Le commerçant avait cédé dès qu'Azim lui avait rappelé qu'il agissait pour sauver des enfants. Les deux hommes s'étaient immédiatement mis en quête d'autres volontaires. On trouva la moitié des hommes nécessaires parmi les proches des victimes. L'autre moitié fut rassemblée avant la fin du jour, pour *Maghrib*[1].

L'idée d'Azim était somme toute très simple, et reposait autant sur leur capacité à quadriller le quartier que sur la chance.

La *ghûl* avait été remarquée à quatre reprises, dans un périmètre restreint, toujours dans le quartier d'El-

---

1. Heure de prière, juste avant le crépuscule – le jour arabe débute avec le coucher du soleil, non avec son lever.

Gamaliya. Azim espérait qu'avec des hommes placés sur les toits à des positions stratégiques, si la *ghûl* devait passer par le quartier, alors elle ne manquerait pas d'être aperçue. Il fallait pour cela couvrir plusieurs hectares de ruelles et de bâtiments chaotiques. Avec l'aide du vieillard et du marchand de vêtements, ses témoins, Azim avait débusqué et motivé une trentaine de guetteurs. Un par un, ils se virent affectés sur la terrasse d'une construction avec l'ordre strict de n'en bouger sous aucun prétexte. L'arrivée d'un imam parmi eux fit taire les plaisantins et assura à Azim qu'ils respecteraient leur engagement, davantage par crainte religieuse que par sens du devoir. Le chef spirituel s'était joint aux hommes lorsqu'on avait rapporté à ses oreilles ce qui se préparait. On murmurait qu'une *ghûl* sévissait, qu'on allait la repérer la nuit même. « Et si un fidèle se retrouve face à elle, que feront-ils ? » s'était écrié l'imam avant d'exiger qu'on le conduise auprès des volontaires. Seules les prières à Allah pouvaient chasser le monstre, avait-il affirmé devant le parterre de regards respectueux. Si pareille créature arpentait leurs rues, c'était à lui de la faire fuir.

Malgré son insigne de police, Azim savait qu'il ne pesait pas lourd face à l'imam, il avait juste répliqué que si la *ghûl* était repérée, ce serait à lui d'aller sur place pour s'assurer que c'était bien un démon et alors seulement l'imam pourrait venir la répudier. S'il s'agissait d'un criminel de chair et de sang, la police prendrait le dessus et arrêterait l'individu.

Azim savait qu'il risquait gros. S'ils mettaient vraiment la main sur le coupable, il lui faudrait être rapide et habile. Les hommes ne tarderaient pas à vouloir se charger de la sentence eux-mêmes, sans tribunal ni jugement.

Que s'attendait-il à trouver au juste ? Un homme

ou... une *ghûl* ? S'il en était là, c'était sur les affirmations de deux témoins mentionnant catégoriquement que ce qu'ils avaient croisé n'était pas humain. Azim ne savait que penser. Tout convergeait vers l'hypothèse mythologique... Pourtant, le rouleau compresseur de l'éducation occidentale et ses certitudes rationnelles avait déjà bien entamé son travail de sape, depuis l'école de police. Il ne pouvait nier qu'au fond de lui, il croyait en une explication bassement humaine du drame.

Le soleil se coucha tandis que chacun prenait quelques provisions et une couverture pour affronter la longue nuit qui les attendait et tout le monde se dispersa vers son poste de surveillance.

Un marchand de fournitures du Khan el-Khalili[1], dont le neveu était parmi les volontaires, accepta de prêter des lampes pour tous les guetteurs, ce qui servirait de signal. Si quelqu'un repérait une forme capuchonnée se déplaçant étrangement, il avait pour consigne d'allumer aussi vite la bougie de sa lampe et de l'agiter en direction du plus haut point d'observation où serait posté Azim.

La nuit prit possession des ruelles.

Les volets se fermèrent les uns après les autres pendant qu'on illuminait les très rares lanternes éclairant les rues.

La chaleur diminuait lentement, et avec elle, les centaines de parfums flottant dans El-Gamaliya refluaient vers les échoppes closes, les étables et les greniers retournés à la paix.

Les discours, les bavardages, les cris et les empoignades s'étouffèrent à l'abri des murs anciens.

Les étoiles se mirent à piquer le plafond du monde,

_____
1. Bazar gigantesque, célèbre au Caire.

de plus en plus nombreuses. Azim les contempla en silence. C'était comme si la terre n'était qu'un immeuble et le ciel un autre, pensa-t-il, deux voisins célestes se renvoyant leurs lumières, celles de foyers s'observant sans se voir, des millions de vies à des millions de kilomètres.

Les silhouettes des minarets semblaient tanguer sur le relief du cosmos.

Dans le lointain, les muezzins lancèrent l'appel à la prière.

Et les heures passèrent.

*
* *

Héliopolis, ville plate, ville de colonnes avec ses arcs en fer à cheval, ses accolades, cité aux rues larges et propres érigée dans un style mauresque très en vogue.

Jeremy descendit du tramway en face de l'Heliopolis Palace d'où il marcha un peu pour atteindre la villa Keoraz qui jouxtait le golf.

Un mur d'enceinte haut de trois mètres protégeait le sanctuaire du millionnaire. Celui-ci prisait l'intimité et le calme.

Où vivre à l'abri des regards curieux, protégeant ses sombres activités...

Jeremy actionna la clochette devant la grille, le gardien ne tarda pas à se montrer et à le faire entrer dès qu'il eut pris connaissance de son identité.

La villa de style romain était bâtie au sommet d'une petite colline artificielle, on y accédait par une allée de gravier crissant au milieu d'une mer de gazon parfaitement entretenue. Arrivé en haut, Jeremy s'arrêta sous l'effet de la stupeur.

Les vingt derniers mètres se parcouraient sur un parterre de marbre noir, flanqué de sycomores argentés et dorés, avec deux très longs bassins remplis de mercure sur lequel la Voie lactée se reflétait avec une parfaite netteté.

Des flambeaux brûlaient tous les cinq pas pour faire rejaillir l'éclat de la terrasse. En plus des feuilles d'argent et d'or sur les arbres, des carillons des mêmes métaux pendaient aux branches, si sensibles qu'ils vibraient sur le passage des invités.

Jeremy traversa ce décor fabuleux sur la pointe des pieds, surpris par la fluidité de ses mouvements sur le sol. Le gardien le précédait désormais, faisant siffler les lames de métal dans son sillage.

Keoraz apparut tout au bout, sortant du vestibule et attendant entre les colonnes du perron.

— Monsieur Matheson ! Comment trouvez-vous mon petit jardin à la mode mésopotamienne ?

— Propre.

Keoraz, qui s'attendait probablement aux habituelles remarques éblouies, marqua un temps d'arrêt.

— Et brillant, ajouta Jeremy.

— J'avoue ne pas en être l'auteur... Je l'ai fait construire sur le modèle de celui de Khumarawayh, un émir de la dynastie tulunide, vous connaissez ?

— Du tout.

— Fin du IXᵉ siècle. Il faut s'intéresser à l'histoire, détective, elle est le socle de notre avenir.

« En plus, il connaît l'histoire, et probablement les légendes de l'Égypte ! » remarqua Jeremy, masquant difficilement un rictus de contentement. Il correspondait de plus en plus au profil idéal. Keoraz possédait le savoir qui lui permettait de masquer ses crimes en une mise en scène rappelant l'existence de la fameuse goule.

— Venez, entrez, nous allons prendre l'apéritif dans l'atrium.

Il congédia le gardien et conduisit Jeremy dans la maison, d'où ils ressortirent presque aussitôt pour rejoindre une cour intérieure, carrelée, avec l'impluvium – bassin romain – au centre. Deux sofas pourpres agrémentés de coussins noirs brodés au fil d'or les y attendaient. Des torches suspendues les encerclaient de leur lueur chaude et mouvante. Des fresques représentant des vues champêtres couvraient les murs entre chaque porte.

— Installez-vous. Que souhaitez-vous boire ?

Jeremy n'eut pas le temps de répondre.

— Du whisky.

Jezabel se tenait dans l'encadrement de la porte menant aux pièces principales.

— Tu bois toujours du whisky, n'est-ce pas ?

Il acquiesça sans dire mot.

Elle s'était glissée dans une robe à fourreau rouge, tenant un porte-cigarette au bout duquel s'en consumait une.

Keoraz guetta les réactions de l'un et de l'autre avant de se manifester.

— J'en ai un excellent. Je m'éclipse, vous m'en excuserez, mais je ne supporte plus le personnel de maison, je les ai presque tous congédiés, on n'est finalement jamais mieux servi que par soi-même.

Sur quoi il sortit par une porte sur le côté.

Jeremy, qui s'était assis, se releva à l'approche de Jezabel.

— Laisse donc cette manie galante, dit-elle en allant s'asseoir en face. Alors, ça n'a pas été trop difficile de venir ici ?

— Je connaissais déjà l'adresse.

— Je ne parlais pas du chemin. Mais de la décision.

Un sourire moqueur se lisait sur ses lèvres carmin.

— Toi qui refuses de m'appeler « madame », venir jusque dans la maison où notre couple s'épanouit a dû te coûter cher en amour-propre.

— L'amour-propre n'a rien à voir là-dedans.

— Oh, oui, qu'est-ce déjà ? Simplement de l'affection ?

— Une tendresse relative à notre passé.

Son sourire s'amplifia.

— Bien sûr... J'avais oublié, pardonne-moi.

Keoraz réapparut avec un plateau sur lequel trônaient trois verres. Il offrit son whisky au détective et prit une flûte de champagne pour sa femme et une pour lui, avant de se poser tout près d'elle.

— Mon cher, je vous ai réservé toute ma soirée, fit-il.

— Avant toute chose, monsieur, je souhaiterais vous demander si vous avez lu le rapport d'enquête.

Le millionnaire haussa un sourcil en le fixant, l'œil amusé.

— À votre avis ?

— Ça n'aurait pas dû se passer ainsi, je le regrette, sachez-le.

— Il s'agit de mes intérêts, j'estime avoir tous les droits pour les protéger, tant pis si cela contrecarre votre sens des procédures. Nous sommes loin de la métropole ici, cela induit une flexibilité dans nos protocoles, flexibilité qui est l'avantage unique de ce bout du monde, ne pas s'en servir serait risible.

Jeremy but une gorgée et décida d'attaquer :

— Vous pourriez être parmi les suspects, lire le rapport d'enquête peut poser problème.

— Moi, un suspect ?

C'était si grotesque qu'il ne pouvait qu'en rire.

— As-tu perdu la tête, Jeremy ? railla Jezabel.

— Je suis sérieux. D'ailleurs, que faites-vous de vos nuits, monsieur Keoraz ?

— Détective ! Vous êtes là pour résoudre cette affaire et m'aider ou pour chercher à me nuire ? Soyez clair, que je sache où sont mes alliés et mes ennemis.

Jeremy tira une cigarette de son paquet et l'alluma en expliquant posément :

— Je ne vous cherche aucun embarras, monsieur, je fais mon travail. Si je ne le fais pas, on pourrait se servir de cette erreur au procès pour disculper le coupable.

Il prit une voix plus aiguë et ajouta :

— « Comment pouvez-vous écarter toute autre personne, détective Matheson, si vous n'avez même pas interrogé tous les protagonistes ? » ferait bien du tort à notre accusation dans la bouche de l'avocat.

Keoraz but la moitié restante de sa coupe de champagne d'une traite.

— Très bien, alors allons-y, que voulez-vous savoir ?

Jeremy l'observa, essayant de percer sa carapace d'homme d'affaires, pour sonder son état d'esprit réel. Rien ne filtrait. Rien d'autre que son apparence lisse, caractérisée par la perfection de sa raie au milieu de ses cheveux. Il était aussi froid qu'un lézard.

— J'apprécie, dit enfin le détective. Pour commencer, où passez-vous vos nuits ?

Amusé par la question, Keoraz posa une main sur celle de sa femme.

— Ici, à la maison. Et parfois au Mena House, à Gizeh.

— Vous dormez seul ?

— Quel genre de question est-ce donc ?

— Répondez, s'il vous plaît.

Jezabel le fit :

— Tu me connais, Jeremy, tu devrais savoir ce qu'il en est.

266

Jeremy digéra le sous-entendu en interdisant à son imaginaire de prendre le dessus.

— C'est monsieur que j'aimerais entendre, rétorqua-t-il.

— Non, confirma Keoraz, je ne dors pas seul, Jezabel est avec moi.

— Elle est donc votre alibi pour les nuits où les crimes ont été commis ?

— Bien sûr ! S'il me faut un alibi... Mais je ne pense pas que nous en soyons là, détective.

Jeremy but une nouvelle gorgée brûlante.

— Admettez que c'est un alibi un peu léger, dit-il, pour peu qu'on ait le sommeil lourd, il est difficile de confirmer sans doute que son partenaire de chambre est bien resté présent toute la nuit.

— Je le confirme cependant, insista Jezabel.

Jeremy s'empêcha de répondre. Il allait trop loin, il dépassait le cadre professionnel pour faire entrer sa jalousie dans le raisonnement, il allait se discréditer, se ridiculiser.

Il leva une paume de main devant lui en signe d'excuses.

— Très bien, je devais poser ces questions, je suis sûr que vous comprendrez.

Jezabel lança nonchalamment son mégot dans le bassin central. Son mari grinça des mâchoires, lui épargnant l'esclandre devant le détective. Il laissa la colère se dissiper et s'adressa au détective :

— J'ai cru comprendre qu'il n'y avait aucune piste tangible jusqu'à hier, les choses ont-elles évolué ?

— Je suis navré, mais je ne peux discuter de cela avec vous, n'y voyez rien de personnel. Disons que l'enquête suit son cours.

Keoraz allait répondre lorsque son expression changea du tout au tout. D'hermétique et distant, il devint presque tendre.

267

— Alors ? Que fais-tu debout ?

Jeremy le suivit du regard lorsqu'il se leva pour rejoindre un enfant d'environ dix ans qui venait de surgir par une des portes en bois. Le petit avait le même profil aiguisé que son père ; il tenait un nounours dans une main et sa médaille de baptême dans l'autre.

— Je vous présente mon fils, détective. Georges Keoraz.

Jeremy adressa à l'enfant un petit signe sans recevoir de réponse en retour.

— Allons, viens avec moi, enchaîna Keoraz à son enfant avec une douceur qui ne lui seyait pas. Tu devrais être dans ton lit, demain tu as ta leçon de piano avec Mme Lentini, et si tu ne dors pas, tu n'auras pas assez de forces pour prendre le tram, c'est comme pour l'école, tu...

L'homme d'affaires prit son fils dans ses bras et lui parla à voix basse.

Une main chaude frôla le genou de Jeremy.

— Tu resteras bien pour le dîner ? Pour une fois que tu viens jusqu'ici, il serait dommage de ne pas en profiter un peu...

*
* *

Le toit de l'immeuble où veillait Azim était dans un état reflétant son âge : moins impressionnant qu'inquiétant. Les fissures fendaient le sol d'un versant à l'autre, plus détaillées encore que les lignes d'une main. On y accédait par une trappe ouverte d'où dépassaient les deux montants d'une échelle comme les cornes d'un diable caché.

Des pieds de bois s'enfonçaient dans des trous mal dégrossis, ils servaient à porter un toit de toile sous lequel tanguaient deux hamacs. Une jarre d'eau et un pot de dattes pour toutes réserves les accompagnaient sur le tapis de l'abri.

Azim somnolait dans un des hamacs, sa respiration sifflait au travers de sa moustache. Son compagnon de veille, un certain Khalil, se tenait assis contre la margelle du toit, les bras reposant sur la vieille maçonnerie branlante. Il guettait la nuit.

Tandis que tout le reste du quartier dormait dans l'obscurité, il émanait des artères principales une douce clarté à mesure que leurs lanternes se consumaient.

Plusieurs heures déjà qu'ils veillaient tous sur El-Gamaliya, sans aucun signe de la créature.

Khalil embrassa d'un panoramique complet les différents sites d'où pouvait jaillir le signal. Aucun mouvement, aucune lumière.

Le sommeil tissait son manteau de silence sur la ville, étouffant les sons, engourdissant les esprits et assommant les corps.

Le jeune homme roula en arrière et se redressa pour aller chercher une poignée de dattes. Le détective ronflait à peine, la fébrilité de son repos lui interdisant de se relâcher davantage.

Au loin, un volet claqua sèchement, faisant sursauter Khalil.

Azim ouvrit la bouche plusieurs fois avant de se renfoncer dans la chaleur de ses rêves.

Khalil se mit à faire des allées et venues sur le toit, marchant à un rythme mou. Toute l'excitation de la veille était retombée, à présent que le voile du temps avait filtré toutes les émotions, il ne restait plus que l'ennui. Khalil alla s'asseoir sur le parapet.

Il savoura une autre datte en frissonnant.

Sa couverture était dans le hamac, il hésita à aller la chercher pour s'en envelopper. Les nuits commençaient à être aussi fraîches que les jours pouvaient se montrer suffocants, cette année le souffle du désert était décidé à engloutir le printemps pour installer sur l'Égypte un été précoce. Si on évitait l'invasion de criquets, ce serait toujours ça de gagné, remarqua Khalil.

Il étira ses bras vers le ciel en bâillant.

Un morceau de pierre s'arracha à son siège de fortune, disparaissant aussitôt dans les ténèbres de la rue, quinze mètres plus bas.

Khalil sombra en arrière.

Dans le plus grand silence.

À peine hoqueta-t-il de surprise.

Ses mains retombèrent à pleine vitesse vers le muret qui l'entraînait dans le vide.

Ses doigts fouillèrent le néant.

Et ses ongles raclèrent la matière.

Il serra ses paumes de toutes ses forces et contracta ses abdominaux, le buste dangereusement incliné au-dessus de la mort.

Et Khalil bascula doucement du bon côté, la respiration bloquée.

Il se laissa tomber entre les fissures du toit tout en remerciant Allah d'un murmure tremblant.

Il s'en était fallu de peu qu'il ne parte s'écraser tout en bas sur la terre battue, les os du crâne pulvérisés comme une poterie, la cervelle répandue dans les détritus. Khalil reporta son attention vers les étoiles.

Il s'en était vraiment fallu de peu...

S'il avait été emmitouflé dans sa couverture, il ne s'en serait pas sorti.

L'air lui sembla tout à coup plus savoureux.

Le bois de l'échelle craqua.

Khalil se tourna vers la trappe. Personne.

Il s'en approcha, traînant ses mocassins de peau tannée sur la poussière et se pencha au-dessus du trou, tenant un des montants d'une main.

Il faisait tout noir en bas. Khalil n'y distinguait goutte.

Un des barreaux de l'échelle craqua à nouveau.

Khalil s'accroupit et descendit la tête dans le carré noir. Peut-être était-ce la jeune fille du premier étage ?

— Il y a quelqu'un ? chuchota-t-il. Mina, c'est toi ?

Une forme se déplia, un mètre sous son visage.

Et une tête étrange coula dans la nuit pour lui faire face.

Deux yeux jaunes.

Inhumains.

Khalil bondit en arrière en criant. Il prit appui sur l'échelle pour mieux s'éloigner et celle-ci se mit à tanguer.

Un miaulement furieux s'éleva du trou, le chat délogé s'enfuit en grognant.

Azim s'était extrait de son hamac en vitesse et déjà accourait auprès de son compagnon, une main sur l'étui de son arme qui pendait à sa ceinture.

— Qu'est-ce qu'il y a ? bafouilla-t-il, encore mal réveillé.

Khalil se mit à rire, un rire soulagé.

— Quoi ? Eh bien quoi ? insista Azim qui ne partageait pas son humeur.

— Rien, c'était juste un chat. Un chat qui m'a fait peur.

Azim vida d'un long souffle toute la tension qui venait de s'accumuler dans sa poitrine. Il passa une main sur son visage. Khalil se jeta d'un bond sur ses jambes.

— Le signal ! Le signal !

Toute trace de joie avait quitté le jeune homme qui pointait le nord de l'index, les yeux exorbités.

Azim suivit la direction indiquée et découvrit, au sommet d'un petit immeuble, une lueur qu'on agitait de droite à gauche.

Azim serra les poings.

On y était enfin.

La *ghûl* venait de sortir de sa tanière.

29

Toute la partie que Marion venait de lire était étrangement rédigée.

À peine avait-il achevé ses constatations sur la culpabilité de Francis Keoraz, que l'auteur, Jeremy, avait tracé une grande flèche renvoyant aux toutes dernières pages. Marion y trouva un long chapitre supplémentaire concernant uniquement Azim et le récit de cette nuit vouée à la traque du monstre. Apparemment, Jeremy s'était servi en partie de ce que son collègue lui avait raconté, mais aussi de divers témoignages qu'il avait pu brièvement recueillir, comme celui de ce Khalil qu'il avait personnellement rencontré.

Marion soupçonna néanmoins Jeremy de se livrer à des écarts tout à fait imaginés quant aux émotions d'Azim. Par moments, il écrivait comme s'il avait été dans la peau du petit enquêteur cairote.

Elle trouva bizarre ce renvoi à la toute fin du carnet, comme s'il s'agissait d'un passage rajouté au dernier moment, impossible à intercaler autrement que par cette flèche dessinée en haut des pages. Aussi décida-t-elle d'en alterner la lecture avec le chapitre où elle en était, à un peu plus de la moitié du récit. Ainsi, elle passait successivement de la chasse d'Azim dans les ruelles des quartiers est au dîner de Jeremy chez les Keoraz. Le suspense n'en était que plus grand.

Elle se redressa un peu dans le lit et vérifia l'heure au réveil.

Minuit et demi.

Il se faisait tard.

Et alors ma poule ? Demain c'est dimanche... Et puis ici...

Elle allait lire, encore et encore. Se faire plaisir. Au moins terminer le passage à la fin du journal, avec Azim.

Dehors il s'était arrêté de pleuvoir. Marion jeta un rapide coup d'œil par la fenêtre.

La terrasse du cimetière s'argentait sous la lune qui sortait enfin du couvert des nuages. Le vent sifflait dans toutes les rues, le long des façades et se tortillait entre les stèles.

Les croix de pierre de cette forêt morbide portaient sur leur tronc un Christ, fruit divin témoignant du passage des saisons par leur état de décrépitude plus ou moins avancé. Parmi tous ces corps torturés et disloqués, Marion remarqua un visage.

Une tête ronde que la lune rendait blanche.

Les yeux étaient plus vrais que nature.

La fatigue et la pénombre s'atténuèrent.

Et Marion comprit que le visage n'était pas monté sur une croix.

Mais sur un corps vivant.

C'était réellement quelqu'un.

Elle sursauta.

Il y avait un homme dans le cimetière, il la guettait.

Marion s'empressa d'éteindre sa lumière pour plonger la chambre dans le noir. Elle quitta le lit pour se rapprocher de la petite lucarne.

Elle prit soin de se cacher derrière le mur, ne laissant dépasser que son œil droit pour distinguer l'extérieur.

274

L'homme était debout au milieu des tombes. Les mains dans les poches d'un coupe-vent. Il se dandinait dans la nuit pour voir ce qu'il venait d'arriver dans la chambre de Marion.

C'était Ludwig. Le veilleur de nuit.

Marion soupira. Un nuage de buée se forma sur la fenêtre au niveau de sa bouche.

Ludwig se pencha en avant, la langue sur les lèvres. Il leva une main, hésita, pas certain de ce qu'il voyait, et à tout hasard il adressa à Marion un signe amical. Elle se garda bien de lui répondre.

Elle attendit qu'il hausse les épaules et qu'il sorte du cimetière d'un pas nonchalant pour rejoindre ses couvertures.

Il ne manquait plus que ça. *Un veilleur de nuit mateur !*

Depuis combien de temps l'épiait-il ? N'avait-il rien de mieux à faire celui-là ?

À cette heure, sur le Mont... probablement pas, non...

Qu'un gamin de quinze ans cherche à la voir se déshabiller la faisait doucement sourire, mais Ludwig... C'était un adulte responsable... *Un con fini, oui !* s'emporta-t-elle.

Elle se promit de le mettre mal à l'aise à la prochaine de leurs rencontres, il lui faudrait trouver une bonne repartie pour le moucher et lui faire passer l'envie de recommencer.

Pour le coup, le désir de poursuivre sa lecture s'était évaporé. Elle n'avait plus le cœur à se plonger dans Le Caire des années 1920. Et encore moins de rallumer sa veilleuse !

Marion bascula dans les draps pour préparer sa nuit et elle bougea beaucoup avant de fermer les yeux, repensant à Ludwig. La stupeur se transformait de plus en plus en colère.

Le vent monta en intensité, il ululait en véritable escadron d'oiseaux nocturnes. Il planait au-dessus du village pendant que la mer venait cogner aux portes de la muraille.

30

Marion s'accrochait à la rambarde pour monter les marches le long du rempart.

La tempête s'était déclarée au petit matin.

Les volets claquaient contre les murs avec une violence suicidaire.

La mer choquait ses cymbales ondulantes pour en faire jaillir un trémolo d'écume qui se projetait sur les tours, souillant la pierre de cette jouissance colérique.

Marion se courbait pour ne pas offrir trop de prise aux vents puissants, elle tenait son manteau sur elle de sa main libre, son sac se balançant sur ses flancs endoloris. Sitôt éveillée, elle avait décidé de ne pas lire dans son salon mais dans un contexte plus favorable, dans une des salles de la Merveille.

C'est en remontant l'escalier du Grand Degré intérieur qu'elle prit la mesure du danger. Son désir de lecture se muait en une idée stupide, en caprice regrettable. Ici le vent était plus fort encore que dans le village ; il dévalait les marches depuis le sommet, s'engouffrait dans le canyon formé entre les hautes parois des logis abbatiaux d'un côté et de l'église de l'autre. Sa véhémence était plus effrayante encore que son hurlement discontinu, il s'emmêlait dans les jambes de Marion, plaquait ses vêtements comme pour les humer avant d'essayer de la terrasser. Chaque fois qu'elle levait le pied, elle prenait le risque d'être déstabilisée et de partir à la renverse.

Ce vent avait quelque chose de maléfique.

Elle, d'habitude si cartésienne, ne put s'empêcher de songer au film *L'Exorciste*. Elle avait l'impression qu'une force surnaturelle se jetait du haut des marches pour tout emporter, que le vent lui-même était le souffle du diable. Au milieu de ce chaos, le chant liturgique que la fraternité entonnait en ce dimanche matin prit des airs de rédemption.

Marion parvint à pousser une porte qu'elle referma aussitôt en s'appuyant de tout son poids dessus.

Elle secoua la tête.

Jamais vu une tempête pareille !

En reprenant ses esprits elle repensa à son délire de diable cherchant à la projeter dans le ciel. C'était du grand n'importe quoi, mais cela ne l'étonna guère, elle avait toujours eu une imagination étourdissante.

Elle traversa un couloir, descendit un escalier pour découvrir une salle plus modeste.

Le vent psalmodiait son incantation jusque dans les murs de l'abbaye, sifflant et résonnant dans les entrailles de l'église avant de venir cogner des deux côtés des hautes fenêtres.

Marion vérifia qu'elle avait toujours le journal dans sa poche.

Elle avait bien choisi son jour pour venir lire ici.

Un peu hagarde, elle erra au fil de son instinct jusqu'à ce qu'elle se heurte à une porte verrouillée. En fouillant parmi les clés de son trousseau, elle finit par trouver la bonne et entra dans une longue pièce du niveau intermédiaire de la Merveille, la salle des Hôtes. L'absence de touristes pour l'hiver avait permis à la fraternité de la reconvertir en salle de travail. Plusieurs pupitres de bois se faisaient face, au milieu de tables couvertes de vieux livres. Marion s'assura qu'il n'y avait personne avant de se rapprocher. Certains textes dataient du XIIIᵉ siècle.

Les frères avaient collecté de grandes quantités de papier ancien, vieilli à différents stades, et des encres de types variés pour procéder à de la restauration. Des fragments de parchemin vierge s'empilaient entre des bocaux de pigments de couleurs et de tous les instruments dignes de l'Inquisition qui servaient à la réparation des manuscrits.

Marion oscillait entre les chaises.

L'endroit était idéal pour lire. Hélas, les frères et sœurs allaient peut-être venir s'installer ici dans la journée ; outre le fait qu'elle n'était sans doute pas la bienvenue dans cette salle, elle perdrait la tranquillité qu'elle recherchait.

Marion referma derrière elle et déambula encore un peu puis poussa une autre porte d'où elle surplomba la salle des Chevaliers, l'ancien scriptorium. Cette fois, elle serait en paix.

Elle se posa sous une des fenêtres pour que ses yeux n'aient pas à faire d'effort dans la pénombre ambiante, s'assura une fois encore qu'elle était seule, et elle retourna à cette nuit de mars 1928, où Azim pistait cette énigmatique goule pendant que Jeremy passait la soirée chez les Keoraz.

Le vent vint alors se plaquer contre la vitre dans son dos, aussi sèchement qu'une présence qui aurait collé son visage pour lire à son tour le récit fabuleux.

31

Le dîner achevé, ils passèrent au petit salon.

Jeremy avait essayé de décliner l'invitation, mille prétextes crédibles parés à le sauver, mais aucun n'avait frayé plus loin que son esprit, il était resté muet jusqu'à ce qu'il ne puisse plus faire machine arrière.

Francis Keoraz avait mené la conversation, centrée sur lui, son succès, décrivant sa gloire avec une lassitude surprenante. Après une heure, Jeremy considéra cette épreuve comme une chance inespérée de cerner davantage encore ce que Keoraz pouvait être. Fouiller les attitudes pour discerner des brèches, pour s'approprier son esprit afin d'en cartographier les méandres. C'était présomptueux, mais l'idée séduisait assez Jeremy.

Il prit soin de ne pas divulguer des informations personnelles lorsque Keoraz le questionna, néanmoins Jezabel se plut à lancer quelques piques à son intention.

Curieusement, au fil du repas, elle perdit en mordant, pour se faire plus attentive, parfois même complice. À deux reprises, s'adressant à Jeremy, elle demanda s'il se souvenait de tel jour et du détail qu'elle évoquait de leur vie passée. Le détective capta à chaque fois dans l'œil de Keoraz l'éclat brillant propre au stylet de la jalousie.

Ils partageaient au moins cela, remarqua-t-il avec une ironique amertume.

Le maître des lieux leur servit un digestif qu'il faisait venir tout droit d'Écosse, et ouvrit une belle boîte en fer de cigarettes Nestor dans laquelle Jeremy se servit.

— Vous jouez au billard, détective ?

— Ça m'arrive.

Keoraz lui adressa un rictus amusé et lui fit signe de le suivre jusque dans la pièce contiguë. Un superbe billard de bois enluminé apparut sous sa lampe à franges.

Jeremy tira sur sa cigarette et émit un grognement de satisfaction.

— Elles sont bonnes, non ? gloussa Keoraz avec un air complice. Je les achète par caisses entières chez Groppi's, une vraie fortune ! Mais ce tabac-là vaut chaque piastre dépensée...

— Pour qui peut se le permettre, ne put s'empêcher d'ajouter Jeremy.

Ils prirent chacun une queue et Jeremy ouvrit la partie. Jezabel prit place sur un banc de velours, son verre à la main.

— Fréquentez-vous un club ? demanda Keoraz après plusieurs minutes de jeu.

— Tous ceux de la rue. Partout où il y a une table de billard, un partenaire et une invitation.

Keoraz se pencha par-dessus le feutre vert.

— À l'occasion, joignez-vous à nous au Sporting Club de Gezira, vous aurez l'occasion de rabattre bien des caquets présomptueux.

— J'y réfléchirai.

Keoraz ajusta son tir en faisant coulisser sa queue d'avant en arrière dans sa paume, le visage sévère. Il décocha sa frappe et observa la déclinaison de mouvement que cela engendra.

— Pourquoi avoir créé cette fondation ?

Keoraz, qui manifestement n'attendait pas cette question, délaissa le reste de sa combinaison pour porter un regard inquisiteur sur Jeremy.

— Pourquoi ? répéta-t-il avec une gravité inattendue. Quel genre d'homme suis-je à votre avis ? Un scélérat avare et intraitable ? Ou un philanthrope dissimulé sous des airs d'homme d'affaires acariâtre ? Oh, ne prenez pas la peine de répondre, je vois à votre mine quel serait votre avis. Et vous voulez savoir, monsieur Matheson ? Vous n'auriez qu'à moitié faux, et à moitié vrai. Je suis les deux, détective. Comme tous les êtres de cette planète. Je ne suis ni blanc, ni noir, rien qu'incolore et peinant à ne pas perdre mon chemin dans l'aveuglement d'une couleur ou d'une autre. Au fil de mes pas, je prends la teinte du côté où je bascule avant de retrouver mon équilibre. Et ainsi de suite...

Jeremy fit le tour de la table pour jauger le meilleur angle possible avant de jouer.

— Tous les êtres de notre monde ne sont pas forcément gris, si je puis me permettre, commenta-t-il.

— Ce n'est pas ce que j'ai dit. Nous n'avons aucune couleur, nous prenons celle de nos pensées, de nos actions. Et celles-ci sont aussi changeantes et diversifiées que la palette du peintre.

Keoraz proposa le râteau à Jeremy, qui refusa d'une brève saccade du menton.

— Ma fondation est tout ce que je peux faire pour dire à ce pays que je l'apprécie, détective, à ma manière. J'ai de l'argent à ne plus le compter, que pouvais-je faire pour offrir à cette ville un remerciement ? Prendre soin de sa progéniture, des hommes de demain. Dans la tradition cairote, j'ai constitué une fondation pour l'enseignement, un peu comme le *waqf*[1] qui permettait la construction de ces immenses fontaines que l'on voit dans les rues, avec une salle à l'étage, pour enseigner le Coran. À la différence près que ma fondation est tournée vers l'apprentissage généralisé, et est ouverte aux rares familles qui acceptent d'y mettre leur fille en même temps que leur garçon.

— Le redoutable monsieur Keoraz offre la culture aux enfants d'Égypte ! lança Jeremy avec emphase. Admirable !

— Vous n'y croyez pas, n'est-ce pas ? Vous faites partie de ces sceptiques qui cherchent ce que je cache derrière cet acte de compassion, de générosité, improbable de la part d'un millionnaire dur en affaires. Je le redis ici : rien. Rien de plus égoïste que de me sentir léger au matin. Vous diriez que j'ai créé cette fondation pour me racheter une conscience, je dis qu'elle m'offre une forme de sérénité, question de point de vue, j'imagine. Je ne suis pas le démon que d'aucuns veulent voir en moi. Comme je vous le disais : je suis similaire à tous les hommes, ni complètement mauvais, ni vraiment bon.

— Il existe pourtant des hommes mauvais. Des monstres capables du pire.

Keoraz tenait sa queue devant lui, verticalement, et appuyait ses mains sur le dessus du talon, au niveau de son sternum.

— C'est là la question, mon cher. La fêlure du mal.

Jeremy se positionna pour jouer.

— La fêlure du mal ? s'interrogea-t-il. Je n'en ai jamais entendu parler.

— La rupture entre ceux qui pensent que les

---

1. Fondation pieuse également connue en Afrique du Nord sous le nom de *habous*.

monstres existent, et ceux pour qui l'homme naît bon, ou pour le moins neutre, et devient ce qu'il est à force d'épreuves. Le mal est-il entité ou une corruption de notre société ?

— Rousseau ?

Keoraz adressa un clin d'œil au détective.

— Bien. Mais pas seulement. La fêlure du mal, c'est cette question qui hante notre race depuis la première civilisation. Sommes-nous le fruit de nos expériences ou naissons-nous prédisposé à ces expériences ? Les pires criminels le sont-ils tous parce qu'ils ont vécu les pires tourments dans leur construction d'homme ou est-ce parce qu'ils sont nés avec cette inclination pour la violence ?

Jeremy ajourna son coup le temps d'une question.

— Ne dit-on pas dans ces récents cercles de penseurs sur l'esprit que c'est l'enfant qui, par son développement, constitue le socle de notre caractère ? Un enfant persécuté à l'école par d'autres gamins pourrait peut-être développer une sorte de... mécanisme de défense, en haïssant les autres enfants, sans distinction aucune et...

— Tut-tut-tut, détective, je vous arrête. La question n'est pas de savoir ce que cette situation engendrerait dans la tête d'un enfant, mais « pourquoi est-on arrivé à cette situation ? ». Pourquoi cet enfant a suscité la colère et la haine de ses camarades ? Par ses mauvaises actions, ses propos méchants ou calomnieux, je suppose. Pourquoi avait-il cette attitude à la base ?

Keoraz était entré dans ce détachement terrestre qu'ont les grands orateurs, captivants par leur charisme tout autant que par l'émotion qu'ils transmettent à leurs mots. Il poursuivit :

— Le mal est-il une affection que nous contractons du fait de notre vécu, semblable à une maladie de l'âme, d'une certaine manière similaire à la mélancolie, ou bien est-il cette force mystérieuse qui habite nos cellules dès les premières étincelles de notre création ? Deux visions distinctes de l'essence maléfique. Voilà ce qu'est la fêlure du mal. Un débat éternel sur l'existence du bien et du mal, ou sur la nature incolore et caméléonesque de l'homme.

Jeremy lança sa queue et manqua son tir.

— Eh bien, Jeremy, ce débat sur notre nature éveillerait-il quelque contradiction dans ton esprit ? railla Jezabel qui, pour le coup, retrouvait de sa morgue.

Le détective laissa sa place au millionnaire, ignorant Jezabel.

— J'avoue ne pas savoir de quel côté de cette fêlure du mal me situer, je... J'ai parfois constaté la nature terrible de certains d'entre nous. Je ne dis pas que nous naissons mauvais ou le devenons, j'ai bien peur que les deux ne soient pas si éloignés. Mais je sais que l'Existence porte en elle ce mal. Et que même les meilleurs peuvent parfois basculer sur l'autre versant, contaminés sans espoir de rémission. L'homme est capable de tout.

Le ton qu'il employait et l'expression de son visage commandèrent le respect à Jezabel.

— Tu parles comme si tu étais toi-même victime de cette transformation.

Il n'y avait nulle interrogation dans sa phrase, rien qu'un constat troublé.

— D'une certaine manière.

— Tous les détectives charrient-ils cette blessure ? demanda-t-elle presque tendrement.

— Cela n'a rien à voir avec mon métier.

Keoraz comprit tout d'un coup. Il posa sa queue sur le rebord de la table.

— La guerre... articula-t-il.

Jeremy releva les yeux vers lui. Keoraz précisa :

— Vous êtes en âge, en condition physique et intellectuelle pour avoir servi pendant la Grande Guerre.

Jeremy se passa la langue sur les lèvres. Il chercha son verre du regard. Jezabel se leva pour le lui apporter sans un mot.

— C'est dans les conditions extrêmes que l'homme révèle sa véritable nature, n'est-ce pas un poncif avéré ? dit-il en buvant une gorgée. Par expérience, je dis que le mal est autant une essence dans le cosmos qu'une fièvre de notre société.

Keoraz approcha, une carafe en cristal à la main, et resservit Jeremy.

— Si atroces soient-elles, les barbaries en temps de guerre sont, hélas, propres au contexte, exposa le millionnaire.

Jeremy but à nouveau, deux longues rasades.

— Le contexte est un prétexte. Ce dont je vous parle ne concerne pas les tueries contre les Allemands. Mais ce qui se passait au sein d'une unité. Entre *gentlemen* britanniques.

Jezabel croisa les bras sur sa poitrine.

— Pendant cette formidable ère du massacre organisé, j'ai assisté à la persécution la plus infâme. Un groupe de sous-officiers, pervers, dérangés par trop de temps passé dans le sang et la boue. Et un jeune soldat, trop candide. Juvénile et beau comme une plage après que la mer se soit retirée, vierge de toute cicatrice.

Ses yeux humides tremblaient sous l'éclairage du billard.

— Je les ai vus le persécuter. En faire leur souffre-douleur, tour à tour un défouloir physique, moral et sexuel. Rien ne lui fut épargné. Rien. Cela a duré huit mois. Et entre chaque torture : les batailles, la bouillie de chair pulvérisée dans l'air par le fracas des canons, le hurlement de ceux avec qui on jouait aux cartes trois heures plus tôt, et cette terre aride pour unique repère, une lande labourée par les armes et gorgée de sang, où ne poussaient que des racines de désespoir.

— Personne n'est intervenu pour sauver ce jeune homme ? s'indigna Jezabel dans un murmure où l'émotion pointait.

— Nous étions détachés du reste des troupes, un poste isolé, commandé par un officier trop aveuglé par la dignité pour accepter de croire que ses hommes puissent faire une chose pareille. Pendant la guerre, la chaîne de commandement était l'unique constante à respecter. Vous pouviez crever de faim, de froid ou sous les balles, mais jamais on ne pouvait remettre en question sa hiérarchie. La punition aurait été le peloton d'exécution. Et les tortionnaires étaient tous des sous-officiers. S'en prendre à eux aurait été synonyme de suicide.

Jeremy prit sans rien demander la carafe et se resservit un autre verre.

— Un jour, un homme, il s'appelait Dickey, est intervenu. Il ne supportait plus les pleurs du jeune soldat. En voyant trois des quatre sous-officiers s'approcher pour s'en prendre à leur « objet », Dickey s'est levé pour leur barrer le chemin. Il est parti trois jours à l'infirmerie, et quand il est revenu, les sous-offs lui ont mené la vie dure. Il est mort une semaine après, dans un trou d'obus. À partir de là, l'unité a préféré fermer les yeux et se boucher les oreilles quand il le fallait. La plupart des hommes avaient au moins une fiancée sinon une femme et des enfants, ils voulaient revenir au pays. La mort rôdait trop souvent au-delà des tranchées et des barbelés pour venir la provoquer jusque dans ses couvertures. Et en temps de guerre, c'est plus facile de fermer les yeux.

— Et vous-même ? s'enquit Keoraz.

— J'ai attendu que ça passe.

— Comment cela s'est-il terminé ? demanda Jezabel, troublée.

— Dans le sang.

Jeremy termina son verre, le regard perdu dans le vide.

— Un jour, reprit-il, le jeune soldat a refusé de se soumettre. C'était la fois de trop, j'imagine. Les sous-officiers ont attrapé les baïonnettes et se sont amusés avec lui. Un par un, les autres soldats sont sortis de la tente. Le supplice a duré plusieurs heures. Les draps étaient couverts de sang après ça. Cette fois, les bourreaux n'ont pu dissimuler toute l'horreur, et le malheureux fut expédié à l'hôpital. Il paraît qu'il n'a rien dit pendant plusieurs jours, pas un mot, pas un cri de souffrance, il se contentait de chier du sang. Avec un visage tuméfié et une énorme balafre sur le torse.

Dans le silence qui suivit, Keoraz alluma un cigare sans perdre de vue le détective. Jezabel pleurait.

Ses iris vert incandescent étaient couverts d'un voile de larmes, elle serrait les lèvres pour contenir au mieux les sanglots qui affluaient.

— Qu'est-il advenu des sous-officiers ? demanda Keoraz.

— Ils ont été condamnés par la cour martiale. Mais le temps que ça se fasse, ils avaient décimé la moitié de l'unité dans des assauts suicidaires.

— Et le jeune soldat ?

— Je ne sais pas. Il est mort ou tout comme, j'imagine. À moins que le mal ne soit entré en lui à force d'y être confronté quotidiennement. Quoi qu'il en soit, sa vie a été brisée.

Jeremy pivota vers Jezabel qui le fixait sans ciller, les larmes roulant jusqu'au sillon de ses lèvres où elles s'abritaient en formant une perle brillante.

Que voyait-elle en lui désormais ? Quelle image se dessinait à l'évocation de son nom, de leurs souvenirs communs ? Lui qui avait toujours menti à ses questions sur son passé de cette époque, sur sa présence à la guerre, qui avait déguisé cette vérité derrière des mensonges répétés inlassablement jusqu'à s'en convaincre.

— Vous voyez, monsieur Keoraz, dit Jeremy d'une voix anormalement basse et tremblante, il existe des hommes mauvais, capables du pire. Il y a peut-être ceux qui le deviennent, victimes du mal, ils charrient leur douleur tels des fantômes incapables de trouver l'absolution. Toutefois, il y a des êtres qui font le mal sans lutter contre lui, sans excuses, sans combat interne, au contraire, ils en jubilent. Ceux-là sont des monstres.

Il se pencha pour offrir à Jezabel un mouchoir en tissu qu'il avait dans sa poche de veste. Sans même regarder son interlocuteur, il enchaîna du même ton chargé de colère et de souffrance :

— Et ces hommes ne méritent pas de procès, ils ne méritent que la mort. Que la mort.

*
* *

Les cuisses gonflées par l'effort, Azim monta les dernières marches de l'immeuble avant d'accéder au toit par l'échelle. Khalil l'attendait en lui tendant une main.

— Alors ? Qu'avez-vous vu ? C'était bien la... le démon ?

Azim s'affala sur le tapis, une main vers la jarre d'eau.

Khalil lui servit de quoi boire.

— Fausse alerte, grogna Azim entre deux gorgées.

— Mais... Mais le signal...

— Un homme trop nerveux, qui a sauté sur sa lampe dès qu'il a aperçu une forme à la démarche étrange. Il s'agissait d'un éclopé, pas d'une bête des enfers.

La déception s'afficha sur le visage du jeune homme.

— Vous croyez qu'on la verra vraiment ? demanda-t-il.

— Je ne sais pas, Khalil, mon plan repose sur une folle probabilité. La *ghûl* a été vue dans ce secteur plusieurs fois ces dernières semaines, si nous avons de la chance, alors peut-être... Allons, repose-toi à présent, je vais veiller et tu prendras la relève pour les dernières heures de la nuit.

Khalil se coucha dans un des hamacs et ne tarda pas à sombrer dans un sommeil agité.

Azim s'emmitoufla dans une couverture et se posta, assis, à l'angle du bâtiment, dominant la torpeur du quartier. Le rideau des étoiles illuminait la silhouette anarchique du Caire.

Azim n'était plus du tout fatigué, sa course dans les ruelles l'avait passablement ragaillardi, la peur s'étant confondue avec l'excitation en un cocktail volcanique. Tout de même, quelle émotion ! Son approche du suspect lui avait valu de sacrés frissons. La main posée sur la crosse de son revolver, prêt à dégainer et à tirer.

S'il s'était agi réellement de la *ghûl*, son coup de feu ne lui aurait pas été d'un grand secours. D'après les légendes, seule la force des prières avait la capacité de repousser le démon.

« Allez, avoue-le, chuchota-t-il pour lui-même. Tu n'y crois pas. Sinon tu n'aurais pas foncé tête baissée vers elle, sachant ton arme sans efficacité. Tu penses qu'il y a là-derrière la machination d'un homme. »

Alors qui était-il ? Pourquoi s'était-il intéressé aux enfants la nuit ? À humer leurs vêtements, à essayer d'entrer dans leur chambre comme en avait témoigné le marchand ?

Azim fouilla les fissures du toit d'un regard un peu désorienté.

Il ne savait plus quoi penser. La fatigue... L'émotion...

Se concentrer, ne pas somnoler, attendre le signal. Rien d'autre...

Azim attendit. Avec la plus grande vigilance.

Les heures s'égrenèrent, peu à peu. Les rues toujours aussi silencieuses. Le froid gagnait en épaisseur, plaquant les couvertures sur les vêtements et la peau davantage encore au fil de la nuit.

Azim mangea quantité de dattes pour patienter.

À sa grande surprise, l'imam vint lui rendre visite peu après une heure du matin. Il se trouvait inutile à attendre à la mosquée qu'on vienne le chercher et avait décidé de faire le tour des guetteurs pour leur apporter son soutien. Azim et lui parlèrent peu, essentiellement de la *ghûl*, que l'imam osa à peine nommer. Le petit détective fut troublé de découvrir que le religieux semblait craindre le monstre. La sueur perlait à son front lorsqu'ils évoquèrent le rôle déterminant de l'imam si le facteur humain était écarté.

L'imam s'en alla une heure plus tard, en affirmant qu'il gardait un œil sur les toits et les lanternes. Si le signal était donné, il attendrait cinq minutes, laissant ainsi à Azim le temps nécessaire pour juger de la situation sur place, et viendrait en renfort, restant à portée de voix pour le cas où.

Azim retourna à la quiétude et à la solitude.

Ses pensées vagabondèrent. Et s'arrêtèrent sur son collègue.

Matheson ne croyait pas au surnaturel. Il refusait de laisser une porte ouverte à cette piste pourtant vérifiée par deux témoins distincts. L'Anglais avait une réputation peu engageante dans la police du Caire. Il travaillait seul, et lorsqu'il ne pouvait faire autrement, il ne partageait pas, conduisant son enquête à sa manière, gardant le silence. C'était un mauvais partenaire. Mais un excellent détective.

Sa réputation d'« homme de confiance » lui assurait de trouver toutes les portes ouvertes, ou presque. On le disait mystérieux sur sa vie privée. Azim, qui commençait à le découvrir, préféra l'adjectif « réservé ». Matheson ne partageait pas, ni son travail, ni sa vie intime. Et il avait la même attitude de défense sauvage que ces bêtes blessées, préférant qu'on le laisse tranquille, pour panser ses plaies, en l'occurrence celle du cœur.

Oui, à bien y penser, Matheson était...

Azim fit un bond en avant, se levant d'un coup.

Une lanterne s'agitait frénétiquement au loin.

Avec une telle intensité que la flamme gardait difficilement sa consistance. Celui qui déclenchait le signal était terrorisé.

Il ne lançait pas seulement le signal, non...

Il appelait au secours.

32

Marion releva les yeux de sa lecture.

La tempête faisait obstacle au soleil, obscurcissant la salle des Chevaliers. Les colonnes ajoutaient à ces zones d'ombre en masquant l'extrémité des lieux, il ne manquait plus que les torches brûlant aux murs pour se croire revenue au Moyen Âge.

Pendant la première heure de lecture, Marion avait entendu les chants religieux descendre depuis l'église jusqu'ici, renforçant son impression d'être en dehors du monde. À présent il n'y avait plus que la colère des éléments à l'extérieur pour l'accompagner, ils venaient se projeter sans arrêt contre la fenêtre derrière elle, tapant et hurlant sur la vitre, la faisant sursauter.

Par intermittence, une longue plainte aiguë se mettait à errer dans les couloirs de pierre, agonisant de porte en porte jusqu'à se perdre dans les fondations du Mont.

Marion fouilla son sac à la recherche d'un ou deux biscuits qu'elle avait emportés. Elle les mangea lentement, savourant chaque bouchée.

La confidence de Jeremy sur son expérience pendant la guerre l'avait particulièrement émue. Elle venait nourrir à point nommé cette réflexion sur le mal, et ses racines. En parallèle, la surveillance des ruelles du

Caire par Azim et les siens était palpitante. L'ironie de la situation était presque cocasse en fin de compte. Pendant que l'un traquait le mal, l'autre tentait d'en comprendre l'essence.

Marion se dégourdit les jambes en marchant autour de la cheminée la plus proche, sous les ogives enténébrées, et jusqu'au passage surélevé au sud de la salle. Elle imagina cet endroit, les murs recouverts de hautes tapisseries pour préserver la chaleur tout autant que pour cloisonner l'ensemble en petites pièces, des feux ardents dans chacun des âtres, et des moines courbés sur leur pupitre pour enluminer des manuscrits aux pages semi-rigides. L'odeur des bougies devait empreindre chaque parcelle, jusque dans les tapis recouvrant les sols. Et la lumière ne devait être qu'une vaste créature mouvante, se coulant entre les tentures, sa peau de léopard spectral tachetée de noir et d'ambre ondulant sur les plafonds évasés.

Elle y était. Elle entendait presque le frottement des plumes sur les parchemins, le tintement des bocaux contenant les encres, le grincement ponctuel des chaises, et le doux froissement des manches sur le bois des tables.

Marion se faufila entre les moines à l'ouvrage, entre les colonnes froides, pour se rapprocher de sa fenêtre, de ses affaires.

Ils s'évaporèrent peu à peu, pour ne laisser que le gris humide derrière eux. Marion but un peu d'eau à sa bouteille, la rangea dans son sac et se tourna pour discerner le paysage au travers du carreau.

Les arbres en contrebas s'ébranlaient dangereusement, les branches s'entrechoquaient à se rompre, et tous les buissons étaient agressés par le souffle saccageur des bourrasques incessantes.

La pluie fendait l'air en tombant quasiment à l'horizontale. À cette altitude, la mer se confondait avec le ciel, des tourbillons de gouttelettes montaient et retombaient un peu partout quand ils ne se mélangeaient pas pour imploser.

Marion inspira bruyamment sous l'effet d'un tel spectacle, puis elle revint à son livre, laissant le Mont en prise avec la nature et le temps.

Elle en était à un passage concernant Azim, ce fameux chapitre exilé en toute fin de journal.

« J'imagine sans peine Azim courant sur le pavé encore tiède du quartier, au milieu de cette nuit étoilée, puis sur la terre des ruelles, s'obligeant à se replier sur lui-même dans les virages, pour tourner plus facilement, évitant de justesse tous les détritus qui jonchaient son chemin. En approchant le secteur d'où provenait le signal d'alarme lumineux, Azim s'était certainement calmé, pour marcher en récupérant son souffle, pour plus de discrétion. Il devait être prudent. Il pistait une *ghûl*... Son esprit partagé entre ses croyances ancestrales et l'apprentissage plus cartésien que le monde colonial lui avait inculqué. Ce devait être le dilemme dans son esprit. Que s'attendait-il à trouver en fin de compte ? Un vrai démon ou un malade déguisé ? Le poids de son revolver ne devait plus lui être d'un réel réconfort. Azim était sur le... »

Marion interrompit sa lecture.

La porte du passage surélevé venait de s'ouvrir.

Une silhouette encapuchonnée apparut en surplomb.

Elle commença à longer la salle en la parcourant du regard puis s'immobilisa. Elle pivota vers Marion, et la capuche s'affaissa.

Frère Gilles posa ses mains flétries sur la balustrade métallique et la dévisagea.

— Ah, c'est vous... finit-il par dire, sans joie.

— Bonjour.

— Vous ne devriez pas être ici, c'est la tempête, vous seriez mieux dans votre chambre.

Marion tira son manteau le plus discrètement possible jusqu'à recouvrir le livre noir. Elle ne savait pas s'il l'avait aperçu.

— Je voulais profiter de l'ambiance, répondit-elle.

— Vous n'avez pas bien choisi votre heure, et dorénavant, vous feriez mieux de vous faire accompagner lorsque vous montez à l'abbaye.

Marion exhiba l'imposant trousseau de clés que lui avait confié frère Serge.

— J'ai le meilleur guide possible, le nargua-t-elle en désignant les clés. Un peu de patience, de quoi ouvrir toutes les portes et tout le temps qu'il me faut.

Marion jubilait. Lui qui n'aimait rien de plus que tout régir sur le Mont allait fulminer.

Frère Gilles la transperça de ses yeux brillants.

— Vous ne viendrez pas vous plaindre si vous vous perdez ou si vous attrapez la mort...

Il ajouta quelque chose entre ses dents que Marion ne put saisir, et poursuivit son chemin pour sortir en laissant la porte ouverte derrière lui.

— Vieux chnoque... murmura-t-elle à son tour.

Elle reprit le journal en espérant que le frère n'avait rien remarqué.

Marion ne savait plus où elle en était restée.

Azim.

Le signal.

La goule.

C'était ça, oui. La goule...

33

Azim dévalait les ruelles à pleine vitesse, ses semelles de cuir résonnant contre les pavés ou claquant sur la terre battue.

Il changeait d'appui et baissait son centre de gravité à chaque virage un peu trop serré qu'il opérait, récupérant ses erreurs en se rattrapant au dernier moment d'une main ou d'un bras contre le mur d'une maison, et s'élançait dans la rue suivante. L'obscurité ne lui facilitait pas la tâche, il ne pouvait distinguer les trous, les détritus et les objets encombrants en courant, et manqua plusieurs fois de s'effondrer.

En arrivant à proximité du bâtiment d'où provenait le signal, Azim ralentit la cadence, il ne pouvait plus se permettre de faire du bruit. Les avantages de son plan induisaient également des faiblesses. D'en bas, le signal n'était pas visible.

Azim n'avait aucun moyen rapide de savoir si le guetteur était toujours en faction, à brandir sa lanterne, ou s'il avait arrêté.

Il n'avait plus qu'un carrefour à franchir.

Le petit Égyptien longea le mur, cherchant à retrouver sa respiration.

L'axe où il devait s'engager l'attendait dix mètres

plus loin, béant et sinistre. Azim épongea la sueur de son visage avec sa manche et caressa son revolver du bout des doigts. Son contact n'avait plus rien de magique, rien de rassurant.

C'était une *ghûl* qu'il pistait.

Il entra dans la ruelle obscure. Des rectangles de tissu étaient tendus par intermittence entre les façades des maisons, pour protéger celles-ci du soleil. Mais à cette heure, cela rendait l'endroit plus sombre encore qu'une nuit sans lune.

Azim considéra brièvement le sommet de l'immeuble où le guetteur devait se trouver. Comment avait-il pu voir le monstre passer en bas avec toutes ces toiles ? Certes, elles ne couvraient pas intégralement le passage, néanmoins elles limitaient le champ visuel...

« Peut-être n'a-t-il pas bien vu ! songea Azim. C'est encore une fausse alerte... »

Il se souvint aussitôt des mouvements paniqués de la lampe. Non, celui qui lui avait fait le signal était réellement terrorisé, au point de ne pas se rendre compte qu'il secouait son éclairage trop fort, diminuant la puissance de sa flamme, rendant son geste presque inutile.

Il avait vu quelque chose.

Azim marchait tous les sens en alerte, il progressait pas à pas, fouillant les ténèbres, sa concentration mâtinée d'une panique naissante.

Il n'y distinguait presque rien.

La prudence lui commandait d'arrêter et de faire demi-tour sans plus tarder. Il n'en fit rien. Et s'il avait raison ? Si le tueur d'enfants était à portée de main ? Azim n'avait aucun droit de ne pas poursuivre. Si un autre garçon se faisait massacrer, que ressentirait-il ?

Il avançait sans hâte lorsqu'il capta une respiration.

Lente et profonde.

La bête devait être tapie dans un renfoncement, un peu plus loin sur la droite.

Azim défit la boucle de son étui et sortit son revolver. Il le savait inutile, mais son contact lui donna la force nécessaire pour s'approcher.

Ce n'est pas une ghûl... C'est un homme...

Azim n'était plus sûr de rien.

Un mètre de plus.

Son cœur cognait sous sa chemise, l'exhortant à s'enfuir, martelant à chaque coup sourd que lui ne souhaitait pas cesser de battre. Azim continua, gagna un autre mètre.

Son revolver ne pesait plus rien.

Azim réalisa qu'il laissait glisser son arme, il raffermit sa prise aussi vite, en essayant de remobiliser toute son attention, la peur le happait.

Il y était presque.

La respiration se faisait plus râpeuse.

Azim leva sa main armée devant lui.

Le renfoncement était à portée de regard.

Il se pencha tout doucement en avant.

Le recoin d'ombre prit consistance.

Azim commença à percevoir une forme rectangulaire.

Un volet.

Puis il comprit.

Un homme dormait et ronflait à l'abri de son volet.

Toute la tension qui l'accaparait quitta le corps du petit détective, elle coula dans ses talons jusqu'à ce qu'elle se dissipe, abandonnant la place à la seule peur, lui laissant les jambes trop légères, prêtes à céder sous son poids.

Il devait poursuivre.

Un chat se mit à grogner furieusement depuis une allée un peu plus éloignée. Puis il y eut l'écho de caissettes en bois renversées, et de pas précipités.

Le silence reprit possession d'El-Gamaliya aussitôt.

Azim rangea son arme et compléta la distance qui le séparait de la voie.

Il se colla contre l'angle et ne fit dépasser que le bout de son visage.

Tout était calme et désert.

Le chat apparut alors.

Il s'immobilisa au milieu d'une croisée de chemins, les oreilles en arrière. De là où il se trouvait, Azim remarqua que c'était probablement un haret. Le chat ne devait pas craindre les humains, simplement s'en méfier.

Azim se dégagea de sa cachette pour venir vers la bête aux aguets.

Le haret lança un miaulement aussi éraillé que s'il avait la patte prise dans un piège douloureux et s'élança dans la nuit.

Azim ne bougea plus.

Totalement à découvert, au milieu de la ruelle.

Une longue forme se déplia d'un recoin du carrefour.

Son torse monta dans les airs, sa tête se releva en dernier.

Elle était enveloppée dans une défroque de toile, dissimulant ses formes, le visage masqué par une large capuche.

Azim avait le souffle bloqué.

La silhouette monta sur une caisse délabrée, et elle s'accroupit.

Il sembla alors au détective qu'elle penchait délicatement la tête en arrière pour... humer les odeurs.

Brusquement, elle se jeta en avant, sans bruit, mais avec une célérité surprenante.

Elle courait après le chat.

Azim était pétrifié, il n'osait la suivre.

Il l'avait vue.

La *ghûl*.

Elle existait.

Le haret se mit de nouveau à grogner, et il cracha férocement. En une seconde, le cri rauque se mua en plainte de souffrance.

Puis plus un bruit.

Azim devait agir, s'il restait là, la *ghûl* pouvait s'enfuir, ou le voir si elle ressortait en marchant sur ses pas.

Il inspira une goulée d'oxygène et rejoignit le carrefour le plus silencieusement possible avant de se couler à l'angle où avait disparu la créature.

À peine avait-il le dos contre le mur qu'il perçut du mouvement dans la périphérie de son œil gauche.

Elle ressortait.

Azim se plaqua aussi fort qu'il le put dans l'obscurité.

Le monstre était à moins de trois mètres de lui. Immobile.

Il tenait le chat d'une main. La pauvre bête pendait toute flasque, un liquide noir dégoulinant sur le sol. Bientôt, il y eut suffisamment de sang par terre pour émettre le son humide d'un écoulement continu.

La *ghûl* leva sa proie au niveau de sa bouche et Azim l'entendit renifler. Des inspirations successives, brèves et sifflantes. Comme si elle tentait de reconnaître l'odeur, pensa le détective, aussi fasciné que terrorisé.

Le visage du démon était toujours indiscernable sous son immense capuche.

Sans lâcher son trophée, il se remit en marche.

Et entra dans une impasse.

Azim ferma les yeux un très court moment tandis qu'il reconnaissait la place.

C'était l'impasse que lui avait indiquée le vieux témoin toxicomane.

Azim scruta la pénombre pour ne pas perdre de vue la haute silhouette.

Un bon mètre quatre-vingt-dix, au moins, remarqua-t-il. Il était bon de constater que son instinct morphologique de policier ne l'avait pas encore lâché.

La *ghûl* marqua un arrêt devant une porte du fond avant d'en pousser le battant et de disparaître à l'intérieur.

Trente secondes plus tard, Azim était devant la porte.

Provenant de la maison abandonnée, le raclement lourd d'un objet massif qu'on pousse contre le mur se fit entendre.

Azim attendit une minute supplémentaire. Plus aucun signe de vie.

Alors il poussa à son tour la porte et entra dans la gueule du loup.

Dérogeant à toute prudence, il alluma son briquet à essence.

La flamme monta, timide, et nimba d'orange un petit rez-de-chaussée encombré de gravats, un escalier en partie effondré conduisait à l'étage.

Dans l'angle opposé à l'entrée, une grande caisse pourrie avait servi à recueillir de l'eau croupie.

L'eau ondulait comme si l'on venait d'y jeter un objet assez volumineux.

Ou comme si on avait déplacé le baquet !

Azim vint s'agenouiller à côté et chercha une poignée sur les bords. La *ghûl* ne pouvait être montée à l'étage, le passage était impraticable.

Il devenait fou. S'il fallait faire quelque chose c'était s'enfuir loin d'ici. Prévenir l'imam pour qu'il vienne mettre un terme à cette abomination.

Mais Azim était incapable de faire demi-tour. Il voulait connaître la vérité. Coller au monstre jusqu'à n'avoir plus aucun doute possible. Découvrir son terrier, savoir.

Il n'y avait pas de poignée au réservoir d'eau.

Azim l'attrapa des deux mains et tira de toutes ses forces.

Il crissa en glissant.

Et un escalier menant à la cave s'ouvrit en dessous.

Azim repéra une tache gluante sur une des marches en pierre. Le sang du chat.

Le détective tenait son briquet devant lui pour tailler une frange ambrée dans les ténèbres. Il descendit l'escalier, presque en tremblant, et déboucha dans une pièce exiguë qui sentait la moisissure. Deux barriques de bois rongées par l'humidité servaient d'unique mobilier.

Azim leva sa flamme un peu plus haut, au-dessus de lui.

Un œil immense se braqua sur lui.

Aussi sombre que le Puits de Joseph la nuit.

L'œil noir pleurait face à la lumière ondulante du détective.

C'était un trou creusé dans la paroi, à un mètre de hauteur.

Un passage assez large pour permettre d'entrer à genoux, duquel dépassaient quelques racines. La terre était moite, s'ouvrant dans la cave d'une manière quasi obscène, avec sa chair brune qui perlait, ses veines blanchâtres qui pendouillaient et son odeur écœurante de pourriture. Azim fit un tour sur lui-même pour s'assurer qu'il n'y avait aucune autre issue.

S'il voulait suivre la *ghûl*, il devait s'embourber dans le boyau sinistre.

Azim s'accroupit et enfonça la main qui tenait le briquet dans l'ouverture.

Le monstre avait creusé son repaire comme un serpent qui s'enfouit dans le sol pour se délecter de ses proies.

Le détective pencha les épaules et entra dans l'intestin de la maison.

L'air se fit aussitôt plus épais, la lumière plus confinée.

Azim commença à avancer à quatre pattes, se servant du coude droit pour progresser afin de ne pas lâcher son unique source d'éclairage.

L'espace de trois mouvements et il fut couvert de terre.

Les racines fouillaient ses cheveux de leurs ramifications crochues, tandis que les aspérités des cailloux lui écorchaient les jambes.

Il ne distinguait pas à plus de cinquante centimètres devant lui.

Ce qui l'attendait plus loin n'était qu'un rond d'obscurité. Mouvement après mouvement, il s'enfonçait encore un peu plus dans ce néant, quittant le monde des vivants pour celui des démons.

Il avait des difficultés à respirer ; l'étroitesse du conduit l'oppressait.

La flamme se mit à vaciller.

Le passage devant lui ouvrit alors sa gueule pour libérer ses ténèbres qui rampèrent convulsivement vers Azim.

La flamme fut secouée de frissons et mourut.

Azim eut le temps de voir le trou noir devant lui qui arrondissait sa bouche comme un sourire gourmand.

Et la nuit éternelle de l'antre avança sa langue en sa direction pour recouvrir tout son être.

34

Tandis qu'elle lisait à la timide clarté du jour, dans une construction ballottée par des conditions météorologiques extrêmes, Marion vit le reflet d'une ombre massive qui passait dans son dos, une ombre qui étala sa largeur dans toute la salle avant de disparaître presque aussi vite.

Marion en oublia le récit égyptien. Elle était à quinze mètres au-dessus du chemin et il n'y avait aucun balcon.

Elle s'agenouilla sur le banc et se pencha vers la fenêtre.

Dehors la tempête était en train de saccager la végétation.

Soudain, le vent s'engouffra violemment sous une branche et l'arracha en la tirant vers les cieux. L'énorme morceau d'arbre craqua et tournoya dans les airs puis monta d'un coup en direction de Marion.

Celle-ci se jeta en arrière en laissant échapper un cri de surprise.

Elle vit la branche remonter la paroi de la Merveille en la rasant, projetant une ombre étendue sur le sol au moment de croiser la fenêtre. Les éléments se déchaînaient, il était peut-être temps de s'inquiéter davantage, de rejoindre la fraternité aux logis abbatiaux, ou de rentrer chez elle.

Tu es plus à l'abri ici, au cœur de cette forteresse de pierre que dans ta maisonnette ridicule ! Et de toute façon tu ne peux pas sortir avec un temps pareil, c'est un coup à se prendre une tuile sur le crâne.

C'était un coup de vent, voilà tout.

La tempête produisait d'étranges sons dans la Merveille, sifflant, claquant, grinçant un coup au-dessous, un coup au-dessus.

Marion alla se rasseoir pour prendre le sandwich qu'elle s'était préparé le matin avant de venir. Elle le déballa de son papier aluminium et l'entama en mâchant mollement.

La salle des Chevaliers ressemblait maintenant à une crypte ancienne dans l'imaginaire de Marion. Elle y vit une procession d'individus en robes et toges rouges, déambulant une bougie à la main, en préparant un sacrifice odieux à la gloire du diable.

Marion se mit à rire discrètement.

Pour peu qu'elle se laisse aller, elle était capable de voir tout et n'importe quoi ici, elle avait l'imagination d'un enfant.

Elle porta son sandwich à sa bouche.

Ses yeux remontèrent vers le passage surélevé.

Une silhouette était cachée dans la pénombre de la porte laissée ouverte par frère Gilles.

Impossible à discerner correctement de là où Marion se trouvait.

Elle ne remarquait qu'une étoffe sombre, et un large capuchon rabattu sur le visage. Une allégorie de la mort.

Marion se leva.

Celle ou celui qui se trouvait dans l'encadrement de la porte recula d'un coup.

— Hé ! appela Marion.

La silhouette disparut dans l'obscurité.

— Hé ! insista-t-elle beaucoup plus fort.

Et elle traversa la salle d'un pas rapide, monta les marches et franchit la porte. Plusieurs accès s'offraient à elle dans la pièce attenante.

Elle perçut le froissement de vêtement et le claquement sourd de talons contre la pierre devant elle et s'élança dans cette direction.

Le couloir tournait sur la droite, puis opéra un coude plus marqué.

Marion se précipita dans cet angle et n'eut que le temps de se rattraper aux murs pour ne pas percuter la haute présence en toge qui lui fit face.

Marion dérapa et se raccrocha in extremis à une saillie sur le côté.

— Eh bien ! Que vous arrive-t-il ? lui demanda-t-on sans empressement, avec cette décomposition des phrases en mots bien distincts qu'avait frère Christophe lorsqu'il parlait.

Marion reprit son souffle en le toisant. Lui n'avait pas du tout l'air d'être fatigué, à peine surpris.

— Je... Je cherchais quelqu'un... expliqua Marion.

— En courant ? C'est dangereux ici, vous pourriez vous ouvrir le crâne contre une corniche ou en tombant dans un des nombreux escaliers.

— Vous n'avez pas croisé quelqu'un à l'instant ?

Frère Christophe – frère anémie – secoua la tête sans réfléchir.

— Non, du tout. Qui cherchez-vous avec tant d'empressement ?

— Hum... (Marion prit le temps d'inspirer avant d'aller plus loin.) Quelqu'un qui m'a fait une... plaisanterie.

— Qui donc ?

309

Marion ouvrit grand la main devant elle en signe de pause.

— Je ne sais pas, quelqu'un portant une robe comme la vôtre, mais à visage couvert. Je lisais dans mon coin et il m'observait, voilà, vous savez tout. Et je pensais vraiment qu'il était passé par là.

— Eh non. Vous savez, c'est vaste, on a tôt fait d'y confondre les passages quand on ne connaît pas, et tous les sons sont répercutés en toutes directions, particulièrement aujourd'hui avec le vent. Dites, vous ne vous êtes pas fait mal au moins ?

Marion le rassura d'un signe de tête.

Elle réalisa alors qu'elle avait laissé le journal dans la salle des Chevaliers. À portée de main du premier venu.

— Merci, dit-elle, à bientôt.

Le frère n'eut pas le temps de répondre que déjà elle rebroussait chemin au pas de charge.

Elle retrouva l'immense pièce aux colonnes rondes.

Elle vit ses affaires posées au pied du banc dans le fond. Son manteau étalé.

Elle accéléra.

Le livre noir était bien là.

Le sandwich juste à côté.

Elle soupira, les mains sur les hanches.

Cette fois la paranoïa n'était pas à blâmer, elle avait *vraiment* vu quelqu'un qui l'épiait.

Ça allait trop loin. Elle devait en parler avec sœur Anne.

Et si sœur Anne était dans le coup ? C'était un peu tiré par les cheveux... Mais qu'allait dire la religieuse de toute façon ? « Calmez-vous, personne ici ne vous surveille... » ? Probablement quelque chose dans ce goût-là... Alors à qui en parler ? Joe ? Béatrice ?

Cette dernière était la plus à même d'être objective.

Marion savait qu'elle ne la prendrait pas de haut avec un sourire narquois.

Il n'y avait rien à faire, sauf attraper l'individu pour le démasquer et lui réclamer des comptes. Néanmoins, l'idée de partager cela avec quelqu'un la rasséréna.

Oui, elle allait redescendre au village et solliciter sa nouvelle amie.

Marion se mit à la fenêtre et constata que la tempête n'était pas calmée.

Dans une heure ou deux, si les éléments l'autorisaient, elle rentrerait chez elle.

Elle prit le journal de Jeremy Matheson.

D'ici là, elle savait comment s'occuper.

35

Écrasé par la caresse étouffante des ténèbres, Azim saisit son briquet des deux mains et précipita son pouce contre la molette.

L'étincelle crépita sans parvenir à repousser l'obscurité.

Azim paniquait. Il savait qu'il ne pouvait pas faire demi-tour, reculer ici serait très difficile et prendrait beaucoup de temps.

Il s'imagina alors ce qui pourrait arriver si la *ghûl* revenait sur ses pas, et venait à surgir devant lui, sous son visage.

C'était peut-être déjà le cas.

Elle s'approchait, rampant en silence dans sa direction, ses griffes cauchemardesques déchirant la terre à moins d'un mètre de lui. Elle était toute proche...

Pourquoi son briquet s'était-il éteint ?

Plus d'essence.

Azim secoua doucement l'objet devant lui. Non, il était presque plein.

Un courant d'air.

Non ! Un mouvement *d'air !*

Quelque chose – ou quelqu'un ! – bougeait dans le

passage et cela avait entraîné un appel d'air subit qui avait éteint sa flamme comme on souffle une bougie.

Cela signifiait qu'il n'était pas seul dans le boyau.

Azim essaya une fois encore d'allumer son briquet.

La flamme se releva avec une élégance rassurante.

Azim n'osait presque plus tourner la tête pour regarder devant lui, la terreur de ce qu'il allait y trouver le secouant jusqu'aux chevilles.

La face défigurée de la *ghûl*, ses dents pointues dépassant de sa gueule pleine de bave.

Ses yeux pivotèrent lentement.

Il n'y avait rien.

Rien d'autre que ce souterrain creusé à la main.

Il se remit en mouvement.

Il finit par distinguer un élargissement.

Il déboucha dans un couloir.

Azim sortit du trou à toute vitesse, suffoquant. Il déplia ses membres dans ce corridor poussiéreux. Des éboulis bloquaient un des accès, ne laissant qu'un chemin possible.

Où était-il ? Les murs étaient en pierre ; en approchant sa flamme, Azim crut y apercevoir des vestiges de décorations anciennes. Des peintures effacées par la gomme de plusieurs siècles.

Il avança d'une dizaine de pas et découvrit des morceaux de poterie brisés qu'il enjamba. Le plafond était haut, quatre mètres. À n'en pas douter, il évoluait dans un souterrain secret qui appartenait à quelques mystérieuses constructions de l'ancienne Qâhira[1]. Le couloir s'ouvrit enfin sur une salle plus large.

En arrivant sur le seuil, Azim se savait vulnérable, dévoilant sa présence avec sa lumière, mais il ne pou-

---

1. Vieille ville qui, avec Fustât, forma l'actuelle ville du Caire.

vait faire autrement. Il restait à espérer que la *ghûl*, pressée, n'avait pas remarqué son poursuivant et ne s'était pas enfoncée dans un recoin afin de le surprendre.

Le pied du détective heurta un objet de dimension réduite. Il baissa les yeux.

Ce qui ressemblait à un vieux papyrus pourrissait sur le sol.

Azim posa un genou à terre et baissa son briquet.

Le document était écrit en arabe. Il ressemblait à une note administrative d'un ancien temps. On rédigeait les papyrus officiels en arabe et non plus en grec depuis le VIIIe siècle, ce qui tendait à prouver que l'endroit où Azim évoluait était postérieur – ou du moins son utilisation avant d'être oublié. Azim ramassa le papyrus qu'il roula tout doucement avant de le glisser dans sa poche de veste.

Se fiant à son sens de l'orientation, Azim estima qu'il ne devait plus être très loin du bazar de Khan el-Khalili. Sa connaissance de l'histoire du Caire le conduisit aux déductions logiques qui s'imposaient et il opina du chef, seul dans cette obscurité. Il avait une idée de l'endroit où il se trouvait. Dans l'ancienne Qâhira, où Gawhar avait lancé la construction de palais gigantesques à la fin du Xe siècle, dont le plus important s'étendait sur plus de neuf hectares. Des historiens du monde arabe avaient témoigné des mille merveilles que le site recélait. Azim fit rejaillir de sa mémoire le nom de Nâsir-i Khusraw, un voyageur du XIe siècle, qui avait dévoilé l'existence d'un souterrain somptueux permettant au souverain d'aller du grand palais au petit, plus à l'ouest. Une galerie assez vaste pour qu'on puisse l'emprunter assis sur son cheval. La légende de ce souterrain venait de prendre forme sous ses pieds, réalisa Azim.

Le détective expira l'air chargé de poussière qui lui encombrait les poumons. Son esprit avait vagabondé dans l'histoire pendant dix secondes, le temps nécessaire pour évacuer suffisamment de peur et rester maître de soi.

D'autres faits historiques se bousculèrent dans son cerveau, plus macabres.

S'il se trouvait bien à proximité des fondations du Khan el-Khalili, cela impliquait qu'il n'était plus très loin d'un site maudit. En effet, le grand bazar avait été construit sur un ancien tombeau qu'on avait vidé de ses ossements sacrés. La *ghûl* ne pouvait rêver meilleure tanière pour sa nature maléfique.

Azim entra dans la salle, sa faible lueur n'en éclairant qu'une infime portion. En voulant assurer sa prise, il se brûla l'index sur le métal du briquet. Il étouffa la douleur en se mordant la lèvre supérieure.

Il ne tarda pas à remarquer une autre tache de sang sur le sol. La *ghûl* était passée ici avec son chat, le précédant d'à peine cinq minutes. Azim ne put réprimer un frisson qui le secoua violemment.

Quelle folie l'habitait ? Il était toujours temps de rebrousser chemin, de courir prévenir l'imam... Azim n'écouta pas sa raison, ses jambes progressaient déjà parmi les quelques débris de terre cuite vieux de presque mille ans.

Quoi qu'il y ait plus loin, il priait pour accéder à un escalier. Ne pas avoir à retourner dans l'infâme boyau, ne plus ramper dans cet enfer.

Les trois quarts de la pièce échappaient à son regard, la flamme n'étant pas assez puissante. Azim avança en longeant le mur le plus proche, dans la direction que semblait indiquer le monstre avec les gouttes de sang de plus en plus rares qu'il abandonnait dans son sillage.

Une ouverture sur la gauche.

Une autre salle.

La route du sang s'y engouffrait.

Azim passa le chambranle de pierre, traversa un couloir de deux mètres et pénétra dans ce qui lui sembla être – au son étouffé de ses pas – un lieu plus modeste.

Une terrible odeur d'urine acide se dégagea. Une autre ne tarda pas à s'y mêler, plus rance, un parfum de viande froide, celui qu'on trouve habituellement dans les caves des bouchers.

Azim éclaira d'abord une patère de fer qu'on avait fixée dans le mur très récemment. Une partie disparaissait sous le grand manteau à capuche qui y était suspendu.

La chair de poule gonfla les bras du petit détective. C'était la tenue de la *ghûl*.

Il était tout proche.

Cette fois il attrapa son revolver, peu lui importait que cela ne fût pas efficace, il avait besoin de son contact puissant.

Le halo orangé vint se poser sur un tonneau vertical, rempli d'un liquide noir. Azim s'avança lentement, guettant tout autour de lui, épiant l'indication d'une présence, d'un mouvement, craignant qu'on ne s'approche de lui sans qu'il le remarque.

Il se courba suffisamment pour que ses yeux soient à la hauteur du tonneau.

Le liquide était en fait de l'eau.

Rassuré, Azim se redressa.

L'horreur apparut à cet instant.

Elle se découvrit dans la clarté palpitante du briquet.

Juste sur le côté de la réserve d'eau. Le cadavre d'un homme.

Accroché au mur, une partie du visage écorché vif, les chairs encore suintantes de diverses matières biologiques. On lui avait arraché un bout du nez et la

317

majeure partie des joues et des lèvres, ouvrant à l'air libre la bouche et la dentition tout entière. L'émail jaune de ses dents gâtées luisait sous l'éclairage.

Il s'agissait d'un Noir, probablement un Soudanais, devina Azim, totalement imberbe.

Sa mort ne remontait pas à plus d'une heure ou deux, il avait les globes oculaires mouillés, et le gauche était anormalement gonflé.

Quelque chose dérangeait Azim, au-delà des mutilations qu'on avait infligées au pauvre homme, un détail qu'il ne parvenait pas à identifier lui posait problème.

Azim recula et se tourna.

Il baissa le bras pour donner de la lumière sur une vieille table.

Il se raidit.

Le cadavre du chat y était posé.

Il leva brusquement son arme devant lui, comme un bouclier, fouillant la nuit qui s'étendait sous le voile fin de la flamme.

La *ghûl* n'était plus très loin, il en était sûr.

En fait, elle était probablement ici même, avec lui.

Elle l'épiait.

Azim ne perçut pas le subtil déplacement d'air dans son dos.

Les ombres qui tissaient un mur derrière lui dévoilaient à peine la silhouette du grand Soudanais. Et dans ce noir compact, le cadavre bougea.

Furtivement, la tête se redressa. Ses yeux brillant dans ce qui restait de lumière, immenses et ronds. Ils fixaient Azim.

La mâchoire aux dents brisées s'ouvrit un peu, un filet translucide et opaque coula de la bouche sur le menton, puis sur le sol.

Et tout le cadavre se coula dans les ténèbres sans un bruit.

Azim, qui n'avait rien entendu, explora encore un peu la salle.

Des résidus de nourriture fraîche se partageaient une assiette sur la table. Des quignons de pain mâchouillés, réduits à l'état de pâte visqueuse, et une lamelle de viande dont un bord avait été sucé si longuement qu'elle était délitée par endroits.

Azim se prit le pied dans un objet mou.

Il baissa son briquet pour découvrir un empilement de fourrure et de viscères puants. L'ensemble grouillait d'asticots charnus.

Des chiens, des chats, et même quelques chacals, tous éventrés.

Azim contourna le charnier, et s'arrêta devant une paillasse crasseuse, dont une portion était recouverte par une couverture tout aussi sale.

Ce qu'il vit à côté lui creusa le ventre.

Des chaînes avaient été rivées au mur, du travail moderne, aucunement lié à l'archéologie du site. Les chaînes se terminaient par des bracelets en cuir, de petite taille.

Pour les poignets et les chevilles d'un enfant.

Une écuelle vide accompagnait un minuscule coffret. Azim s'approcha pour regarder dedans.

Le contraste de l'objet et de l'environnement était douloureux.

Un jouet. Le coffret contenait un train en bois, une locomotive, son tender et deux wagons, le tout monté sur roues pour qu'on puisse le faire circuler en le poussant du doigt.

Azim crut sentir un frottement derrière lui, il fit volte-face.

La flamme trembla, les ombres s'opacifièrent, elle se courba, se recroquevillant tandis que le détective devenait aveugle.

Puis le feu se stabilisa et reprit sa mince vigueur.

Azim ne distinguait rien d'anormal.

Sortir. Voilà ce qu'il devait faire. Il en avait vu assez. Il savait où se terrait le monstre. Rester devenait suicidaire.

Un détail qui ne correspond pas.

Azim ne parvenait pas à oublier le faciès atroce du cadavre.

Il y avait une anomalie dans ce visage, au-delà des tortures.

Non, pas une anomalie. Pas ça...

Azim tenta de chasser cette obsession de son esprit mais elle s'agrippait, comme une nécessité.

Comme un instinct de survie.

Il avait vu quelque chose mais ne parvenait pas à savoir quoi.

La mort était très récente. Pas seulement.

C'était en rapport avec... le mouvement.

Le Noir n'avait pas bougé, bien sûr. Alors pourquoi penser à ça ?

Non, pas le mouvement, plutôt... le regard. Les yeux.

Soudain, la vérité sauta sur Azim aussi fortement qu'un animal fonçant sur sa proie. Ses jambes se vidèrent une fois encore de toute substance, sa force le trahit en se réfugiant dans le néant.

Les yeux n'étaient pas parfaitement immobiles.

C'est impossible ! hurla Azim en lui. *Impossible ! Je l'aurais vu !*

Pas si cela était très léger. Pas sur le coup.

Et malgré le manque de luminosité, Azim se souvint alors que les pupilles avaient eu un réflexe. L'image apparaissait dans sa tête comme au ralenti, diffusant des extraits de sa mémoire à la manière d'un film du cinéma. Muet et pourtant si précis.

Il perçut le détail qu'il n'avait pas intégré correctement sur l'instant.

Ce subtil changement dans la pupille.

Trop synchronisé avec l'approche de la flamme pour être un réflexe *post mortem*.

Le Soudanais n'était pas mort.

Azim braqua son arme et sa lumière en direction du cadavre et fit les trois pas nécessaires pour découvrir le mur vide.

Le grand Noir n'était plus là.

Azim comprit enfin ce qu'il avait contemplé.

Il avait effleuré la *ghûl*.

Il s'était tenu à une dizaine de centimètres de ce qu'il croyait être un cadavre planté à un crochet alors qu'il s'agissait d'un démon adossé à la paroi.

La *ghûl* l'avait laissé venir.

Et à présent, elle se tenait quelque part, non loin de lui.

36

Azim laissa tomber son arme par terre.

Les balles ne pouvaient blesser une créature démoniaque.

Pourquoi refuser la vérité ? Maintenant il savait. Il ne pouvait plus nier l'évidence. Les démons existaient.

Et il allait mourir ici.

Dévoré vivant. Il se voyait hurler pendant que le monstre mâcherait ses tripes renversées sur le sol.

Lorsqu'une larme coula sur sa joue, Azim reprit ses esprits.

Il paniquait. Ses pieds reculèrent alors qu'il souhaitait avancer.

Son pantalon colla à ses cuisses.

Il s'était uriné dessus.

Fuir. Il devait courir. Rejoindre le tunnel creusé dans la terre, retrouver la surface, l'air de la nuit.

Azim voulut bondir mais ses muscles n'obéirent pas comme il l'avait commandé. Il fit plusieurs enjambées aussi désarticulées que s'il avait été un pantin mal guidé. Sa main trouva le soutien du mur pour se ressaisir. Il s'en servit comme d'un rail, aussi vite qu'il le put, il chercha à gagner le petit couloir.

Puis la grande salle.

L'air y était plus respirable, l'odeur supportable.

Azim ne voyait presque plus rien. Les larmes l'aveuglaient et la flamme de son briquet mourait sous les heurts de ses mouvements saccadés. Il trouva néanmoins le haut corridor conduisant à l'unique sortie qu'il connaissait.

On le suivait. Il en était certain.

C'était palpable dans l'air, la présence du Mal.

Le détective égyptien savait qu'il lui fallait décupler ses forces. À chaque seconde, il s'attendait à ressentir la douleur vive des dents s'enfonçant dans les chairs de sa nuque.

Ça allait arriver, sûr.

Plus vite.

L'entrée du passage creusé dans la terre apparut.

Azim en éprouva du plaisir, aussi vite balayé par la terreur.

Un débris de poterie avait craqué derrière lui.

La *ghûl* était sur ses traces.

Azim se précipita dans le goulet poisseux.

Son briquet s'éteignit d'un coup.

Le détective ne prit pas la peine de le rallumer. Il abandonna l'objet dans la panique de ses reptations.

Il rampait avec frénésie.

Encore trois ou quatre mètres et il serait dans la cave.

Encore trois mètres, pas plus.

Encore trois mètres à peine.

Il y était presque.

La nuit lui semblait moins dense devant.

La cave approchait.

La vie était encore possible.

Encore trois mètres ou moins.

Peut-être deux.

Et il survivrait. Et il sur...

Azim ferma les yeux.

Et il pleura en arrachant à sa gorge un cri plus rauque que celui d'un animal.

Sa cheville venait d'être agrippée par une main aux doigts longs et tordus.

*
* *

Jeremy Matheson était allongé sur le sofa du grand salon, une bûche achevait de se désagréger dans la cheminée, ouvrant son ventre fuligineux dans un grincement sonore, répandant ses entrailles rougies parmi les cendres qui s'envolèrent en petits flocons de neige morte.

Il était torse nu sous une couverture fine.

Son front était lourd, la gorge asséchée par trop d'alcool.

La villa était calme, Keoraz parti se coucher depuis un moment déjà. Ils avaient parlé, longuement. Et bu.

Keoraz le suspect parfait.

Jeremy avait beaucoup observé Jezabel. Sa beauté froide, son regard si tranchant.

Il y eut soudain un feulement dans son dos.

Celui d'un tissu léger se coulant sur le sol de pierre et ses tapis.

Jeremy se redressa pour se tourner.

Une main effleura sa joue, des ongles longs frôlant sa bouche.

Et on lui couvrit doucement les lèvres, l'empêchant de prononcer un mot.

Jezabel apparut dans une longue robe de soie, ouverte sur son corps nu.

Le bout de ses seins d'un rose si pâle se confondait avec sa peau blanche. Elle respirait fort, dessinant un trait vertical sur son ventre, au-dessus de son nombril, sa poitrine délicate se soulevant sur ses côtes visibles. Son pubis à peine fourni s'ouvrait en triangle comme le delta du Nil, une promesse de fertilité et d'épanouissement.

Elle repoussa Jeremy en arrière jusqu'à ce qu'il s'allonge, et elle lui retira son pantalon avant de l'enjamber pour s'asseoir sur lui.

Son sexe était mouillé, ses lèvres écartées par le désir.

Elle devait songer à cet instant depuis longtemps déjà, jusqu'à sentir son esprit plus dilaté encore que son intimité.

L'envie se propagea d'un coup en Jeremy, similaire à une décharge orgasmique, dressant son pénis, gonflant sa virilité tout entière ; il contracta les muscles de ses bras, ses pectoraux, en prenant Jezabel par les épaules pour l'attirer fermement contre lui. Ses petits seins caressèrent son torse fraîchi par l'air. Leurs deux peaux se plurent, se parlèrent, eurent la chair de poule en même temps.

Jeremy maintint sa maîtresse à un centimètre au-dessus de lui, et flatta son cou avec sa langue tout à coup plus humide.

Elle déhancha son bassin et leurs deux sexes se rencontrèrent.

Semblables à deux amis se retrouvant après une très longue attente, ils se touchèrent à peine, se goûtant, se savourant mutuellement, osant à peine se lâcher, tremblant presque à l'idée de s'étreindre aussi puissamment qu'ils l'auraient voulu. Puis Jeremy agrippa Jezabel par le cou et la força à baisser sa garde.

Son membre pénétra lentement son sexe.

La chaleur trempée propagea en lui des fourmis jusque dans ses reins. Et gagna sa raison.

Elle perçut la tiédeur tendrement rigide de son amant s'introduire en elle, ouvrir un chemin de jouissance à coup de frottement exquis. Et la douce inflammation de ses sens commença.

Jeremy ondula dans sa chair, bercé par ses fluides, la sève s'accumulant aux portes de sa résistance, prête à exploser pour le bouquet fécond.

Jezabel oublia ce qu'elle était, où elle était. Ses gémissements étouffés montèrent dans sa gorge, sans franchir le seuil de sa bouche. Elle crispa ses doigts sur Jeremy, ses ongles arrachant un sillon de peau.

Elle gémit encore.

Les yeux clos.

Encore.

Des trémolos remplacèrent ses plaintes de bonheur. Des stridences... électriques.

Le téléphone sonnait au loin. Dans le dos de Jezabel.

Elle se vaporisa sur lui, la couverture tomba sur le sol.

Jeremy ouvrit les paupières, groggy, soudain amer.

Il faisait noir dans le salon.

Le téléphone sonnait.

Jeremy parvint à s'asseoir dans le sofa, une main plaquée entre les sourcils. Son cerveau palpitait.

Il se souvint avoir bu. L'échange de mots avec Keoraz. Et Jezabel insistant pour qu'il s'allonge ici.

La sonnerie vrillait l'air sans faiblir.

On décrocha. La voix de Jezabel répondit.

Le désespoir perça un trou dans le sternum de Jeremy, écartant son plastron sterno-costal pour enfouir sa poigne à l'intérieur et presser son cœur.

Il ne l'avait pas possédée. Elle n'avait pas fait ce pas vers lui. Tout n'était qu'illusion.

Sa trachée se rétrécit d'un coup, une boule de chagrin gonfla en lui avant de remonter douloureusement par cette gorge trop étroite. Il la voulait. Ça ne pouvait pas être vrai, impossible, non, non, elle n'était pas mariée à ce type, elle ne l'avait pas quitté, elle l'aimait, elle lui offrait sa compagnie et son corps tout autant qu'il lui offrait son âme.

En une seconde elle surgit devant lui. Ses immenses yeux verts plantés sur lui. Elle était enfermée dans un déshabillé satiné, froide et belle comme une mort apaisante.

— C'est pour toi, fit-elle.

Il grimaça. Pas encore serein.

— Ça semble urgent, ajouta-t-elle de sa voix feutrée par les vestiges du sommeil.

Jeremy se leva et tituba jusqu'au téléphone.

— Oui, dit-il faiblement, la bouche pâteuse.

— C'est moi, Azim ! Je vous cherche depuis dix minutes, j'ai appelé partout ! J'ai...

— Du calme, je vous avais dit que je venais ici ce soir, qu'est-ce...

— Non, vous, écoutez-moi ! lança le détective arabe.

Sa voix était saccadée par l'émotion, il hurlait presque dans le combiné.

— J'ai découvert le tueur d'enfants ! J'ai remonté sa piste, je sais où est sa tanière, c'est une *ghûl* ! Vous comprenez ? C'est une *ghûl* ! Atroce ! C'est pour ça que le gamin avait les cheveux blancs ! C'est pour ça ! J'ai cru que j'allais y passer ! J'ai cru qu'elle m'avait attrapé mais c'était une racine, juste une racine ! Et je sais où elle se cache !

Jeremy venait de cuver son alcool en l'espace de trois phrases.

— Reprenez-vous, Azim. Que s'est-il passé exactement, racontez-moi.

L'Égyptien retraça son périple nocturne depuis son idée de traquer le monstre jusqu'à la racine qui lui avait agrippé le pied. Le débit de ses paroles était colossal, il mit moins de trois minutes pour tout rapporter à Jeremy. Cependant, il était bien incapable d'expliquer où se trouvait l'entrée du passage secret, l'absence de noms de rue ne simplifiait en rien cette tâche, il ne pouvait qu'y retourner en espérant ne pas s'y perdre.

— Très bien, Azim. Je vais vous rejoindre. Où êtes-vous ?

— Sur la petite place à côté de la mosquée Huisein dans le quartier d'El-Gamaliya. Je suis au téléphone relais de la police, dans l'angle de la place.

— La place Huisein, répéta Jeremy, très bien, je ne pourrai pas vous manquer. Ne faites plus rien, surtout ne faites plus rien et attendez-moi, je vous retrouve. J'arrive tout de suite.

Il raccrocha. Keoraz était entré dans le salon sans faire de bruit, il lui demanda :

— C'est une urgence ?

— Je dois y aller. Mon équipier a peut-être identifié le meurtrier.

— Je peux vous conduire. J'ai acheté la nouvelle Bentley, je peux dépasser les cent cinquante kilomètres à l'heure avec, vous serez à la mosquée Huisein en trois fois moins de temps. J'ai bien entendu ? C'est là que vous devez vous rendre ?

Jeremy retourna au sofa pour prendre sa chemise et mettre ses chaussures.

— Très aimable à vous mais je préfère y aller seul.

Keoraz allait insister lorsque Jeremy ajouta :

— Je vais emprunter un véhicule à mes collègues du poste d'Héliopolis. Je vous remercie pour votre coopération et votre hospitalité, vous aurez bientôt de mes nouvelles, monsieur.

Sans adresser un regard à Jezabel, il s'habilla et sortit dans la nuit froide pour rejoindre le poste de police à moins de cinq minutes à pied. Il ne laissa pas le temps de protester à l'officier d'astreinte et s'adjugea une des voitures qu'il fit démarrer du premier coup. Il descendit jusqu'au Caire et serpenta dans l'entrelacs alambiqué des rues avant de se garer à proximité de la mosquée où l'attendait Azim.

Jeremy sillonna la place dans toutes les directions. Il ne trouva aucune trace de son binôme.

La borne téléphonique était bien là, mais Azim n'y était plus.

Jeremy attendit une heure de plus, en espérant le voir surgir d'une ruelle.

Puis il rentra sonner l'alarme.

Béatrice débarrassa les assiettes pour poser sur la toile cirée de la table de cuisine deux verres à digestif.

— Tu prendras bien un peu de calva ? demanda-t-elle à Marion.

Celle-ci n'avait pas encore répondu qu'elle se trouvait avec une bonne dose d'eau-de-vie devant elle.

— Tu crois que c'est qui, alors ? insista Béatrice.

— C'est bien le problème, je n'arrive pas à savoir. Ils sont tous susceptibles d'être cette silhouette qui me guette.

Marion lui avait tout raconté pendant le dîner. De l'énigme de la tour Gabriel à l'espionnage en règle dont elle se sentait la victime.

— Enfin... Il y a ce frère Gilles, je ne le sens pas, ajouta Marion.

— Le vieux tout rabougri ? Je ne l'imagine pas courir dans les couloirs obscurs de l'abbaye, excuse-moi.

— Ça n'a duré que quelques secondes, ensuite je l'ai perdu. Même lui aurait pu le faire.

Un hurlement de terreur fit trembler les carreaux de la porte intérieure séparant le salon de la cuisine.

Grégoire regardait un film d'horreur à la télé tout en soulevant un petit haltère pour se muscler le biceps.

— Greg ! s'écria sa mère. Baisse un peu le son.

Puis, se retournant vers Marion :

— Il adore ces films fantastiques, non mais je te jure...

— Je ne sais pas quoi faire, Béa. Je n'ai pas confiance en la fraternité, ils sont bizarres.

— Genre secte occulte ? C'est comme ça que tu les vois ? Désolée ma chérie, ça va pas être possible. Ils sont réglo. Illuminés si ça te fait plaisir, mais tout ce qu'il y a de plus propres sur eux. Ça fait un moment qu'ils sont sur le Mont, tout le monde les connaît, tu n'as rien à craindre.

— Il y a pourtant quelqu'un qui s'est introduit chez moi, et pas qu'une seule fois ! On m'espionne et... tiens, l'autre soir c'était Ludwig ! Il était dans le cimetière à me mater.

Béatrice chauffait son calvados en faisant osciller son verre dans sa paume.

— Ah, Lulu... fit-elle, blasée. Bon, il faut que je te dise, le gros Ludwig, il en pince pour toi. C'est plus un secret maintenant. Il espère que tu vas l'appeler, il paraît qu'il t'a filé son numéro l'autre jour.

Marion se tint la tête dans la main, le coude posé sur la table.

— Pitié, pas ça...

— Oh que si ! Et attends un peu qu'il te coince une heure, il va te faire le coup du « j'étais un grand rugby-man, tu sais ». Il le fait à toutes les femmes un peu jolies qui viennent au Mont, demande chez la Mère Poulard, tu vas voir les serveuses ! Elles n'en peuvent plus. Il leur ressort à toutes les sauces qu'il jouait dans un bon club, à Lille je crois, qu'il aurait pu passer professionnel s'il avait poursuivi... et tout son baratin chiant pour se faire mousser.

Elle s'interrompit pour humer son alcool.

— Je t'en supplie, tiens-le à distance, quémanda Marion.

— Moi je n'ai pas ce pouvoir. Évite de sortir le soir, c'est tout ! plaisanta-t-elle.

— En tout cas ça ne résout pas mon problème. Qui me harcèle ? J'ai beau passer en revue tout le monde, je ne vois pas. J'ai même suspecté Joe !

— Rien à craindre. Doux et pacifiste comme un militant de Greenpeace défoncé à la marijuana.

Marion sourit à cette image.

— Tu excelles dans le lyrisme ce soir, commenta-t-elle.

— Y a des jours comme ça... Pour le vieux Joe, si je peux me permettre, il ne sort pas de chez lui, sauf pour aller faire sa promenade à Tombelaine, sinon il s'enferme presque tout le temps.

— Alors qui ?

— Moi.

Marion la fixa. Béatrice venait d'avaler une lampée de calvados, plus aucune trace de décontraction ne se lisait sur ses traits, elle était pensive, l'œil noir.

— Quoi ? s'étonna Marion.

Les prunelles de Béatrice coulissèrent en sa direction.

— Moi. C'est moi qui te surveille. Et tu sais pourquoi ?

Elle avait les lèvres humides.

— Parce que je suis lesbienne et follement amoureuse de toi ! hurla-t-elle en riant sans retenue.

Marion se décontracta.

— Pauvre idiote... Pendant une seconde...

Béatrice était aux anges.

— Tu m'as crue, hein ? Bon, allez, arrête avec ton stress. Je vais te dire ce qu'il se passe. Primo, dans la fraternité ils sont peut-être un peu trop prévenants, et ils se sont introduits chez toi pour vérifier que tu n'avais pas de drogue ou un truc comme ça, secundo, tu passes trop de temps là-haut, toute seule, et à force, cette vieille pierre, elle te joue des tours, tu vois des moines avec leur bure, c'est normal, c'est là qu'ils vivent, ton imagination enjolive le tout... Et, euh... tertio : les lettres sont juste un jeu, un des moines qui s'emmerde un peu trop, et qui n'a pas assez de Dieu pour s'occuper. Pas de paranoïa, je t'assure que tu t'en fais pour pas grand-chose.

— Ça ne fait pas encore deux semaines que je suis là, je ne sais pas si je tiendrai plus longtemps.

Béatrice lui adressa une moue approbatrice.

— Bien sûr que si ! Sinon, tu vas faire quoi ? Rentrer dans ton pavillon à Choisy-le-Roi, et retrouver la grisaille parisienne ?

Marion observa la couleur chaude de son digestif.

— Tu t'es accordé un répit ici, profites-en ! insista Béatrice.

Marion repoussa son verre.

— Béa, il faut que je te dise...

L'interpellée saisit immédiatement la gravité de son amie.

— Je ne suis pas en retraite ici.

Une lumière rouge s'alluma dans l'esprit de Marion. Elle allait trop loin. Elle grillait sa couverture.

— Je suis là parce qu'il faut que je disparaisse de la surface du monde, quelques semaines ou mois, je ne sais pas moi-même. Il faut qu'on m'oublie, le temps qu'il se passe quelque chose à Paris. Pour le moment je suis ballottée entre tous les services, toutes les possibilités, les procédures, c'est là que je suis vulnérable.

L'alarme retentit en elle. Il n'était plus possible de faire marche arrière. En cinq secondes elle venait de faire exploser tous ses mensonges précédents. Et tous les efforts de la DST. Que lui arrivait-il ? Pourquoi craquer maintenant ?

Béatrice déglutit bruyamment. Elle n'avait plus du tout l'air de quelqu'un ayant envie de rire. Elle s'assura d'un regard que la porte de connexion avec le salon était bien fermée.

— C'est la DST qui m'a amenée au Mont, une nuit.

— La DST ?

— Les services secrets français. Ils assurent la protection du territoire. Ça implique parfois les affaires menaçant la sûreté de l'État. Son équilibre.

— Merde, murmura Béatrice. Qu'est-ce que t'as fait ?

Marion se lissa nerveusement un sourcil. Elle avait commencé, il fallait poursuivre.

— Rien. J'étais là au mauvais moment, c'est tout.

— T'as menacé de mort le Président ou quoi ?

Marion nia d'un geste et rejeta la tête en arrière.

— Je ne travaille pas dans une agence de pub. En fait je suis secrétaire. À la morgue de Paris.

Béatrice ouvrit grand les yeux, ébahie.

— En rentrant de mes vacances, un matin, très tôt, je suis passée par une salle de dissection. Il y avait une copie de rapport d'autopsie qui traînait par terre. J'ai pensé qu'il y avait eu une autopsie dans la nuit, ça arrive parfois, dans les cas d'extrême urgence, et que le médecin avait descendu son rapport ici, à peine achevé, pour le donner à l'officier de police judiciaire. Et qu'il en avait oublié une copie qui avait glissé au sol. Alors je l'ai ramassé. Je l'ai parcouru.

Elle marqua une pause, les émotions du souvenir et de ses conséquences affluaient en masse.

— Fin septembre, un célèbre homme politique est décédé d'une crise cardiaque à son domicile.

— Oui, oh bah, ça, on peut pas l'ignorer ! Surtout avec ce qui se dit désormais.

— Il a été autopsié en toute discrétion à l'Institut médico-légal de Paris, une nuit. Et c'est ce rapport que j'ai trouvé.

Béatrice fronça les sourcils tandis que Marion débitait en un flot discontinu :

— Le médecin légiste qui a procédé à l'analyse du corps a stipulé qu'il n'y avait pas eu crise cardiaque, mais empoisonnement, ce que les rapports d'expertise toxicologique mettaient en évidence. L'homme était mort d'avoir ingéré trop grande quantité d'Arpamyl, un médicament du groupe des inhibiteurs calciques, prescrit pour les troubles du rythme cardiaque. Lorsque j'ai lu ça, j'étais surprise, mais sans plus, je n'ai pas bien réalisé. C'était juste une affaire politique pour moi. J'ai remonté le rapport que j'ai posé dans mes documents en attendant qu'il soit un peu plus tard pour aller le rendre au médecin concerné lorsqu'il arriverait. Mais la journée a passé et il n'est pas venu. À la radio, on continuait de mentionner la crise cardiaque comme cause du décès, on précisa même que c'était confirmé par l'autopsie pratiquée la veille. J'ai senti que quelque chose clochait. Alors j'ai gardé la copie. Le soir, c'était le même discours. Le lendemain matin, le médecin ayant pratiqué la fameuse autopsie est revenu, je suis allé le trouver pour en discuter avec lui. Il a aussitôt fermé la porte de son bureau et m'a demandé de lui rendre le rapport. Il m'a confié qu'il s'agissait d'une affaire d'État, que lui et moi n'étions pas à même de juger de cela, et qu'il nous fallait tout oublier. J'ai bien vu qu'il avait peur, qu'il suait d'anxiété, pourtant j'ai refusé. Moi le secret médical et tout le reste ça m'a semblé bien futile à ce moment. On parlait de mensonge lourd, d'une mort suspecte, ça changeait tout. Le médecin m'a presque menacée lorsque je suis sortie de la pièce. J'ai aussitôt faxé le rapport à toutes les rédactions des grands quotidiens de Paris.

— T'as fait quoi ?

— J'avais peur. Et j'ai pensé que c'était la meilleure chose à faire. Et j'ai appelé un OPJ, un flic que je connaissais, pour tout lui expliquer. Avant le soir, deux types venaient me prendre à part pour me causer. Des hommes de la DST. Et toute la merde a commencé.

— Ils t'ont menacée ? voulut savoir Béatrice.

— Non, au contraire. Ils m'ont dit que ça allait être difficile pour moi. Que je devais me taire pour le moment, ne surtout pas parler de ce que j'avais fait. C'est dans la semaine suivante, lorsqu'on a appris que la dernière personne à être venue rendre visite à la victime de l'empoisonnement était inconnue mais roulait dans une des voitures rattachées à l'Élysée, que le vrai scandale a explosé. La presse n'a pas tardé à divulguer des informations sentant le soufre. Que la femme du Président était soignée de son hypertension artérielle en prenant régulièrement de l'Arpamyl, exactement la substance ayant tué le pauvre homme. Les médias ont souligné qu'il y avait des différends de taille entre les deux grands politiciens, qu'ils se gênaient l'un l'autre pour la prochaine élection.

— C'est complètement dingue cette histoire. Je sais. Tout le monde dit que c'est impossible que le Président soit mêlé de près ou de loin au meurtre, et en même temps les autres disent qu'au contraire, c'est le geste ultime d'un homme gorgé de pouvoir, dépassé par son ego, qui n'a plus la notion de ce qu'il fait tant il ne vit plus que dans cette illusion de réussite permanente, ils disent que c'est le vice du pouvoir, sa face cachée, j'ai lu tout ça. Mais que tu sois à l'origine de tout ce bordel... alors ça !

Marion ne pouvait plus s'arrêter :

— L'opinion publique s'est mise à grogner réellement, massivement, lorsqu'il fut ordonné de procéder à une contre-expertise en autopsiant à nouveau le cadavre et qu'on découvrit que celui-ci avait disparu. Il avait été enlevé de son tiroir de la morgue sans que personne ne s'en rende compte, évaporé pour toujours. C'est là que j'ai pleinement pris conscience de l'ampleur que les événements prenaient.

— Je me souviens, même ici les gens ont menacé de monter à la capitale si on ne leur disait pas la vérité. Et ça gueule encore dans les cafés !

Marion poursuivit son explication en forme de catharsis :

— Le médecin légiste qui avait conduit l'autopsie nia en bloc la nouvelle version, il confirma la mort par crise cardiaque. Il avait été bien briefé, lui et celui qui avait procédé aux analyses toxicologiques. Je ne sais pas ce qu'on leur avait dit, mais ça marchait. Ils affirmèrent que c'était un canular. Le rapport d'autopsie reçu par les rédactions était un faux. Pourtant le numéro de fax de l'émetteur correspondait à l'Institut médico-légal. La presse s'est mise en quête de l'expéditeur. Moi.

— Ils t'ont trouvée ?

— Non, les flics que j'avais contactés ont réussi à garder le secret. Pendant ce temps, ils ont officialisé leur intérêt pour cette histoire et ont ouvert une enquête. On m'a dit que je serais amenée à être témoin s'il y avait un procès. C'est à ce moment que la DST est revenue me voir. Ils m'ont expliqué que ça allait trop loin, qu'il fallait me mettre en sécurité.

— Puisque ce sont eux les services secrets, qui craignaient-ils ?

— La garde rapprochée du Président. Les hommes d'ombre de son parti. Qui sait ? Ils ne m'ont rien dit.

— Je comprends pas, si la DST s'occupe de l'équilibre de la nation, pourquoi ils te protègent ? D'habitude, dans les films, ils ne s'emmerdent pas avec les détails, pof-pof, un coup de silencieux et le témoin embarrassant nourrit les poissons-tumeurs de la Seine.

— Dans les films... En réalité, la DST n'est pas un mercenaire à la solde du Président. Ils agissent réellement pour le bien du pays. C'est ce qu'on m'a dit. Et ils le prouvent avec moi. Un scandale impliquant le Président dans une affaire de meurtre politique ça fait du bruit, si derrière on découvre qu'il a fait assassiner celle par qui tout a explosé, c'est la guerre civile ! J'ai cru saisir qu'il y avait d'interminables luttes de pouvoir entre tous les organes officiels du pays, la DST se méfie des gardes du corps de l'Élysée, de certains flics ou gendarmes, et ainsi de suite. Alors ils me planquent loin de tout le monde, le temps de débroussailler et d'y voir plus clair. Pour ensuite me ramener à la vie. Et s'il devait y avoir des poursuites judiciaires, alors j'aurai mon mot à dire, en tant que témoin... Tout ça à cause d'un rapport d'autopsie égaré, le genre de truc si con qu'on n'arrive pas à croire que ça puisse se produire. Tu mets ça dans un film, tout le monde trouve ça gros. Et la réalité revient te démontrer qu'elle est encore plus simple et ridicule. En attendant, je dois me cacher.

— Alors tu es venue ici. Et ça peut durer longtemps ?

Marion se massa les tempes, elle était fatiguée.

— Je ne sais pas. Le temps que ça se calme, m'a-t-on dit. Le temps que ça se calme... C'est ça le pire. Ne pas savoir quand je rentrerai.

Béatrice termina son verre.

— La vache...

Elle cajola son amie d'une main dans le dos.

— Je vais y aller, annonça Marion.

— Tu veux dormir ici ? Je peux te faire un lit sur le canapé...

— Non, c'est gentil. Je vais rentrer, et lire un peu, ça me changera les idées. À demain sûrement.

Marion quitta sa confidente sur le perron de la maison, elle sentit le regard de Béatrice posé sur elle jusqu'à ce qu'elle disparaisse avec l'angle de la rue.

38

À neuf heures du matin, la chaleur était déjà telle que tous les Occidentaux sortaient une ombrelle à la main.

Jeremy Matheson paya un drogman pour l'accompagner dans les quartiers d'Abbasiya et de Gamaliya afin de retracer l'emploi du temps d'Azim, la veille. Par l'intermédiaire de son guide et traducteur, il posa mille questions, remontant peu à peu les faits et gestes de son collègue.

En début d'après-midi, il sortit d'une longue conversation avec l'imam qui accompagnait les guetteurs la veille. Son nom était vite arrivé aux oreilles de Jeremy ; la veillée aux allures de battue qui s'était tenue toute la nuit à l'initiative du détective arabe était désormais connue de toutes et tous à Gamaliya. La disparition d'Azim en revanche avait rendu les langues plus difficiles à délier, mais Jeremy n'avait pas tardé à trouver les clés idoines, usant de douceur, de corruption ou d'une certaine violence si nécessaire.

Khalil, celui qui avait attendu sur le toit avec Azim, les rejoignit à la demande de Jeremy.

L'imam et lui firent le récit complet de la nuit, le plan d'Azim et comment il avait répondu au signal effrayé d'un des veilleurs placé dans un secteur au sud d'El-Gamaliya. L'homme en faction avait aperçu Azim qui approchait sans parvenir à le suivre bien longtemps, le détective s'était fondu dans le labyrinthe de ruelles pour n'en plus ressortir. À l'aube, tous les guetteurs s'étaient dispersés, pressentant que la *ghûl* avait de nouveau frappé, sur un adulte cette fois.

En sortant de la mosquée, Jeremy savait deux choses sur la *ghûl* : sa description physique qu'Azim lui avait rapidement rapportée au téléphone, et que sa tanière était dans un sous-sol au sud de Gamaliya. Jeremy se hâta de retourner à son wagon où il prit une douche. L'eau fraîche ne suffit pas à éliminer la poisse qui collait sa peau à ses vêtements. Le malaise se faisait toujours pressant sur son cœur, aussi lourdement qu'une migraine sur le front.

Jeremy prit son téléphone et appela le secrétariat de Keoraz. Il voulait entendre le son de sa voix. Savoir ce qu'il faisait. Il ne pouvait plus le lâcher.

On lui expliqua qu'il était impossible de joindre M. Keoraz. Jeremy insista, se présentant comme détective et la secrétaire lui confia que son employeur était en ville, à faire les boutiques pour offrir une surprise à sa femme, il serait de retour dans les deux heures.

Jeremy raccrocha sans rien ajouter. Il ouvrit la bouche pour respirer à grandes goulées.

Il taquinait le serpent, il devait accepter de se faire mordre en retour.

Imaginer le physique revêche de Keoraz en train d'offrir une nouvelle robe à Jezabel lui coupa la respiration. Comment en était-on arrivé là ? Jeremy se leva pour se servir un verre et s'arrêta en chemin. Ça n'était pas le moment. Il avait mieux à faire.

Il arriva au poste de police, sur les rives du Nil, en fin d'après-midi, la douleur dans sa poitrine s'était estompée.

Il tomba de Charybde en Scylla.

La funeste nouvelle l'attendait depuis moins d'une heure.

Azim avait été retrouvé.

Dans un tombeau à la nécropole des Califes.

Jeremy se fit conduire sur place, la tête rejetée en arrière pendant tout le trajet, les yeux clos. Serein en apparence.

Il ne dit pas un mot, marcha dans le sable jusqu'au bâtiment ancien, en partie effondré, et entra dans ce qui devait être un hall.

Le soleil couchant illuminait le centre par les larges ouvertures sans fenêtres, rayonnant de ses flaques rouge brillant, faisant scintiller les cristaux de sable de rose, orange et carmin.

Azim était sur les genoux, le visage totalement enfoui dans le sol, ne laissant dépasser que ses cheveux noirs. Il avait les mains liées dans le dos, un cordage usé mais plus résistant que les poignets d'un homme. Il ne portait plus de pantalon.

Une barre de bois, de la dimension d'un manche de pelle, dépassait de son fondement, une substance blanche mousseuse enduisait encore une partie du bâton. Une grande quantité de sang pas encore totalement séché maculait l'entrejambe du détective, et ses cuisses en étaient couvertes.

L'extrémité du manche était tassée, fendue par des chocs puissants.

Le scénario était limpide.

On avait enfoncé la barre de bois dans l'anatomie d'Azim en l'enduisant de savon avant de la faire pénétrer plus loin qu'il était possible anatomiquement en frappant sur son extrémité à coups de masse.

Une mort lente et insupportable.

Des inspecteurs, essentiellement arabes, circulaient

sur le côté de la scène, accourant de toute la ville pour se rendre compte de l'horreur.

Ils parlaient à voix basse, écœurés, tirant des conclusions personnelles. De toute évidence, Azim avait été tué sur place, la nécropole étant déserte la nuit, personne n'avait pu entendre ses hurlements, c'était commode. Le tueur avait donc une voiture pour se rendre jusqu'ici avec sa victime, ce qui excluait quatre-vingt-dix pour cent de la population.

Jeremy entendit quelqu'un murmurer qu'il reconnaissait la torture, c'était une ancienne peine datant de la période ottomane de l'Égypte.

Le coupable de cette monstruosité jouait avec l'histoire.

Francis Keoraz avait prouvé qu'il connaissait l'histoire, qu'il l'aimait, songea Jeremy, une fois encore.

Le détective fit signe à un groupe d'hommes en qui il avait confiance et leur ordonna de s'assurer que l'autopsie serait pratiquée la nuit même, par le docteur Cork, par lui et personne d'autre.

Sur quoi Jeremy retourna au véhicule qui l'avait amené et, sans attendre son conducteur, prit le volant et roula à pleine vitesse vers l'antique mur censé protéger Le Caire.

De retour au poste central de la police cairote, il fonça au bureau qu'occupait Azim et s'installa sur le siège grinçant. Il ouvrit chaque dossier qui traînait sur le sous-main et dans les tiroirs, il éplucha chaque note récente de son collègue sans rien trouver.

Leur supérieur direct, Calvin Winscott, traversa l'allée centrale qui coupait la grande pièce en deux, il changea aussitôt de trajectoire lorsqu'il remarqua Jeremy assis à l'un des bureaux pour venir droit sur lui.

— Matheson, on vous cherche partout depuis une

heure, il y a le feu ici, bon sang ! On vous attend en bas, magnez-vous !

Jeremy, qui terminait d'effeuiller l'agenda d'Azim, ne répondit pas.

— Il faut que nous causions un peu tous les deux, continua Winscott. Ça va loin cette affaire, maintenant, plus question que vous soyez seul, c'est tout un bataillon de flics que je vais mettre sur le coup. Je veux savoir où on en est. Vous m'entendez ?

Matheson hocha vaguement la tête.

— Pour l'amour de Dieu, allez-vous prêter un peu d'attention à ce que j'essaie de vous dire ? s'emporta Winscott. (Il le prit par les épaules pour le forcer à le regarder.) Jeremy, on vient d'apprendre que tout Héliopolis est en état de siège. Tous les effectifs sont rameutés.

Winscott fit une grimace nerveuse, découvrant ses dents, avant d'ajouter :

— Le fils Keoraz a été enlevé cet après-midi. M. Humphreys, de la fondation Keoraz, vous attend en bas, il souhaite vous parler en personne.

39

Humphreys patientait dans une pièce mitoyenne à l'accueil, son torse volumineux tendait sa chemise sous une veste taillée sur mesure. Il faisait traverser sa longue barbe à ses doigts, s'en servant comme d'un peigne. Lorsque Jeremy entra, il se leva plus spontanément encore que s'il avait été assis sur un ressort.

— Détective...

Jeremy lui fit signe de le suivre sans lui adresser la parole, ils sortirent de l'immeuble pour gagner un café tenu par un Grec, un peu plus loin. L'endroit n'était fréquenté que par des Occidentaux, Jeremy y commanda deux whiskys et ordonna du menton à Humphreys de s'installer en face de lui.

— Je viens au nom de M. Keoraz, commença le directeur. Vous savez que son fils a été enlevé cet après-midi même. M. Keoraz souhaite s'assurer que vous allez tout mettre en œuvre pour retrouver son fils dans les plus brefs délais. L'enfant est fragile et...

— Qu'est-ce qui fait que votre patron s'adresse à moi ?

Aucune compassion ne filtrait dans la voix du détective, il était aussi froid qu'une pierre.

— M. Keoraz craint que l'enlèvement soit lié à ces

meurtres sur lesquels vous enquêtez. D'abord il s'agissait de pupilles de sa fondation, maintenant c'est son propre enf...

Jeremy l'arrêta en brandissant sa paume ouverte devant lui.

— Le tueur a attaqué ces enfants parce qu'ils étaient sous son nez. Ils représentaient des proies enviables, et faciles.

— Comment l'affirmer, c'est imposs...

— Oh si ! trancha Jeremy. Parce qu'on sait que le tueur est un proche de la fondation. C'est quelqu'un qui connaît ces enfants, il pouvait s'en approcher sans les effrayer. Il s'est introduit dans la fondation une nuit pour consulter en secret les dossiers des élèves, pour en savoir le maximum sur eux, et il connaissait les lieux, il n'a pas fracturé d'autres portes que celles qui conduisaient à ces dossiers, je le tiens de votre propre aveu, monsieur Humphreys.

— Vous suspectez quelqu'un de chez nous ? s'indigna le directeur en portant une main à sa barbe.

— Quelqu'un qui me connaît.

— Ça n'a aucun sens !

Jeremy reposa son verre alors qu'il allait le porter à ses lèvres.

— Celui qui a fait ça a pris soin de sélectionner des gamins qui avaient assisté à mes classes de lecture.

— Vous pensez que moi, ou même... Mme Keoraz pourrait faire une chose pareille ! Enfin, vous n'y êtes pas du tout !

— Non, c'est un homme, ce qui exclut Jezabel, et ça n'est pas vous non plus, vous avez les clés de la fondation, vous n'auriez pas pris la peine de fracturer les portes pour venir consulter les fiches des enfants. C'est quelqu'un de bien organisé, qui a suffisamment de pouvoir pour avoir accès à des informations relatives à mon travail. C'est quelqu'un qui pouvait savoir qu'un crime de sang commis à Shubra un jour où j'étais de service me serait confié, et que je ferais tôt ou tard le rapprochement avec le massacre des enfants, le même scénario barbare. Quelqu'un qui a tout orchestré depuis le début, minutieusement, pour m'entraîner dans cet engrenage. Quelqu'un qui veut m'impliquer le plus possible dans ces meurtres, que je sache qu'on s'adresse à moi, que c'est fait en partie pour moi, contre moi. On a tissé une toile de sang, dans laquelle Jezabel est aussi engluée. Je ne vois qu'une personne pour ça.

Humphreys secoua vigoureusement le visage, il refusait de croire en cette théorie absurde.

— Vous perdez la raison ! Le *fils* de M. Keoraz vient d'être enlevé ! En pleine journée, alors qu'il rentrait seul en tramway du Caire, à une heure d'affluence qui devait lui assurer la sécurité. Son professeur de piano a veillé à le mettre dans la rame, et sa gouvernante devait le récupérer à l'arrivée. C'est un réseau machiavélique qui est derrière cela, et vous, vous accusez son propre père ! Mais quel genre d'enquêteur êtes-vous ?

— Au contraire, il n'y a nul réseau derrière cet enlèvement, rien qu'une personne. Une personne qui connaissait l'enfant. Pour que l'enfant accepte de le suivre sans attirer l'attention. Le trajet est long entre Le Caire et Héliopolis, les arrêts multiples, ils peuvent être descendus n'importe où. Le fait est que j'ai appelé votre patron cet après-midi. Vous savez où il était ? En ville. Pour trouver une surprise à offrir à Jezabel. Pendant deux heures, au moins. Quel alibi meilleur que celui-là ? Il lui a suffi de passer par un magasin en vitesse, d'acheter son cadeau et de partir chercher son fils pour le déposer quelque part, probablement une maison qu'il a achetée ou louée sous un prête-nom quelconque. Lui prétextera avoir flâné de boutique en boutique, sachant que les vendeuses auront eu tant de clients qu'elles seront incapables d'affirmer l'avoir vu ou d'infirmer. Le doute, quand il concerne des gens de la stature de Keoraz, bascule toujours en leur faveur.

— Vous dites n'importe quoi !

Jeremy fondit vers son interlocuteur et lui attrapa la barbe, collant son visage à celui du directeur tout transpirant.

— Vous allez rentrer voir votre mécène adoré et lui dire que je vais lui faire payer ce qu'il a fait, prévint Jeremy en chuchotant ses mots. Tôt ou tard il commettra une erreur.

Il bondit sur ses pieds et sortit du café sans se retourner.

Il était presque minuit.

Dans le sous-sol de l'hôpital, le docteur Cork humecta ses lèvres craquelées d'une langue épaisse.

— Pourquoi toujours moi ? demanda-t-il, d'une voix où perçait une fatigue qui n'était pas physique.

— J'ai confiance, rétorqua Jeremy. Il n'y a pas beaucoup de médecins qui pratiquent de bonnes autopsies au Caire.

— Il n'y a pas beaucoup de détectives qui ordonnent une autopsie pour chacune de leurs enquêtes au Caire.

Jeremy opina et alluma une cigarette.

— Nous formons le couple idéal, commenta-t-il dans le nuage de fumée qui l'enveloppa. Alors, pour Azim ?

Le médecin croisa ses bras sur sa poitrine avant de s'humidifier une fois encore les lèvres.

— Mort lente, probablement quelques heures. Agonie phénoménale. On lui a entré ce pieu dans l'anus.

Il montra le morceau de bois long d'un mètre cinquante et d'au moins cinq centimètres de diamètre qui était posé sur une table. Une moitié du manche était couverte de sang à demi séché.

— On a forcé la perforation en frappant sur le bout du pieu qui dépassait, jusqu'à transpercer, peu à peu, les intestins, l'estomac... Bref, jusqu'à ce que la douleur l'immobilise totalement. Les sévices étaient tels qu'Azim était incapable de bouger une fois empalé, ça c'est sûr. Ce qui signifie que le tortionnaire n'a pas eu à rester pour attendre la mort.

Devant la mine impassible de Jeremy, le médecin précisa :

— Le coupable a fait ça à ce malheureux au milieu des tombes, et une fois son crime accompli, il a pu s'en aller, laissant Azim souffrir, se vider par toutes les hémorragies. L'assassin n'a eu besoin d'être sur la scène que cinq minutes, je dirais. Après, pour Azim, chaque frisson devait se répercuter jusque dans ses entrailles, lui arracher des cris ou des pleurs, je ne sais plus bien ce qu'un homme peut produire à ce stade-là. Il est impensable qu'il se soit relevé, ou même qu'il ait essayé de retirer le pieu. Il avait les mains attachées dans le dos et encore une fois j'insiste : le pieu lui remontait jusque sous le sternum, le moindre geste l'aurait rendu fou de douleur.

— Il a donc attendu de mourir...

Jeremy cracha la fumée de sa cigarette.

— Une minute ! s'étonna-t-il. Si le tueur n'est pas resté, alors pourquoi Azim avait-il la tête enfouie dans le sable ?

Cork brandit un index devant son nez.

— Justement, Azim n'a pas attendu son dernier

souffle. Je pense qu'après une heure, sa souffrance était telle qu'il a tenté d'accélérer le processus. Ne pouvant déplacer son corps, il a dû commencer par se frapper la tête contre une pierre. On m'a dit qu'il y avait deux grosses pierres à côté de lui, avec un peu de sang dessus. Et il s'est ouvert le front et la tempe droite. Encore un peu et il se perforait la boîte crânienne. Il a abandonné juste avant. Il a probablement attendu encore un bon moment, et de désespoir a tenté autre chose.

Cork fixa Jeremy, le regard sombre.

— Azim a enfoncé son visage dans le sable, en opérant des reptations j'imagine, pour s'étouffer.

Le médecin insista d'un hochement du menton.

— C'est ce qui l'a tué en définitive. Privation d'oxygène. Il en a tous les symptômes.

Jeremy soupira en reportant son attention sur le pieu à l'apparence sirupeuse.

— Autre chose, ajouta le médecin. On nous a apporté ce pauvre bougre comme il a été trouvé, sans pantalon. En revanche il avait sa veste et dedans j'ai extrait son portefeuille et... une sorte de papyrus enroulé. C'est écrit en arabe.

Cette fois Jeremy ne masqua pas sa surprise :

— Un papyrus ?

— Oui, petit et en très mauvais état. Il doit être vraiment ancien.

— Je peux le récupérer ?

Cork haussa les épaules.

— Bien sûr, sauf que pour l'heure il traîne dans les mains d'un confrère. Oh, pas d'inquiétude, c'est un homme de confiance ! Il travaille avec l'Université américaine, il est appelé lorsqu'on découvre des squelettes dans les fouilles, c'est un anthropologue, et il m'a assuré de m'obtenir rapidement une traduction du texte. Je vous donnerai tout ça à la minute même où ça me reviendra.

Jeremy acquiesça et semblait sur le point de partir lorsqu'il posa une main sur l'épaule du médecin.

— Docteur, lorsque vous avez autopsié le corps de ce gamin, vous l'avez reconnu, n'est-ce pas ?

Cork ouvrit la bouche en laissant échapper un gargouillis qui remontait de son estomac. Aucun mot ne sortit cependant, juste un souffle, long et fatigué.

— C'est un des enfants que vous avez médicalement suivis pour le compte de la fondation Keoraz, non ? insista Jeremy.

— C'est un enfant que je connaissais, en effet. Et... Je vous l'ai fait comprendre, détective.

Jeremy lui offrit un sourire triste.

— Et mes paroles ne sont pas à prendre à la légère, ajouta le docteur Cork. Quand vous retrouverez celui qui a fait ça, collez-lui une balle pour moi. Personnellement, si j'en ai l'occasion, je n'hésiterai pas une seconde.

40

Le moral de Marion était assorti à la couleur du café qu'elle touillait.

Pourquoi avait-il fallu qu'elle baisse la garde la veille au soir ? Une bonne soirée entre copines, un peu de vague à l'âme, le sentiment d'être toute seule, trop seule, et elle avait tout dévoilé.

Béatrice savait tout.

Marion la connaissait à peine, sa confiance ne reposait que sur un instinct des plus aléatoires. À mesure qu'elle avait tout avoué, elle s'était imaginé qu'elle irait mieux après, elle espérait que d'avoir partagé ses secrets l'allégerait. Il n'en était rien. C'était pire même.

Non seulement elle n'était pas plus forte, ne se sentait pas épaulée, mais en plus sa paranoïa ressurgissait. Et si Béatrice avait déjà tout raconté aux autres habitants du Mont ? Pis, si elle avait prévenu les rédactions des journaux pour vendre au plus offrant l'identité de leur mystérieuse informatrice ?

Et, comme un malheur n'arrivait jamais seul, elle ne parvenait plus à s'ôter de la tête le refrain de Johnny Hallyday, « Noir c'est noir, il n'y a plus d'espoir... », qu'elle avait entendu à la radio en prenant sa douche.

Elle ne savait plus quoi faire. Sa couverture était

grillée, comme on lisait dans les romans d'espionnage. Devait-elle rappeler la DST et leur demander de venir la chercher ? Qu'allait-elle leur dire pour tout expliquer ? Qu'un soir de fatigue, elle avait tout raconté ? Au-delà de l'humiliation, c'était témoigner d'une grande négligence. Ne seraient-ils pas en droit de lui répondre qu'ils l'abandonnaient, qu'elle serait impossible à protéger si au bout de dix jours elle se mettait à déprimer et à tout révéler à la première venue ?

Marion était lasse.

Depuis le mois d'octobre, sa vie n'était qu'inquiétude, surveillance, sans répit ; ceux qui souhaitaient qu'elle se taise avaient remonté sa piste, ils étaient suffisamment puissants et organisés pour cela, jusqu'à envoyer un motard dans son parking pour la terroriser. Ils ne se doutaient pas qu'elle était en contact avec la DST à ce moment-là, ce qui avait certainement changé depuis. Ses *ennemis* devaient la traquer, sonder chaque possibilité, pour la retrouver. Si c'était le cas, ils seraient désormais moins cléments, professa Marion, ils ne prendraient plus de risques, et tenteraient le tout pour le tout, en la supprimant.

La DST se chargeait de lui trouver un petit coin perdu pour qu'elle se fasse oublier, en attendant que la police judiciaire ait besoin de son témoignage. Si on en arrivait là...

Sa situation n'était qu'un vaste flou, sans ligne d'horizon.

— Qu'est-ce que j'ai fait...

Elle se prit la tête entre les mains.

Avait-elle le choix ? Il fallait attendre. Jusqu'à ce que la DST lui fasse signe. C'était préférable ainsi.

Et pour tuer le temps, il lui restait toujours son livre.

À bien y songer, cette histoire-là était au moins aussi folle. Elle vivait par procuration une enquête qui avait eu lieu plus de soixante-dix ans auparavant.

Avec un peu de chance et une matinée sur Internet, elle pouvait trouver des informations complémentaires sur cette enquête. Et même trouver comment tout cela s'était conclu.

Et te priver de cette découverte via le journal intime ?

Non, elle voulait le finir, aller jusqu'au bout. Procéder dans l'ordre.

Soudain, une boule d'inquiétude revint lui compacter l'estomac.

Et si le journal s'achevait en impasse, sans divulguer le fin mot de l'histoire ?

Alors elle se débrouillerait pour obtenir une connexion au Net, et elle débusquerait par elle-même la vérité. S'il y avait eu un article dans le *Petit Journal*, il y aurait sûrement plus de détails ailleurs, dans la presse anglo-saxonne de l'époque, sur des archives Internet.

Et si le tueur d'enfants était toujours en vie ?

Marion s'interrogea sur ce qu'elle ferait si elle était amenée à le rencontrer. Un vieillard.

Elle le dénoncerait à la police, là-dessus elle n'avait aucun doute.

Après si longtemps, y avait-il prescription ?

Pas à ses yeux, pas lorsqu'on massacre des innocents.

Lire allait la divertir, l'emporter loin d'ici, de ses tracas.

Marion monta s'habiller chaudement, et comme pour la veille, elle se prépara un sandwich avant d'ajouter une couverture à son sac. Elle sortit en fin de matinée pour rejoindre les hauteurs de l'abbaye.

Elle retrouva la salle des Chevaliers et ses ombres aussi élégantes que menaçantes. C'était le cadre parfait pour l'accompagner dans son voyage.

Marion touchait à la fin, le nombre de pages à lire s'amenuisait, le rythme s'emballait.

Elle déplia la couverture sous la fenêtre qu'elle s'était choisie, et se prépara à quitter le XXIe siècle.

Lorsqu'elle ouvrit la page de garde du livre noir, elle eut l'impression d'ouvrir une porte.

Les mots étaient une formule magique.

Elle les prononça délicatement pour commencer, puis accéléra.

Le Mont-Saint-Michel disparut.

Le soleil se mit à briller.

Les odeurs exotiques se répandirent sous son nez.

Et la rumeur d'une époque révolue monta tout autour de Marion.

41

À six heures du matin, Jeremy Matheson marchait sans but sous les remparts de la citadelle de Saladin, les hautes tours de la mosquée Méhémet Ali se dressaient comme deux bougies veillant à préserver un peu de lumière sur les ombres de la ville.

Ses pieds étaient meurtris, il errait ainsi depuis un moment déjà. L'esprit confus. Il avait traversé plusieurs quartiers aux ruelles tordues et si étroites qu'on ne passait pas à trois hommes simultanément, pour atteindre une ville moins compacte, moins mystérieuse, et franchir les artères droites et spectaculaires comme les Champs-Élysées parisiens. Il était encore trop tôt pour y voir circuler des hordes d'automobiles, d'ici deux ou trois heures le bruit des moteurs avalerait celui du vent et des artisans déjà au travail.

Jeremy ressassait toute l'enquête. Il cherchait la faille.

Keoraz devait tomber.

Au début Jezabel ne comprendrait pas. Pis, elle aurait certainement de la haine pour lui, pour avoir mis au jour la terrible personnalité de son mari. Cependant, avec le temps, tout lui apparaîtrait clair, elle accepterait la vérité. Avec de la compréhension, elle ouvrirait les yeux sur ce qu'il avait accompli, lui, Jeremy. Elle allait devoir être forte. Et il serait là pour l'épauler. Pour l'empêcher de trébucher.

Il allait lui tenir la main, et serait dans son sillage, discret, aussi longtemps qu'il le faudrait. Pour elle. Sans rien demander en retour.

Elle serait dure avec lui, comme à son habitude, intransigeante et cruelle. Odieuse, parfois. Par mécanisme de protection. C'était sa défense à elle. Contre l'émotion qu'il lui inspirait. Il ne pouvait pas croire que leur amour s'était inversé, jusqu'à devenir cette haine vicieuse ; au fond d'elle, elle éprouvait encore une énorme tendresse pour lui, et c'était cela même qui la rendait folle. Elle lui faisait payer ce sentiment qui la dépassait à chacune de leurs rencontres.

Il allait devoir se montrer patient. Aimant également.

La soutenir.

Jeremy se rendit compte qu'il venait de traverser la place Saladin, il était à présent sous les murs de la prison.

Le ciel blanchissait derrière la citadelle.

Les coups de feu crépitèrent, claquant furieusement dans l'air sec du matin, résonnant contre les hautes enceintes de la cour intérieure.

Jeremy s'immobilisa et ferma les yeux.

Il fouilla la poche de son pantalon jusqu'à extraire un paquet pour s'allumer une cigarette.

Combien étaient-ils ? s'interrogea Jeremy en aspirant le tabac. Qu'avaient-ils pensé ces dernières minutes ? Pendant que lui-même arpentait la place, ils sortaient de leurs geôles, sachant qu'ils faisaient leurs derniers pas, que c'était leur dernière aube, et qu'ils quittaient leurs vies, l'existence tout entière, pour n'avoir su se conformer à une société qui les bannissait à jamais.

Lui fumait ici, paisiblement, et eux n'étaient déjà plus.

Des corps inertes, criblés de balles.

Les condamnés à mort exécutés sous le silence solennel du petit matin, dans un quasi-anonymat, comme s'il y avait une certaine honte à appliquer la sentence.

Derrière les rails de tramway, juste après un pâté d'habitations en partie masqué par la prison, s'étirait un gigantesque cimetière, grand comme cinq quartiers du Caire, où tombaient dans l'oubli, génération après génération, celles et ceux qui avaient rempli cette cité. Tous ces hommes qui s'étaient arrêtés un jour pour penser à la mort des autres, toutes ces femmes qui avaient pleuré la disparition d'un des leurs.

Jeremy expédia son mégot d'une pichenette du majeur et traversa toute la place en sens inverse, en direction de la mosquée Hasan, massive et dominatrice, pour regagner le boulevard principal.

Il se sentait épuisé, détaché de son corps, une sorte d'ivresse lointaine.

Il attendit le premier tramway et remonta dans le nord du Caire, jusqu'au quartier général de la police égyptienne où il avait son bureau. Afin de pallier sa fatigue, il attrapa un plan détaillé de la ville et entreprit de lister tous les hôpitaux à proximité du quartier de Shubra. Il avait sa stratégie. Son plan de guerre.

Si le meurtre du vagabond de Shubra était bien le premier crime du tueur d'enfants – les mêmes symptômes de frénésie inhumaine –, alors son coupable avait peut-être fréquenté les hôpitaux environnants. Lors de leur dernière conversation téléphonique, Azim avait brièvement conté son aventure, et sa découverte du monstre : un géant noir chauve, aux joues ouvertes sur des mâchoires gâtées. Il avait hurlé que c'était une goule.

L'explication folklorique de la nature monstrueuse de cet individu n'était pas l'unique.

Si pareil homme avait tué à Shubra, alors il était possible que les hôpitaux locaux le connaissent pour avoir pansé son affection étrange.

Les lieux de soins environnants n'étaient pas très nombreux, l'hôpital juif étant déjà assez éloigné pour un homme qui n'avait probablement pas d'autre moyen de locomotion que ses jambes. Et il se déplaçait probablement la nuit, pour ne pas être vu.

Jeremy emprunta une automobile et passa deux heures à l'hôpital Lord Kitchener, qu'il connaissait bien puisque c'était là qu'officiait le docteur Cork à qui il confiait systématiquement ses autopsies. Personne ne semblait se souvenir d'un géant noir au visage à moitié écorché.

Il prit alors la direction du deuxième et dernier établissement, l'hôpital Bulaq. Une infirmière reconnut la description faite par Jeremy, puis un médecin. Ce n'était pas le genre de patient qu'on oubliait.

L'homme était venu se faire soigner une fois, plus d'un mois et demi auparavant, fin janvier. Ils avaient même tenté de le faire interner en asile, pour au moins quelques semaines, le temps qu'il se refasse une santé, mais il s'était enfui avant l'arrivée du véhicule. L'homme vivait dans la rue, et tenait plus du chien errant, il ne parlait pas, était écorché sur tout le corps, et souffrait de sous-alimentation. Il avait été amené ici, de force, par des policiers du poste de Shubra qui l'avaient trouvé recroquevillé dans une ruine du quartier. Son apparence terrifiante les avait tout d'abord conduits à penser que c'était un cadavre, les joues mangées par les bêtes, jusqu'à ce qu'il bouge.

Apeurés, puis curieux, les deux policiers locaux avaient transporté le géant qui n'avait pas manifesté d'hostilité.

On ne l'avait plus revu depuis, soit il était mort, soit il était très discret, se terrant dans quelque recoin sordide des environs.

Quant à son affection, le médecin était dubitatif. Cela avait des allures de lèpre sans en être une. L'homme avait les joues dévorées, sans chair, le nez en partie rongé également, et un œil était anormalement ouvert, presque pendant. La mâchoire du géant était impossible à ouvrir, comme collée en position fermée, ce qui expliquait l'état de dénutrition, le patient étant réduit à n'avaler que des aliments presque liquides qu'il devait introduire dans sa bouche par les minces ouvertures entre ses dents pourries.

Peu après l'heure du déjeuner, Jeremy était sur le chemin du retour.

Francis Keoraz disposait d'une armada de contacts, il était tout à fait envisageable que cette sinistre histoire d'homme-bête soit parvenue à ses oreilles et qu'il ait entrepris de retrouver cette créature, ce qui, avec une bonne organisation, n'avait pas été difficile. Celui qu'Azim surnommait la goule était à présent enfermé ou tout simplement logé quelque part. Keoraz le gardait en lui offrant un toit et de la nourriture.

Jeremy alla s'installer à la terrasse d'un café dans les jardins du Royal Yacht's Administration, tout proche de son bureau, face au Nil sur lequel miroitait un soleil de platine.

Il préparait mentalement son rapport.

Le géant noir était assurément un immigré du Soudan, que sa famille avait rejeté à cause de la laideur de son affection, quelle qu'elle soit. Il avait grandi dans un des taudis de Shubra, zone aussi sauvage que la savane des prédateurs africains. Là où ni la police, ni l'état civil ne pénétrait encore, dans un univers échappant à toute règle, à tout regard. Seul et défiguré, il s'était construit au travers de ses propres schémas mentaux, s'inventant ses règles à lui. Peut-être n'avait-il tout simplement pas grandi dans son esprit. Il était encore l'enfant qui avait souffert de sa maladie, que ses parents avaient repoussé sous les quolibets et les coups de ses camarades du même âge.

Oui, la théorie fonctionnait.

Et c'était cette haine qui remontait à la surface.

Sa barbarie n'était que le miroir de ses souffrances, et les enfants étaient à ses yeux la cause de ses maux, la source de sa solitude.

Il extériorisait sa géhenne.

Voilà qui se tenait.

Et Keoraz... La personnalité de Francis Keoraz était déjà connue, Jeremy s'en était fait une représentation assez précise, celle d'un homme de pouvoir, habitué à tout avoir, à posséder toujours plus, à faire encore mieux, sans limite, jusqu'à se perdre soi-même.

L'appétit de pouvoir avait engendré une spirale démentielle.

Mais Keoraz était un homme civilisé, trop empreint de cette éducation, et s'il se sentait au-delà de la morale aujourd'hui, il n'était pas capable de toutes les atrocités commises sur les enfants morts.

Il se servait de la goule.

Il manipulait le géant noir, en véritable maître de marionnette, il tirait les ficelles, guidant l'homme blessé sur le chemin de la haine, l'initiant à cette forme d'exutoire que pouvait être le crime. Une libération absolue, enfin une source de plaisir pour lui.

Et Keoraz jouissait de cette autorité, il observait, en retrait, les actes ignobles de *son* monstre. Tel un Frankenstein, il était la silhouette ombrée derrière la créature sur laquelle tous se focalisaient.

Non, reprit Jeremy, il fallait préciser dans son rapport final que Keoraz ne jouissait pas seulement de cette omnipotence sur les autres et sur la vie et la mort, mais il était bien plus sordide encore : il jouissait réellement ! La semence retrouvée sur le toit au-dessus de la scène de crime du dernier enfant massacré en témoignait.

Pendant que la goule frappait, Keoraz se tenait à distance et matait, pour alimenter ses fantasmes de porc.

Jeremy hocha sombrement la tête.

Keoraz allait y passer.

Le millionnaire était fourbe et retors. Au point d'enlever son propre enfant pour s'assurer le soutien de l'opinion publique et pour conforter son apparente innocence tandis qu'il se sentait menacé par l'enquête. Il ne faisait aucun doute pour Jeremy que Keoraz était de ces êtres à part, au-delà de l'égoïsme, dans un état de survie permanente, impliquant de n'avoir aucune attache réelle, peu d'émotions, et surtout : un détachement total de son être par rapport au monde. Keoraz n'était à ses propres yeux qu'une conscience au milieu d'un jeu ; toute chose, toute forme de vie n'étant que des instruments pour son propre amusement, son développement personnel.

La question qui demeurait en suspens : jusqu'à quel point était-il froid et distant ? Serait-il capable de mettre à mort le fruit de sa chair ?

Jeremy serra le poing. Keoraz devait tomber.

Il ne manquait plus qu'une seule chose pour cela : la preuve.

Une marque concrète qui le reliait aux crimes, à cette... goule.

Ce qui n'était plus qu'une question de temps.

Jeremy paya son café et passa au poste de police pour s'assurer qu'il n'avait aucun message. L'effervescence était à son comble, des indépendantistes circulaient en ville, se livrant à divers actes de vandalisme, et tous les hommes valides étaient appelés en renfort pour contenir les émeutiers.

Les manifestations qui dégénèrent et les morts politiques se succédaient depuis des années sans qu'aucun accord satisfaisant pour toutes les factions ne puisse être trouvé.

Jeremy esquiva la réquisition et prit la direction des quartiers est du Caire, en prenant soin de faire un large détour par le nord, afin d'éviter les affrontements dans les rues du centre.

Il chercha une heure, le temps de retrouver le drogman qui l'avait aidé la veille pour s'entretenir avec les autochtones. Il paya le guide en échange d'un service : recenser et localiser tous ceux qui avaient aidé Azim à traquer le monstre la nuit de sa disparition, pour resserrer l'étau autour de l'antre de la goule. Il fallait commencer par l'imam rencontré le jour précédent, ce dernier devait connaître la majeure partie des habitants des environs, il serait un point de départ parfait. Parmi les témoignages, il y aurait peut-être des éléments à recouper, et avec de la chance, de quoi débusquer la tanière de la créature. Le drogman devait poser toutes les questions, et s'il obtenait des résultats intéressants, il serait rémunéré en conséquence.

Jeremy alla dîner dans le secteur de la gare, où les émeutes semblaient n'avoir aucun impact.

Puis il rentra chez lui, la vision troublée par les vapeurs capiteuses du vin qu'il avait ingurgité.

La nuit tombait sur Le Caire.

Il n'était pas soûl, loin s'en fallait, juste un peu gris, ce qui suffisait pour se réchauffer le cœur, et pour se donner du courage.

Lorsqu'il passa sous l'auvent attenant à son wagon, le détective mit tout de même cinq pas pour s'immobiliser après avoir constaté qu'il y avait un objet inhabituel dans son champ de vision.

Un tube de carton était posé sur une caisse, juste à côté de l'entrée, long de quarante centimètres, similaire à ceux utilisés pour ranger les cartes dans les bibliothèques.

Jeremy l'ouvrit et en sortit un morceau de papyrus. Une note du docteur Cork l'accompagnait.

Il ne faisait pas encore trop sombre, et en collant son nez dessus, Jeremy parvint à la déchiffrer.

« C'est un document administratif qui date a priori du XIIIᵉ siècle, il concerne l'entretien des sous-sols d'un palais et les dépenses pour la construction de l'hôpital du sultan Qalâwûn. Il y est fait mention de la possibilité de boucher les souterrains reliant le petit palais au grand palais. Mon ami m'a joint une note explicative, ces souterrains se situent environ entre la mosquée actuelle de Huisein et l'université El-Azhar, ils n'ont jamais été découverts mais plusieurs archéologues travaillent dessus. Et vous savez quoi ? Dans la liste de ces archéologues que mon ami m'a donnée figure le nom d'un de nos clients : Fredricks Winslow, le pauvre type assassiné par balle il y a un mois et demi, votre "enquête merdique" comme vous disiez. Il clamait avoir trouvé un accès à ces souterrains paraît-il, juste avant d'être tué. Appelez-moi demain matin ou passez me voir. Bien amicalement. Dr Cork. »

Jeremy allait froisser la note mais empêcha ses doigts de donner libre cours à sa colère. Le vin lui fit tourner la tête un bref instant.

Winslow n'était pas seulement un archéologue assassiné à la sauvette, c'était une connaissance. Jeremy et lui avaient souvent bavardé dans quelques soirées huppées de la ville. Winslow n'avait pas bonne réputation, on le disait « bricoleur », prêt à arranger des découvertes pour leur donner plus de valeur encore, il ne respectait pas les protocoles, et faisait bande à part, ne creusant pour le compte d'aucun musée, il aimait proposer ses services au plus offrant des collectionneurs. C'était une « enquête merdique » pour sûr, Jeremy n'avait pas manqué de souligner le nombre de suspects qu'il était possible de trouver. Entre ses confrères véreux du mercenariat archéologique, prêts à tout, et quelque illuminé fanatique qui ne jure que par la préservation des lieux anciens, les pistes pouvaient partir dans toutes les directions, et Jeremy n'avait toujours rien trouvé lorsqu'il avait mis de côté cette affaire pour prendre celle des enfants massacrés.

Jeremy fit le point en vitesse.

Désormais, même le plus obtus des magistrats ne pourrait plus refuser ses conclusions. Il y avait plus qu'un lien entre lui et ces meurtres. Tout ce que le tueur faisait était accompli dans la volonté de lui nuire. De lui tourner autour.

Une fois encore la réalité allait plus loin que la fiction. Pas de faux-semblant, rien qu'un coupable évident depuis le début et que le temps finissait par confondre. Pas de coup de théâtre final comme dans la littérature d'Agatha Christie, rien que la simplicité des évidences, la triste évidence du réel. Keoraz était son premier suspect, et c'était en fin de compte le coupable.

Dans une fiction, le médecin légiste aurait fait le coup, estima Jeremy. Il vivait dans le sang, un ancien de la guerre, traumatisé... Il connaissait les enfants par le biais de la fondation, et avait pu rencontrer la goule un jour en la soignant à l'hôpital. Et c'était lui qui avait autopsié l'archéologue, Winslow, il lui avait été possible de s'introduire ensuite chez lui pour consulter ses notes.

Et dans un roman écrit par une femme, Jezabel aurait été la coupable parfaite. Une femme déséquilibrée, sans racines réelles, une orpheline en quête de repères...

Autant de théories folles.

Jeremy roula avec attention le papyrus et le rangea dans sa veste.

Il allait entrer dans le wagon quand son pied dérapa en voulant se bloquer net.

La porte était ouverte. Il ne l'avait pas remarqué en arrivant.

L'alcool reflua de sa conscience jusque dans ses entrailles, libérant une partie supplémentaire de son attention.

Juste à temps pour entendre le doux frottement d'un pas qui recule avec prudence sur la moquette.

Autant de bonnes folies...

...avoir voulu avec votre Compagnie... dire le cas...

Il alla s'enfer dans la voiture quand son père de... en voiture... plus...

La porte était ouverte. Il en avait pu... remarque en arrivant...

...devait être de se servait... que dans les... mailles... le... normale... supplément... moment...

...remit... en voiture les deux... passait reste avec prudence qu'il... moment...

42

Francis Keoraz.

Marion en était presque déçue. Le coupable semblait trop évident. Pourtant, comme le soulignait Jeremy, la réalité était souvent aussi simple. Pas de coup de théâtre au dernier moment, pas de machination diabolique, rien qu'une banale trajectoire personnelle qui vire progressivement au drame. De par son expérience de secrétaire à l'IML de Paris, elle savait que les enquêtes criminelles tournaient essentiellement autour de la même chose : histoire de jalousie, d'avidité, de convoitise. JAC. La plupart des morts violentes avaient le même coupable : JAC. Jalousie, Avidité, Convoitise.

L'un ou l'autre guidait la main, sinon l'esprit, des meurtriers de notre monde.

Sauf les tueurs en série.

Eux étaient différents. Incomparables avec les autres délinquants. Les notions de quête ou de développement personnel, d'équilibre, de survie, étaient en jeu dans leur macabre mécanique.

Mais presque tous les crimes commis en dehors de ces monstres atypiques reflétaient d'une manière ou d'une autre la présence de JAC.

JAC a dit.

L'homme a fait.

Keoraz était d'un genre tout autre. Marion s'amusa à le caractériser selon son propre jargon. De sadique compulsif, il était devenu plénipotentiaire obsessionnel à la solde d'une ambition dévastée par ses propres succès. L'un et l'autre s'étaient confondus jusqu'à donner naissance au pervers destructeur.

Les termes étaient peut-être un peu forts, mais Marion était fière de son analyse. Elle se faisait penser à cette romancière américaine, Patricia Cornwell, qui avait été informaticienne dans une morgue avant de se servir de ce qu'elle avait appris et entendu pour inventer ses propres fictions.

Je suis moins douée, et surtout moins riche !

Finalement, Jeremy Matheson avait *senti* dès le début qui était le coupable de ces crimes. Pendant une seconde, Marion fut tentée de mener sa propre enquête, aller sur Internet pour découvrir comment tout cela s'était terminé. Elle balaya cette idée aussitôt. Il lui restait encore quelques pages à lire. Qui mieux que celui qui avait été aux premières loges pouvait raconter l'épilogue de ce drame turbulent ?

Encore une grosse vingtaine de pages et elle saurait.

Et que dire de cette... *goule* ?

Marion s'était laissé porter par le récit, ne s'interrogeant véritablement qu'avec Jeremy, ne cherchant pas elle-même les réponses aux diverses énigmes alors qu'elle était en mesure d'en percer à jour certaines. Puis elle avait pris le temps de cerner le problème.

La goule.

Il s'agissait d'un homme bien sûr, pas d'une créature démoniaque. Un homme souffrant d'une affection qui lui avait rongé la peau. Au début, Marion avait pensé à la lèpre comme il était suggéré dans le récit de Jeremy, mais cela ne tenait pas la route. Elle s'était alors remémoré le nom de cette maladie qui continuait de ravager des corps, encore aujourd'hui, notamment en Afrique.

Le noma.

La souffrance à l'état pur.

Une affection gangreneuse qui ronge les tissus de la bouche et du visage. Marion s'en souvenait d'autant plus qu'après avoir vu une émission à la télévision sur ce fléau, elle avait retapé un long rapport sur le noma dans le cadre d'un mémo destiné à tous les hôpitaux et services médico-légaux du pays depuis qu'un nourrisson avait été retrouvé mort de la maladie dans un squat infect de la banlieue parisienne.

Le nom « savant » lui revint en mémoire.

Cancrum oris.

Encore peu connu du grand public, et pourtant si cauchemardesque. La maladie n'était pas contagieuse et ne touchait que les milieux extrêmement pauvres aux conditions d'hygiène bucco-dentaire et de nutrition exécrables ; en dehors de très rares immigrés, on ne rencontrait pas cette affection en France. Néanmoins les experts en saisissaient toute l'horreur, celle de la mutilation physique et des déformations qu'elle entraînait, et de toutes les conséquences psychologiques et sociales.

Dans les années 1920, souffrir de ce mal signifiait l'exclusion, la mise au rebut, et la haine. Cet homme, déjà rongé par l'infection, avait été raillé, persécuté, tyrannisé. Jusqu'à s'exiler, pour une existence de souffrance. La difficulté à trouver de la nourriture, à la liquéfier, et celle de survivre avec cette solitude, en étant obligé de se cacher. C'était un individu totalement déconstruit psychiquement.

Marion imagina la vie qu'il avait menée.

Ses actes de barbarie sur les enfants étaient intolérables. Cependant le plus dramatique pour Marion était de comprendre d'où était venue cette capacité à annihiler l'innocence. Lui-même n'en avait plus depuis longtemps. Il n'avait certainement que haine à l'égard des autres hommes, a fortiori des enfants qui devaient autant se moquer de lui que le craindre dans les rues. Jeremy l'avait très bien cerné. Le chasseur avait décortiqué brièvement mais finement le processus de création du monstre dans le monstre.

L'enquête était sur le point d'être bouclée.

Marion se remit à lire, tirant la couverture sur ses jambes pour se réchauffer.

Si la tempête s'était dissipée, le vent continuait à s'exprimer avec une certaine rage au-dehors, engouffrant l'un de ses bras dans l'abbaye dès qu'une ouverture lui était offerte.

Une plainte aiguë monta des entrailles de l'édifice, gonfla dans les escaliers en hélice comme au travers de flûtes célestes, et toute la Merveille se mit à siffler.

Le vent retomba d'un coup.

La tuyauterie de pierre se vida, les dessous de porte servant de bouche devinrent silencieux, les marches en guise de biseau cessèrent d'être affûtées.

Et dans cet intervalle, Marion entendit le cliquetis de la serrure qu'on tentait d'étouffer.

Elle se raidit.

L'enfermait-on ? C'était la porte en face, sur le passage surélevé, celle-là même qu'elle avait prise pour entrer, une heure et demie plus tôt. Marion se souvint alors l'avoir refermée à clé derrière elle.

Quelqu'un l'ouvrait.

Très lentement, pour ne pas se faire repérer. Profitant du vent pour masquer sa présence.

Quelqu'un se tenait de l'autre côté, et voulait s'approcher sans que Marion ne le remarque.

La mystérieuse présence encapuchonnée. À coup sûr.

La ressemblance entre celle-ci et la goule qui sillonnait les rues du Caire en 1928 aurait eu une saveur ironique si les circonstances avaient été tout autres.

Marion posa son livre sur la couverture et se leva sans bruit.

Elle n'était pas dans une enquête policière, il ne lui suffirait pas de glaner des indices au fur et à mesure pour démasquer celui qui l'espionnait.

Elle devait prendre l'initiative. Provoquer les faits.

En marchant sur la pointe des pieds, Marion se fraya un chemin entre les colonnes, puis monta l'escalier du passage et s'immobilisa devant la porte.

Elle retint son souffle et s'agenouilla.

Sa bouche produisait trop de salive.

Elle avala en essayant d'être discrète.

Marion plaqua ses mains sur la porte, et approcha son œil de la serrure.

Le trou était noir.

Elle scruta ces ténèbres.

Sans remarquer la silhouette qui apparaissait doucement dans son dos.

Une ombre se déplaçant sous une toge avec la capuche rabattue sur le visage. Fendant l'espace dans la salle des Chevaliers.

Marion ne distinguait rien, elle n'avait que la certitude qu'il n'y avait pas de clé dans l'orifice, cependant ce qui s'étendait au-delà demeurait indiscernable. Elle se prépara à ouvrir la porte, le plus rapidement possible.

Jouer sur l'effet de surprise.

S'il s'agissait bien de frère Gilles, il serait pris en flagrant délit.

Derrière elle, l'ombre marchait à vive allure.

Marion posa la main sur la poignée en fer.

Elle capta un froissement de tissu.

Ses paupières s'abaissèrent tandis qu'elle comprenait.

Derrière...

Elle fit volte-face.

L'étrange apparition était à moins d'un mètre des affaires de Marion. Celle-ci comprit qu'il s'agissait bien de son individu lorsqu'il tendit une main gantée vers le journal.

— Hé ! s'écria Marion.

La main se referma sur le livre noir et le happa dans les replis de sa toge.

— Lâchez ça tout de suite !

Marion s'élança dans les marches.

La silhouette aux allures de Mort pivota et se jeta en avant.

Marion la vit courir juste devant elle pour atteindre une poterne dans l'angle nord-ouest.

Marion était sur ses talons.

L'individu dévala un escalier en colimaçon, il descendait vers le cellier. Sa poursuivante ralentit pour ne pas rater une marche et risquer de tomber. Elle déboucha dans la vaste salle du niveau inférieur. Aucune trace du fuyard.

Un battant sur sa droite était en train de se refermer, laissant entrer la lumière du jour et le vent frais de novembre.

Marion le repoussa et découvrit la silhouette qui sprintait dans les jardins en contrebas. Elle creusait l'écart.

Furieuse, Marion enjamba les premières marches et sauta les dernières pour atterrir sur l'herbe rabougrie par l'hiver. Elle se précipita à la suite du voleur.

Ce dernier zigzagua entre les arbres du jardin, transperçant les buissons et piétinant des massifs de fleurs. Il savait parfaitement où il allait.

Marion poussa sur ses jambes. De toutes ses forces.

Malgré tout, l'autre la distançait. Il était très agile pour changer de direction subitement.

Puis vint une longue ligne droite, au pied de la Merveille. Marion ferma les yeux pendant une seconde pour se donner de l'énergie.

Elle se concentra sur son souffle. Sur le battement de ses bras, fouettant l'air de ses mains. Sur la cadence de ses cuisses.

Monter les genoux, lever les talons vers les fesses.

Sa cible ne jouissait pas de la même facilité de mouvement. À cause de la toge qui lui bloquait les jambes.

Et peu à peu, Marion se rapprocha.

L'oxygène, au lieu de la faire vivre, lui brûlait les poumons.

Le fugitif s'immobilisa alors devant une porte qui terminait l'esplanade.

Il sortit un trousseau identique à celui de Marion de sous sa robe et se mit à chercher la bonne clé.

Ses clés. Dans la confusion, Marion ne les avait pas prises. Si l'autre parvenait à refermer derrière lui, c'était fini, elle le perdrait pour de bon. Le livre noir avec.

Elle se força à expirer au maximum, et avala goulûment tout son soûl d'air frais.

Elle accéléra encore un peu. Elle était au point de rupture, elle le sentait.

Et la silhouette leva une clé à hauteur de son visage avant de l'enfourner dans la serrure.

43

Marion arrivait à toute vitesse au bout du chemin.

Elle allait beaucoup trop vite. Elle devait freiner sans plus tarder.

Le voleur du journal ouvrit la porte.

Il allait disparaître.

Marion ne diminua pas la vitesse de ses foulées, au contraire, dans un élan désespéré, elle tenta d'y mettre tout ce qu'il lui restait.

Le mur se rapprocha d'un coup.

La silhouette retira sa clé de la serrure, elle allait franchir le passage.

Marion vit la maçonnerie se projeter dans son champ de vision, bien trop rapidement.

Elle n'eut que le temps de croiser ses bras devant elle pour se protéger.

Et elle percuta de plein fouet l'individu qui tentait de prendre la fuite.

L'impact fut si brutal qu'il télescopa les deux corps, écrasant violemment celui du fugitif sur la pierre.

Marion eut le souffle coupé, tout l'air subitement expulsé de sa poitrine. Son voleur servit de tampon, il encaissa une majeure partie de la collision, allant heurter la paroi.

Il en lâcha son trousseau. Et le livre tomba au sol.

Marion était tout de même sonnée, elle recula instinctivement en titubant. La silhouette encapuchonnée se rattrapa à la poignée de la porte pour ne pas tomber. D'un geste maladroit elle ramassa ses clés. Marion recouvrait lentement ses esprits. Elle comprenait que l'autre n'était pas dans un meilleur état qu'elle. Il tâtonnait de ses doigts gantés à la recherche du livre.

Marion, la tête lui tournant encore, s'approcha.

— Ça non, parvint-elle à souffler. Ça non... Si tu veux... le livre... Il... Il faudra me le demander de face.

Elle s'approcha de lui.

Aussitôt, elle perçut la panique chez son vis-à-vis. Il fit un bond en avant et tira la porte sur lui.

Marion analysa le bruit qui suivit comme celui de la clé qui refermait le verrou.

Il lui échappait.

Et de l'autre côté du mur monta le martèlement irrégulier de ses pas. Il s'enfuyait difficilement, encore sous l'effet du choc qu'il venait d'encaisser.

Il lui avait échappé.

Toutefois il avait dû abandonner le livre pour cela.

Marion se laissa tomber à côté, et elle le prit contre elle.

44

Jeremy monta les marches pour pénétrer dans le wagon, les sens en alerte, se concentrant déjà sur le mouvement d'esquive qu'il pourrait effectuer s'il percevait une présence hostile se jetant sur lui.

L'obscurité était trop intense pour distinguer clairement son environnement, la nuit était amplifiée à l'intérieur par l'étroitesse des hublots.

Il l'entendit venir tout d'abord.

Puis il la vit.

Une silhouette bondissant à sa rencontre.

Il ne bougea pas.

Elle leva un bras pour le frapper.

Jeremy n'esquissa pas le moindre geste de fuite.

Et il reçut la claque violente en plein visage.

— Comment peux-tu penser cela ? s'écria Jezabel, des sanglots encore présents dans la voix.

Il avait reconnu ses formes, sa démarche et son parfum dès son apparition dans la pénombre.

— Humphreys est venu à la maison rapporter tes propos à l'encontre de Francis. Son *fils* a été enlevé ! Que te faudra-t-il de plus ? Hein ? Dis-moi, Jeremy, quoi de plus ? Que lui-même meure ? Alors tu continueras de t'acharner sur sa dépouille ? Que t'a-t-il fait à la fin ?

Elle fit volte-face et arpenta le salon nerveusement, décrivant de courts allers et retours.

Jeremy expira par le nez, l'alcool et la fatigue l'accablant soudainement un peu plus. Il prit un paquet d'allumettes et en craqua une pour allumer une lampe à pétrole dont la lumière lécha les velours et les bois de la pièce.

Jezabel se tenait désormais droite, face à lui.

La courte flamme étincelait contre le jade, l'ébène et l'ivoire de ses yeux, soulignant les traits si lisses de sa beauté, ses lèvres à peine roses, sa peau de porcelaine et ses boucles enivrantes. Elle brillait comme une pierre précieuse.

Jeremy la contempla comme une œuvre d'art, son regard se porta sur le grain de beauté posé au milieu de sa joue telle la signature d'un grand maître.

— Ne me dis pas que c'est à cause de moi, dit-elle en un doute qui ne pouvait dépasser le murmure.

Un liseré de larme vint se poser sur le bas de ses paupières. Elle chuchota encore, la peine meurtrissant ses intonations :

— Pourquoi ne peux-tu m'oublier, Jeremy ?

Jeremy, les épaules avachies, se redressa, levant la tête plus que de raison, il déglutit puis alla se servir un verre de whisky dont il but aussitôt une rasade.

— Ne t'acharne pas sur lui, s'il te plaît, murmurat-elle. Il est ma seule famille, tu le sais.

Jeremy frotta la paume de sa main contre sa mâchoire, la peau crissant contre la barbe naissante, puis se massa les tempes.

— Regarde sur le bureau, finit-il par dire.

Jezabel hésita puis se dirigea vers le meuble.

— Tu vois ce carnet au milieu ? demanda-t-il. C'est

le journal que j'ai commencé au début de cette enquête. Ce soir j'y ajouterai mes dernières pensées, mes conclusions récentes, et il sera presque achevé. La vérité est dedans. S'il m'arrivait quoi que ce soit, tout est dedans. Je veux que tu le saches.

Il se tourna pour la voir.

— Tu aimes toujours Puccini ?

Sur quoi il actionna un gramophone qui lança les premières notes de *Turandot*.

Jezabel resta en suspens pendant quelques mesures puis elle s'assit au bureau, et prit une de ses mèches entre les doigts pour jouer avec. Son autre main caressait le bois du bureau, effleura les objets qui y étaient posés ; elle se posa sur une pile de livres en mauvais état.

Les Mille et Une Nuits, lut-elle sur la tranche.

— Francis en est fou, avoua-t-elle sans force.

Jeremy répliqua aussitôt :

— Je sais, je me souviens maintenant que c'est avec ces histoires qu'il t'a séduite à la soirée du Nouvel An... Mon collègue assassiné croyait que c'était une piste pour notre enquête. Moi je pense que le tueur s'en sert pour jouer sur les mythes, pour recréer une légende. Parce que cela l'immortalise, tout en éloignant les autochtones superstitieux.

Jezabel porta l'extrémité de ses doigts entre ses sourcils et secoua la tête.

— Pourquoi insistes-tu ? voulut-elle savoir. Tu sais que Francis n'est pas un monstre, il n'a tué personne, tu le sais.

Sa voix était d'une douceur attristante, Jeremy crut distinguer une larme coulant sur l'arête de son nez.

— Tu me connais, insista-t-elle, je sens les gens, je ne me trompe pas sur ce qu'ils sont. C'est en moi. Je suis une orpheline d'Alexandrie, une fillette aux

383

parents étrangers qui m'ont abandonnée sur cette terre où je ne suis rien, et je suis devenue une femme respectable. Grâce à ce don. Je *sens* les gens. Je me suis faite toute seule, tu le sais bien, j'ai gravi les marches du monde sans aucune aide. Aujourd'hui j'ai trouvé Francis, et je sais ce qu'il est, je connais ses qualités et ses défauts. Il est dur, c'est vrai, mais il n'est absolument pas celui que tu crois. Tu ne peux pas t'acharner sur nous, tu ne peux pas.

Jeremy but une gorgée de whisky, écoutant les mots de cette femme qu'il aimait. Puccini gagnait en puissance.

Il était prêt à donner n'importe quoi pour la sentir se blottir contre lui. Pour lui faire l'amour, une fois de plus. La chaleur de son corps lui manquait, les replis de sa peau, le goût de son sexe, celui de sa langue aux saveurs sucrées. Elle se tenait là, à moins de trois mètres, accessible. Et pourtant si distante.

— Il te faut accepter que je ne suis plus à toi, continua-t-elle. Je vais être crue avec toi, Jeremy. Je sens les gens, et toi, je ne suis jamais parvenue à savoir ce que tu étais. C'est d'abord ce qui m'a attirée chez toi, ce charme sauvage des grands explorateurs. Puis c'est ce qui m'a agacée, avant de... avant de m'effrayer.

Elle le fixa dans le clair-obscur ambré qui partageait le bureau.

— Tu n'as jamais vraiment compris pourquoi j'étais si dure avec toi depuis notre séparation, n'est-ce pas ? Pour t'aider à tirer un trait sur nous. Et parce que ta fidélité et ton espoir naïf ont eu raison de ma patience à la longue. À sans cesse me harceler de tes questions indiscrètes sur ma relation avec Francis, tu m'as poussée à bout. Si toi et moi ça n'a pas marché c'est parce que tu m'inquiétais, Jeremy.

Le vert de ses yeux hypnotisait le détective.

— Tu as dans l'âme cette indifférence de ceux qui sont allés trop loin, trop loin dans la nature, trop loin dans la solitude, et qui ne sont pas revenus. Tu n'es jamais tout à fait là, Jeremy. Il y a toujours une part de toi qui reste là-bas, dans ces terres étranges que toi seul connais, dans ces souvenirs de guerre, dans ces errances au milieu de la savane, et ici (elle leva les deux paumes vers le plafond), dans la distance feutrée de ce wagon. Ce qui est en toi m'échappe, et me fait peur. Je pense que tu es un amant délicieux, mais tu ne seras jamais un mari attentionné, encore moins un bon père. Cette bonté et cette offrande aux autres ne te sont plus possibles, tu les as perdues au cours de ces dix dernières années, dans toute cette vie tourmentée. L'autre soir, lorsque tu as raconté cette sordide histoire que tu as vécue dans les tranchées pendant la guerre, j'ai compris, c'est pour ça que je pleurais. J'ai compris, tu sais. Tu restes pourtant ce... fantôme, tu n'es jamais vraiment là. Tu n'es pas comme nous. Je suis désolée...

Elle essuya rapidement ses yeux, avant d'assener le coup de grâce :

— Mais tu ne peux pas haïr Francis pour m'apporter tout ce que tu n'as pu me donner.

Plus un mot ne souilla l'intensité de leur regard planté l'un dans l'autre, Puccini et ses mélodies dramatiques les portaient dans cet échange d'âme à âme. Enfin, Jeremy reposa son verre vide et brisa ce lien en pivotant pour aller chercher un objet enveloppé dans un morceau de tissu.

— Bientôt tu comprendras vraiment qui je suis, lâcha-t-il enfin. Je suis ton ange gardien, Jezabel. Et comme tous les anges, je suis à moitié invisible. Un jour peut-être, tu me verras comme je suis réellement.

Il prit un Colt M1911 semi-automatique et le chargeur qui l'accompagnait dans le tissu, le chargea et le rangea dans un holster qu'il ramassa sur une étagère.

— Et Francis est le diable déguisé, tu as été manipulée, c'est tout.

Jezabel darda sur lui des prunelles flamboyantes et renversa d'un geste furibond tout ce qui était sur le bureau.

— ASSEZ ! hurla-t-elle.

Elle sauta sur ses pieds et s'élança dehors.

Jeremy serra les poings.

Il mit son holster sous sa veste, ramassa son journal qu'il enfonça dans une de ses poches et sortit dans le sillage furieux de cette sirène éthérée.

Il courut derrière elle jusqu'à la sharia Abbas où elle sauta dans le premier tramway venu à l'instant où il allait refermer ses portes.

Jeremy accéléra, l'alcool alourdissait son sang, son cerveau mal oxygéné pesait trois fois plus, et ses jambes n'obéissaient pas aussi vite qu'il le souhaitait. Il força plus encore, le souffle court, et bondit sur le marchepied arrière de l'engin tandis que celui-ci prenait de la vitesse.

Les lumières de la ville bourdonnaient dans la nuit, elles défilaient derrière les vitres du tram, se noyant entre les passants et les automobiles qui circulaient en sens inverse.

Jeremy ouvrit la porte et entra dans la rame. Il écarta les usagers et saisit le poignet de Jezabel.

— Tu vas me haïr, enchaîna-t-il, je le sais. Je serai ton bouc émissaire, mais un jour, un jour, tu comprendras. Tu accepteras la vérité. Sache que je serai là, à t'attendre.

D'un geste brusque elle arracha son bras à la poigne du détective.

— Tu commets une erreur monumentale, Jeremy, monumentale. La jalousie t'a fait perdre la raison. Et en accusant Francis tu vas pulvériser ta carrière.

Elle allait le fuir lorsqu'il agrippa la barre centrale et s'en servit comme d'un tourniquet pour pivoter autour et réapparaître devant Jezabel.

— Ton mari est coupable. Il a assez d'influence pour avoir retrouvé celui qu'on appelle la « goule », et l'utiliser comme homme de basses œuvres, il connaît les mythes arabes pour jouer avec, c'est son écran de fumée pour nous guider sur une fausse piste. Les victimes sont des enfants qu'il connaît puisqu'il les a sous les yeux, ceux de sa fondation, pourquoi aller chercher plus loin après tout ? Il suffit d'accéder une nuit en toute discrétion aux dossiers des enfants. Les nuits des meurtres tu dis qu'il dormait avec toi, mais comment peux-tu en être si sûre ? Tu as le sommeil lourd si je me souviens bien... Et la nuit où Azim a été tué, il m'a entendu répéter l'adresse où je devais me rendre. Avec sa voiture puissante, il a pu s'y rendre avant moi.

— Francis n'est pas sorti cette nuit-là ! s'écria Jezabel. Après ton départ en trombe, nous sommes retournés nous coucher, ça ne tient pas debout...

— Tiens donc, et combien de temps es-tu restée éveillée avant de sombrer ? Hein ? Combien de temps ? Deux minutes ? Cinq ? Peu importe, il aura patienté, et sa fameuse Bentley si rapide lui aura fait rattraper ce temps perdu pour arriver avant moi auprès d'Azim.

Jezabel repoussa le détective sous les expressions effarées des autres voyageurs qui assistaient à la scène.

— Francis n'est pas un criminel !

Jeremy déroula de sa veste le vieux papyrus qui avait été retrouvé sur les vêtements d'Azim.

— Et ton mari adore l'histoire du Caire. Il est à la tête d'une banque qui finance nombre de recherches archéologiques, il aura appris l'existence de souterrains anciens où il cache sa « goule ». Bientôt j'aurai toutes les preuves nécessaires contre lui.

Jezabel ne l'écoutait plus, elle se dirigeait vers l'avant.

Le tramway ralentissait, une foule de plus en plus compacte occupait les trottoirs et le milieu de la rue depuis une centaine de mètres. Il finit par stopper et les portes s'ouvrirent.

Jezabel se rua à l'extérieur, Jeremy sur les talons.

Dehors, dans la nuit naissante, les manifestants se mêlaient à une marée de curieux, de jeunes en mal de sensations, et les slogans anti-Anglais se mélangeaient à ceux prônant une Égypte forte, gouvernée par les représentants du peuple. On fustigeait la complaisance du régime actuel à l'égard de l'occupant britannique.

Tout le monde marchait vite, remontant le boulevard en criant.

Jezabel glissa entre deux groupes et se fondit dans la masse.

— Jezabel ! s'écria Jeremy. Jezabel !

Il repoussa les corps qui se dressaient devant lui, zigzaguant dans cette forêt de chair, de cris et d'hostilité grandissante.

Des bras se levèrent pour protester, des bouches le frappèrent de leurs réprimandes agressives.

Jeremy luttait pour ne pas perdre sa cible de vue. La chevelure noire de Jezabel ondoyait sous les saccades de ses déplacements aléatoires. Jeremy avait le sentiment que ses longs cheveux échappaient à toutes les lois de l'attraction terrestre, c'était comme s'ils flottaient dans l'eau. Jezabel glissait parmi le cortège.

Un visage furieux occupa soudain tout son champ de vision.

Un vieil Arabe qui se mit à l'insulter dans la langue du prophète Mahomet.

Jeremy le poussa sans ménagement, pour retrouver cette apparition enchanteresse. Il la chercha en vain.

Des dizaines de crânes, davantage encore de turbans, de fez, de tarbouchs, mais plus de Jezabel aux déplacements magnifiés.

Jeremy avait la respiration de plus en plus difficile, la transpiration coula le long de sa colonne vertébrale. Toutes les protestations, les braillements, les vociférations tourbillonnaient autour de ses oreilles, un grand manège étourdissant de confusion, d'étouffements.

Des fenêtres éclatèrent, des vitrines furent transpercées par des briques avant de s'effondrer en cliquetant. La clameur des mécontents gronda telle une vague, se répandant vers l'arrière du serpent humain.

La rue tournait, un fabuleux halo lapis-lazuli ondulait sur les façades des immeubles. Leur pierre était couverte d'une peau lumineuse bleu électrique, mouvante comme de l'eau enflammée, zébrée de veines rouges, et sur les carreaux des bow-windows se reflétaient des volcans crachant une lave de saphir bouillonnant.

En négociant le virage, Jeremy découvrit avec stupeur ce qui nimbait toute la rue de cette clarté extraordinaire.

Tous les lampadaires avaient été décapités, le gaz jaillissait à plusieurs mètres de haut, brûlant vers les cieux en une colonne ardente, véritable artère de feu bourdonnant, d'un bleu magnétique qui virait à l'orange en son sommet en sifflant furieusement.

Il aperçut alors Jezabel, vingt mètres plus loin, repoussant deux hommes qui vitupéraient à son encontre. L'un d'entre eux passa derrière elle et l'attrapa par les cheveux.

Jeremy écarta avec rage les badauds devant lui, fendant la masse.

Jezabel se mit à hurler tandis qu'on la malmenait.

Un adolescent exalté par la révolte générale reconnut

en Jeremy l'occupant britannique et se dressa sur son passage, bien décidé à l'empêcher d'aller plus loin.

L'Anglais vit par-dessus l'épaule de son vis-à-vis que Jezabel était entraînée sur le côté, giflée deux fois de suite.

Son poing se serra et bondit, fulgurant, jusqu'à cueillir l'adolescent au foie. Celui-ci se plia en deux, puis tomba à quatre pattes en expirant tout l'air qu'il avait dans les poumons. Jeremy l'enjamba sans perdre plus de temps.

Le premier individu ne le vit pas surgir et fut aussitôt percuté par un direct puissant entre les omoplates, il tomba en avant et vint se briser le nez et plusieurs dents sur le trottoir. L'autre lâcha Jezabel et accourut pour saisir le détective par le cou. Jeremy esquiva d'un pas sur le côté et leva le genou pour frapper l'homme au niveau de l'entrejambe.

Le coup porta mais le déséquilibra au passage, Jeremy vit la rue tournoyer et n'eut que le temps de mettre les mains en avant pour amortir la chute. Il cligna les paupières, l'alcool n'avait plus d'effet sur ses sens à présent. Du coin de l'œil, il remarqua que son adversaire tentait de se relever, juste sous ses propres jambes.

Jeremy leva la cuisse et abattit son talon de toutes ses forces sur le menton du belliqueux. Quelque chose cassa sous la violence de l'impact.

Jeremy attrapa la grille devant l'immeuble et s'en servit pour se relever. Jezabel reculait, apeurée.

Le détective pivota pour découvrir un troupeau d'hommes en colère venant sur lui, avec à leur tête l'adolescent qui se tenait le ventre.

La haine se lisait sur leurs traits.

Ils étaient une demi-douzaine, bientôt dix à s'approcher.

Ils allaient le mettre en pièces. Lui, et Jezabel ensuite.

Jeremy défit l'attache de son holster et brandit son arme au-dessus de lui.

— ARRÊTEZ ! hurla-t-il.

Le groupe interrompit sa marche, pendant que les centaines d'autres passaient en accélérant l'allure, pour rejoindre la tête du rassemblement, prêtant à peine attention à ce qui se jouait entre ce couple d'Occidentaux et une faction des leurs. L'issue de l'affrontement ne faisait aucun doute.

Enhardi par leur nombre, l'adolescent se précipita sur Jeremy.

Ce dernier baissa les bras.

Les lampadaires déversaient leur torrent étincelant au-dessus des têtes.

La foule scandait sa litanie nationaliste.

Les passants étaient des centaines, ils couraient presque.

Le coup de feu du calibre 45 tonna à peine dans le chaos ambiant, étouffé par la poitrine de l'adolescent qui était à bout portant lorsque Jeremy pressa la détente.

Les yeux du garçon changèrent d'un seul coup. La fièvre vengeresse se mua en incompréhension, Jeremy n'y lut nulle douleur, rien que l'égarement, puis la peur.

L'adolescent mourut terrorisé, il s'effondra en cherchant une fuite possible du regard, un réconfort, mais déjà il ne voyait plus que ses propres abîmes qui l'engloutissaient progressivement.

Il ferma les yeux, refusant cette noyade dans le néant, et fut secoué d'une ultime convulsion. Ses mains s'écrasèrent mollement sur le sol et commencèrent à refroidir.

Les autres hommes qui accompagnaient le garçon le regardèrent mourir puis fixèrent Jeremy. Le détective comprit qu'ils allaient charger. Peu importait son arme, ils allaient se ruer sur lui, d'un seul mouvement, pour le submerger, lui faire payer son geste.

Une rumeur s'amplifia depuis l'avant de la procession tumultueuse. Un grondement qui se transformait en affolement.

Des coups de feu claquèrent entre les façades des immeubles. Secs et métalliques. Des coups de fusil, devina Jeremy.

L'armée chargeait.

Déjà des manifestants repassaient à contresens, affolés.

Jeremy se reporta sur le danger qui le guettait directement. Plusieurs individus s'approchaient de lui, menaçants.

Il s'assura que Jezabel était bien derrière lui, et replaça son index sur la gâchette. La panique refluait depuis l'avant de la masse humaine jusqu'à étendre ses ramifications à leur niveau.

Plus de la moitié des ombres autour d'eux couraient maintenant en sens inverse.

Les coups de fusil crépitèrent encore.

Jeremy vit deux silhouettes esquiver les fugitifs pour le contourner et tenter de le prendre à revers.

Une troisième fonça sur lui, de face, évitant de justesse le bloc de fuyards remontant le cours de leur colère.

Jeremy ne pouvait tirer, il y avait du mouvement partout, une balle tirée devant lui transpercerait plusieurs corps avant de toucher son assaillant.

Brusquement, le courant humain se fit si dense et si violent que tout le monde fut emporté par le raz de marée.

Incapable de résister sans tomber et se faire piétiner, Jeremy se laissa porter, pousser, et propulser par la puissance de la lame de chairs.

Ses agresseurs furent balayés tout comme lui, dispersés, roulant des jambes autant que possible pour se maintenir en surface.

Le flot éclata en arrivant à une place, engouffrant ses bras dans les ruelles qui s'ouvraient en toutes directions.

Jeremy se jeta dans le renfoncement d'une porte de maison et attendit que le gros du troupeau soit passé. Il cherchait Jezabel parmi tous les visages.

Et il la trouva, de l'autre côté, affolée mais saine et sauve. Il la perdit alors qu'elle quittait à toute vitesse une artère fréquentée pour s'éloigner des émeutes par une rue adjacente.

Jeremy rejeta la tête en arrière, contre le mur, et souffla.

Le pire était à venir.

La nuit allait être la plus longue et la plus sinistre des nuits cairotes.

45

Des rires d'enfants réveillèrent Marion.

Elle avait la bouche pâteuse, une douleur lancinante envahissait son crâne.

Elle ne savait plus où elle était. Le décor tournoyait.

Dans le wagon... Je suis avec Jeremy, dans le wag...

Non, elle était au Caire, elle avait été agressée pendant l'émeute.

Elle se souvint d'une silhouette ressemblant à la Mort, la pourchassant. Non ! C'était elle-même qui lui courait après.

Le journal.

Le Mont-Saint-Michel.

Marion se rappela. Elle était chez elle. Dans sa maisonnette.

Pendant une minute elle ne savait plus qui elle était. À l'instar de Kim Novak dans *Sueurs froides*, le film de Hitchcock, sa vie se transposait vers celle, antérieure, de Jezabel.

Elle était Marion.

Elle avait récupéré le livre noir. Le journal intime de Jeremy Matheson. Et elle était remontée dans la salle des Chevaliers, plus furieuse qu'inquiète. On s'était joué d'elle. Avait-elle mal entendu ce cliquetis dans la serrure ? Était-ce en fait celle de la poterne, ou le voleur avait-il fait diversion à la porte principale avant de courir faire le tour pour entrer dans son dos afin de lui subtiliser le livre ?

Elle n'avait pas trouvé la réponse. Peut importait finalement.

Ensuite Marion était redescendue.

Voir Béatrice, elle avait eu besoin de parler.

La boutique était fermée. Fermée le lundi. Et personne n'était à l'appartement au-dessus.

Marion avait aperçu Ludwig qui débouchait d'une ruelle adjacente, elle s'était écrasée dans la pénombre pour l'éviter avant de rentrer se réfugier chez elle. Ça n'était pas le moment qu'il vienne lui conter fleurette.

Elle était restée debout dans le salon pendant cinq minutes, avant de se mettre à pleurer. Elle était perdue. Incapable de prendre la bonne décision. Le téléphone s'était retrouvé dans sa main, tandis qu'elle composait le numéro inscrit sur une carte dans son portefeuille. L'homme de la DST.

Elle avait raccroché avant la première sonnerie.

Pour faire les cent pas.

Elle s'était assise lorsque ses pieds avaient commencé de la faire souffrir, pour se servir un gin orange. Puis un autre. Et ainsi de suite.

Son esprit s'était calmé, elle avait attrapé le livre pour le feuilleter, et avant même de le vouloir, elle lisait la suite.

Elle s'était endormie à la fin de l'émeute, avec la fuite de Jezabel.

Assommée par l'alcool.

Elle avait dormi deux heures.

Les enfants chahutaient à présent sous sa fenêtre.

La nuit était tombée. Et il n'y avait pas d'enfant au Mont.

Marion cligna les paupières, très lentement, sans se relever.

Elle ouvrit la bouche, ses lèvres se décollèrent comme on arrache un chewing-gum du lino.

Elle tendit la main pour saisir le haut du sofa et tira pour se hisser. Elle vint coller son nez contre la vitre froide de la baie.

En bas, dans la rue, des dizaines de personnes montaient en direction de l'abbaye, chacune à son rythme, des enfants en tête.

Le concert philharmonique.

Marion avait aidé sœur Gabriela à coller les affichettes sur la place du village le samedi après-midi.

Elle regarda son poignet nu avant de réaliser qu'elle ne portait plus de montre depuis qu'elle était arrivée ici. Elle trouva l'heure dans la cuisine. Dix-neuf heures vingt.

Le concert était dans moins d'une heure.

Marion n'avait aucune envie d'y assister.

Elle souhaitait être chez elle. Dans son *vrai* chez-elle, à Paris. Elle voulait se coucher le soir et mettre son réveil pour le lendemain matin, celui-là même qui la ferait maugréer à sept heures moins le quart, pour aller travailler. Elle rêvait de pouvoir oublier tout ça.

Pourquoi cherchait-on à la persécuter ? Qui ?

Le journal intime de Matheson était renversé sur le sofa, ouvert où elle en était quand elle s'était endormie.

Il était impossible qu'il y ait le moindre rapport entre ce journal et ce qui lui était arrivé à Paris, cette histoire de mort politique suspecte. Alors celui qui la pourchassait ici voulait tout simplement récupérer le livre. Qu'y avait-il dedans pour susciter pareil acharnement ?

Marion l'attrapa.

Il ne restait que quelques pages à lire.

Et peut-être qu'alors, elle saurait.

Elle soupira de toute son âme et s'assit face à la bouteille de gin.

Le journal s'ouvrit sur ses cuisses et les pages tournèrent les unes après les autres jusqu'à s'immobiliser, en suspens dans l'air.

Marion repoussa la bouteille d'alcool.

Et retourna là où elle en était.

Cette nuit d'Égypte où le pire était à venir.

46

Jeremy retourna dans les quartiers est, chez le drog-man qu'il avait engagé pour retrouver tous ceux qui avaient participé à la battue nocturne en compagnie d'Azim.

Azim avait découvert un souterrain ancien où se cachait la goule, quelque part sous El-Gamaliya, il en avait rapporté un vieux papyrus qui identifiait le sou-terrain en question comme étant dans une portion de la ville comprise entre la mosquée Huisein et l'université Al-Azhar. Restait à localiser l'entrée.

Le drogman était chez lui, avec sa femme et ses enfants, personne ne dormait malgré l'heure tardive. La rumeur d'une émeute en centre-ville était parvenue jusqu'à eux, et tous attendaient d'avoir des nouvelles. Le drogman accueillit Jeremy d'un immense sourire en comptant les piastres que le détective venait de lui tendre en guise d'invitation.

Le drogman avait identifié plusieurs hommes, les avait questionnés, et il présenta ses informations au détective, ne négligeant aucun détail. Jeremy but le thé avec lui, et on lui apporta une poignée de dattes qu'il grignota en silence.

Après un exposé soigné – le drogman avait une

mémoire exceptionnelle, retenant tous les noms des protagonistes – mais inutile pour Jeremy, il conclut par ce qui lui semblait de moindre importance :

— Ça n'est pas tout, *effendi*, on m'a aussi orienté vers deux vieillards cet après-midi. Ils n'arrêtent pas de parler de cette bête, de la *ghûl*, à tout le monde, ils en deviennent obsédés, ils agacent la population dans les *qahwa*. Le premier dit qu'il sait qui est derrière tout ça, je l'ai rencontré tout à l'heure, je crois qu'il n'a plus toute sa tête. Pour lui, la *ghûl* est son voisin déguisé, il dit que son voisin est fou, que c'est un tueur d'enfants et...

— Où habite ce vieillard ? demanda Jeremy qui avait hâte d'en finir.

— Au nord-ouest de Gamaliya, dans Bab el-Nasr, tout proche de chez...

— Trop loin, trancha le détective. Et l'autre ?

— C'est un toxicomane, il fréquente les *ghoraz* depuis trop longtemps. Lui dit savoir où vit le démon. Dans une impasse, dans le sud-est du quartier.

Jeremy recracha sa datte.

— Non loin de la mosquée Huisein ?

— Oui, c'est ça.

L'Anglais bondit sur ses pieds.

Il se souvenait d'Azim, et de ses deux témoins, les deux hommes qui disaient avoir vu la goule. L'un était un vieux fumeur de haschisch. Et c'était à proximité de l'endroit où devait se trouver le souterrain.

— Conduis-moi à lui, lança-t-il. Allons, le temps presse.

Ils débusquèrent le vieillard à l'arrière d'une fumerie connue dans les environs, les yeux rougis et brillants. Il ne rechigna pas à emmener les deux hommes jusqu'à l'entrée de la fameuse impasse lorsque Jeremy lui promit un peu d'argent en échange.

Les ruelles étaient désertes et sombres.

Ils marchaient en tenant une lanterne contenant une petite bougie qui tremblait en cadence avec la démarche de son porteur.

Le trio se mouvait sans bruit sous les moucharabiehs qui obscurcissaient davantage encore les allées étroites, contournant les étals vides, jusqu'à ce qu'ils descendent un dédale confus de passages tantôt couverts, tantôt délabrés qui servaient de raccourcis.

À distance, ils ressemblaient à une petite luciole cherchant la sortie d'un labyrinthe de pierre aux dimensions cyclopéennes.

Enfin, ils achevèrent leur randonnée nocturne à l'entrée d'une impasse constituée de maisons en ruine.

— C'est ici, murmura le vieillard en arabe. Je ne reste pas plus longtemps, c'est dangereux.

Le drogman traduisit pour le détective.

Sur quoi le vieillard prit Jeremy par la manche et attendit.

L'Anglais soupira, il sortit un billet de sa poche et le lui tendit. L'homme allait s'éloigner lorsque Jeremy le retint par l'épaule.

— Dans quelle maison ?

Le drogman se fit l'intermédiaire entre les deux hommes.

— Il dit qu'il n'en sait rien, rapporta-t-il.

— Dans ce cas demande-lui s'il sait où sont la mosquée Huisein et l'université Al-Azhar.

Le vieillard hésita avant de pointer chaque bras dans une direction plus ou moins similaire sur la droite. Cela orientait les recherches plutôt sur les maisons de droite dans l'impasse.

— C'est mieux que rien, grommela l'Anglais en tendant la lanterne à son propriétaire.

Le drogman traduisit instantanément les quelques mots du vieillard :

— Il dit que vous pouvez la garder, que vous en aurez plus besoin que lui si vous voulez entrer là-dedans.

Le vieillard s'éloignait déjà.

— Dites, vous allez vraiment entrer dans ces ruines pour chercher la *ghûl* ? s'inquiéta le drogman.

Jeremy lui donna les billets promis.

— Pas la peine de me suivre. Ton voyage s'arrête là, mon ami.

Le détective lui tourna le dos sans plus attendre et s'engouffra entre les devantures écorchées, aux ouvertures béantes comme des gueules avides.

Jeremy entendit les pas du guide qui s'éloignait en hâte.

La première bâtisse du flanc droit était impraticable, le plancher de l'étage s'étant affaissé, il était impossible d'y entrer. Jeremy visita la deuxième en vitesse, il n'y avait plus rien à l'intérieur que des gravats. La troisième lui demanda plus d'efforts, elle comportait une cave qu'il visita prudemment.

À l'intérieur de la suivante, il s'étonna de ne pas avoir accès à un sous-sol, il fouilla les recoins, sa lanterne timide à la main. Jusqu'à ce qu'il s'arrête devant le large baquet d'eau croupie.

Il posa la lampe par terre et appuya de toutes ses forces sur le bois pour faire glisser le réservoir sur le sol.

Le trou était en dessous.

Jeremy reprit sa lumière et descendit les marches avant de remonter en vitesse pour déplacer comme il le put la caisse remplie d'eau et la remettre à sa place, afin de préserver l'entrée masquée et ne pas dévoiler sa présence.

Une fois en bas, il ne put manquer le trou pratiqué à même la terre. Une ouverture récente.

Fredricks Winslow l'avait-il creusé lui-même pour accéder au souterrain archéologique qu'il convoitait ? C'était possible, Winslow était du genre à fouiller seul, dans son coin, ne tenant au courant de ses découvertes que ses proches et son éventuel employeur. Ou n'avait-il pas eu le temps de finir et Keoraz avait-il lui-même achevé cette entreprise pour s'assurer d'avoir un repaire inconnu de tous, une fois le chercheur éliminé ?

Jeremy se pencha et dut enfouir son bras avec la lanterne pour appréhender la profondeur sans fin du boyau. La terre était humide, suintante par endroit, et quantité de racines tordues pendaient, pareilles à des mains desséchées. Jeremy comprit alors les mots d'Azim... « J'ai cru que j'allais y passer ! J'ai cru qu'elle m'avait attrapé mais c'était une racine, juste une racine ! »

La voix du petit Égyptien résonna au fond du tunnel, distante et fantomatique. « Juste une racine... »

Jeremy s'agenouilla et entra la tête la première dans le passage.

Il rampa aussi vite qu'il le put, attentif au moindre son. Il ne tarda pas à respirer rapidement, pataugeant dans un bouillon de boue et de végétaux en décomposition.

La progression avec la lanterne devant lui était malaisée, l'obligeant à la déplacer par à-coups, la flamme de la bougie manquant se noyer dans sa propre cire liquide sous les heurts trop violents. Enfoncé dans la terre, il découvrit un briquet. Celui d'Azim, il le reconnut aussitôt, son ancien collègue ne fumait que très rarement, mais ne s'en séparait jamais, toujours très fier de pouvoir allumer les cigarettes des autres.

Il ne fallait pas se sentir claustrophobe, songea

Jeremy. Il se dandinait comme un ver dans le ventre de la terre, tortillant les différentes parties de son corps pour gagner du terrain dans cet intestin d'humus.

Jeremy déboucha enfin dans le souterrain.

La poussière empestait à plein nez.

Une fois debout, le détective prit son arme dans la main droite, et leva sa lumière à bout de bras. L'obscurité mangeait les contours, rognait les angles trop prononcés et engloutissait totalement la perspective après deux mètres.

Il entra dans une grande salle, le sentiment d'insécurité devint subitement plus tenace.

« Ne pas faire de bruit, répétait-il pour lui-même. Ne pas marcher n'importe où... Sois aux aguets. Progresse sans précipitation... Voilà... Ne laisse rien au hasard, assure-toi qu'il n'y a rien derrière toi. »

Il se tourna pour exécuter ce commandement.

Les ténèbres se refermaient sur son sillage, le privant de tout repère. Allait-il être en mesure de retrouver son chemin ? Azim l'avait bien fait, il suffirait de longer le mur...

Jeremy avança d'un pas et s'empressa en un geste paniqué d'ouvrir sa lanterne pour souffler sur la flamme.

Le piquant de la mèche moribonde monta jusqu'à ses narines.

Il venait de capter une lueur.

Faible et mouvante, mais une lueur tout de même.

Elle émanait d'un corridor sur la gauche.

Jeremy s'en rapprocha, retenant son souffle pour ne pas trahir sa présence.

Le couloir, très court, menait à une modeste pièce dont il ne parvenait pas à voir le détail de là où il se tenait. Il posa sa lanterne et prit son Colt des deux mains. Il s'engagea pour atteindre le seuil.

L'endroit était aussi sinistre que pestilentiel.

Deux bougies dansaient sur une table usée.

Au-delà de la table se dressait un amas d'animaux morts. Certains grouillaient d'asticots dodus.

Quelqu'un renifla.

Une aspiration longue et gluante.

Jeremy braqua son pistolet dans la direction en question.

Et tout son être se tétanisa sous le choc.

47

La goule était bien là.

Haute et difforme. Son crâne chauve luisait sous la clarté des bougies, un œil anormalement ouvert, presque pendant, le nez dévoré par la maladie, les joues et les lèvres absentes, ouvrant sa mâchoire tout entière à l'air libre. Elle était enveloppée d'une longue robe de toile, aussi sombre que sa peau, avec une ample capuche rabaissée sur son cou.

Et elle jouait.

La créature tenait Georges Keoraz, neuf ans, dans ses bras. L'enfant dormait, inerte, en partie dévêtu. La goule lui tenait un bras, et s'en servait pour pousser un petit train en bois.

Elle renifla encore, en mettant sa tête en arrière. Aspirant entre ses dents la bave que l'absence de peau ne pouvait retenir. Elle ressemblait à un fauve humant l'air quand elle faisait cela.

Jeremy ne parvenait plus à bouger.

C'est alors qu'elle le remarqua.

Son œil valide se braqua sur lui, puis passa sur l'arme pointée sur elle. L'œil se tourna vers quelque chose, posé sur un tabouret.

Jeremy suivit ce regard.

C'était un assortiment de bagues allongées, qui devaient recouvrir toute la dernière phalange et s'étendre plus loin encore que le doigt. Les bagues étaient en métal et s'achevaient par une griffe en os incrustée.

Tel était le secret de ces mains aux doigts interminables et aux ongles inhumains. Un artisan travaillant le métal dans un souk les avait façonnées, il suffisait d'en payer le prix, le métal et les os ne manquaient pas au Caire.

Jeremy comprit que le géant noir allait se précipiter sur ses armes.

La peur déverrouilla son corps et il fit un pas en avant en assurant sa poigne sur la crosse.

— Chhhhhhh... fit-il en espérant dissuader la goule d'attaquer.

Avait-elle conscience du danger que représentait une arme à feu ?

Elle lâcha Georges Keoraz, qui s'affaissa complètement.

— Ne fais pas ça ! lança Jeremy en voulant s'approcher encore un peu.

Et elle jaillit vers le tabouret.

Jeremy retint son coup in extremis, l'enfant étant dans la trajectoire possible de la balle. Il se propulsa en arrière, cherchant à coller son dos contre le mur pour gagner de la distance entre lui et la goule et s'assurer une assise suffisante pour viser.

Ses épaules cognèrent contre la paroi.

Il ajusta sa vision et n'eut que le temps de voir le visage épouvantable du monstre se précipiter sur les bougies.

Et les souffler.

Une peur infantile.

Un sentiment d'impuissance et d'insécurité remontant aux premiers balbutiements d'existence. Inscrite dans les gènes, une alarme du cerveau reptilien, datant de l'époque où l'homme craignait les prédateurs nocturnes, un temps où l'humanité entière savait quelle terreur pouvaient dissimuler les ténèbres.

Voilà ce qui s'emparait de Jeremy.

La peur coulait depuis les atavismes ancestraux de son esprit comme le sang de la proie qui sait qu'elle est mortellement blessée.

Jeremy se mit à haleter.

La goule savait où il se trouvait au moment d'éteindre les flammes. Il fallait bouger. Immédiatement.

Jeremy déplaça son bassin sur le côté, il avait énormément de difficulté à commander son corps.

Les griffes fouettèrent l'air juste devant lui.

Puis encore une fois.

La troisième salve entailla l'avant-bras du détective qui hurla.

Il tomba à genoux et lâcha son Colt qui glissa par terre.

La goule laboura le mur juste au-dessus de lui.

Jeremy roula en avant, il perçut une présence qu'il effleura de l'épaule. Il roula encore, pour se dégager.

Le monstre renifla derrière lui.

Jeremy retint sa respiration, elle le rendait trop vulnérable en indiquant sa position. Il tâta la terre sous ses paumes, à la recherche de son arme. Avançant tout doucement, en silence.

La goule heurta un objet volumineux sur sa droite.

Dans la seconde suivante, il y eut un énorme craquement tandis que le bois du tonneau se brisait en touchant le sol et plusieurs décilitres d'eau se déversèrent.

Le liquide atteignit Jeremy aussitôt, mouillant ses jambes et ses manches.

Il s'empressa de palper autour de lui.

Son arme, il lui fallait retrouver son arme.

Il entra en contact avec de la peau, chaude.

La cheville de l'enfant.

Il s'écarta et continua sa quête désespérée.

L'oxygène commençait à lui manquer, il devait en aspirer davantage, il lui serait bientôt impossible de continuer sans respirer plus profondément.

La goule se mouvait quelque part dans son dos, prête à enfoncer ses ongles létaux dans sa gorge tendre.

Une surface métallique passa sous ses doigts.

Il revint immédiatement en arrière.

C'était son Colt.

Il le saisit fermement et le leva devant son visage.

La tête lui tournait. Mais il ne devait pas inspirer aussi fort qu'il en avait besoin, ne pas se laisser localiser par le bruit.

Ils étaient à présent deux chasseurs.

La première erreur serait fatale.

Il pivota très lentement sur lui-même, pour être dans la direction où il lui avait semblé entendre la goule un instant plus tôt.

Rien.

L'eau ruisselait entre ses mollets.

La goule aspira sa bave entre ses dents.

Juste devant.

À moins d'un mètre.

Jeremy pressa la détente de toutes ses forces.

Encore.

Encore.

Encore.

Ses oreilles sifflèrent.

Un corps immense s'effondra dans la marre et Jeremy ouvrit la bouche pour avaler autant d'air qu'il le put.

Puis une respiration éraillée monta de l'obscurité humide. Des gargouillis étouffés s'y mélangèrent.

L'homme déformé par la maladie, détruit par la société, agonisait dans cette tombe froide. Il se mit alors à anhéler convulsivement.

Et le silence retomba.

Le détective resta sans bouger pendant plusieurs minutes. Incapable de se relever. Il attendit un signe de la créature.

Lorsque l'engourdissement menaça de lui couper la circulation, il se mit sur ses jambes et entreprit de rallumer les bougies à l'aide de son briquet.

Le géant noir était allongé, trois balles dans la poitrine.

Il emportait avec lui ses souffrances et celles de ses victimes.

49

Jeremy posa son Colt sur la table et se précipita vers l'enfant.

Georges Keoraz était étalé sur une paillasse couverte de vermine, le bas de son corps dépassant sur le sol trempé. Le détective prit la tête du garçon dans ses mains, et se pencha pour écouter son souffle.

Il ne perçut aucun signe de vie.

Jeremy allait ouvrir la chemise du petit lorsqu'il remarqua qu'elle l'était déjà. Il rejeta un pan en refoulant les images obscènes que suggérait ce détail.

Et il colla son oreille contre sa poitrine.

Sa peau était chaude.

Aucun mécanisme ne palpitait dans la cage thoracique.

Sa médaille de baptême glissa dans son cou au bout de sa chaînette.

Jeremy écarta les lèvres fines et sonda la bouche de son index et de son majeur. Rien n'était enfoncé dans la gorge à première vue.

C'est alors que le détective avisa les marques sur le cou de l'enfant.

Ce qu'il prenait pour un jeu d'ombres comme il y en avait tant ici était en fait des ecchymoses profondes.

Georges Keoraz avait été étranglé.

La goule s'était amusée avec lui, le prenant sur ses genoux, allant jusqu'à enserrer son cou frêle de ses mains énormes, et resserrer la pression peu à peu, jusqu'à ce que l'enfant cesse de secouer les jambes.

Jusqu'à ce qu'il devienne une poupée docile, pour qu'il puisse jouer avec.

Jeremy relâcha la dépouille, et se couvrit le haut du visage de ses mains encore mouillées.

Sa rage résonna contre la pierre des souterrains, l'écho grandissant de ricochets en réverbérations.

Alors il se leva, et ravagea la pièce.

Il renversa les quelques meubles branlants en pataugeant dans la flaque d'eau qui recouvrait tout le sol.

Et il s'assit, épuisé, sur le dernier tabouret encore debout, face à la table.

Des flacons remplis de liquides bruns s'étaient brisés en tombant. Les entrailles des chats et chiens dépecés s'agglutinaient au milieu des débris de verre. Jeremy se rendit compte que tous les cadavres avaient été écorchés à l'arrière-train. Le chasseur en lui comprit instantanément.

On avait prélevé les glandes anales des animaux.

Il ne pouvait y avoir qu'une raison à cela.

Pour effrayer les bêtes.

C'était probablement un ancien rituel du géant noir, du temps où il vivait seul dans la rue, pour se protéger des chiens errants affamés, un souvenir d'enfance des chasses de son village, une croyance locale qui demandait qu'on badigeonne les enfants de cette substance pour repousser les prédateurs. C'était une pratique que Jeremy avait déjà vue dans le sud du Soudan. L'odeur du mélange de ces glandes sur la peau humaine révulsait certains animaux.

Ainsi protégée la goule arpentait les rues en effrayant les chiens potentiellement agressifs.

Une peau blanchâtre flottait, ressemblant dans la pénombre à une méduse.

Elle dérivait vers le détective.

Jeremy voyait flou ; il fit le point au travers de sa colère qui retombait peu à peu.

C'était un pantalon.

Il bondit pour le ramasser.

À n'en pas douter c'était celui que portait Azim la nuit de sa mort. Keoraz l'avait rapporté ici, dans son antre, en trophée morbide.

Lorsqu'il aperçut les reflets métalliques accrochés par les flammes des bougies, il se mit à trembler. Jeremy se laissa tomber à genoux et prit la boîte en fer.

Cigarettes Nestor.

Il défit le couvercle. Il en restait une vingtaine.

La voix de Keoraz, mielleuse et complaisante, lui revint en mémoire : « Je les achète par caisses entières chez Groppi's, une vraie fortune ! Mais ce tabac-là vaut chaque piastre dépensée... »

Il ferma les yeux.

Francis Keoraz avait sacrifié son propre fils pour sa survie.

Jeremy releva les paupières sur les courbes menaçantes de son Colt.

Il sut alors ce qu'il devait faire.

Mais avant cela, il fallait témoigner. Tout expliquer. Assurer son avenir. Celui de Jezabel.

Jeremy sortit son journal de sa poche de veste et s'attabla pour une heure entière. Il raconta tout ce qu'il venait de faire. Veilla à ce qu'il ne manque rien.

Il retourna en arrière et intercala une flèche dans le récit qu'il avait fait de sa nuit chez les Keoraz. Cette flèche conduisait à l'histoire d'Azim. Jeremy rédigea celle-ci en fonction de ce que son collègue lui avait brièvement raconté cette nuit-là, au téléphone, il compléta avec les dires de l'imam et de Khalil puis ses propres déductions à l'éclairage de ce qu'il venait tout juste de découvrir, se permettant quelques ornements purement imaginés.

Tout était là. Ses pensées personnelles. Et son enquête.

Pour comprendre qui était réellement Francis Keoraz.

Quel genre de monstre il était, vraiment, au-delà de ce pauvre malheureux qu'il avait manipulé pour commettre les crimes.

Une fois le point final marqué sous la lueur des bougies, Jeremy laissa son journal ouvert et prit son arme.

Il allait prévenir par téléphone ses collègues de la police de l'existence de cette cave infâme, pour qu'ils ramassent l'enfant et qu'ils aient toutes les évidences en leur possession. Il ne dirait rien de plus au téléphone.

Pendant ce temps, lui-même allait régler le problème une bonne fois pour toutes.

Avant que la société et ses failles ne s'emparent de l'affaire. Avant que le millionnaire ne puisse exercer ses influences salvatrices, avant qu'il ne joue avec les jointures perméables du système.

La fêlure du mal qu'il aimait tant n'étendrait pas ses tentacules à la civilisation, la corruption maligne n'aurait pas de prise sur Jeremy Matheson, ça il le savait bien.

Francis Keoraz allait tout avouer.

Ou disparaître.

La flamme d'une des bougies chancela, et un passage se creusa sur les bords duquel dégoulina de la cire transparente.

Derrière le halo brûlant, la silhouette du détective s'effaça.

La cire coula sur une dizaine de centimètres, avec de plus en plus d'effort. Son sang se solidifiant à chaque fois davantage tandis qu'il s'éloignait de son cœur.

Le journal de Jeremy Matheson était posé à côté, la rigole chaude se dirigeant vers lui.

Puis la veine s'immobilisa en gonflant à son extrémité.

Elle se mit à durcir.

Et devint blanche.

Et froide.

Les deux bougies s'éteignirent.

Le ... conduit une dragée de caoutchouc. Pour
el plus en plus efficace. Son ... une ... substance la
dispos ... un ... augm ... angle ... il s'abattait de son
vieux.

Je ... renai de Jérem, Chambron ... proposé à ... la
... qu'il chasse de ... disparate vers lui.

Puis le ... une ... s'im ... lui ... en ... ils ... se ... vous
... parties.

... libère ... une ... étrange, ...

El devint plus tôt

El ... olde

... Deux hommes ... ils ... rival.

50

« Francis Keoraz parlera. Ou disparaîtra. Je laisse ce journal ici, et m'apprête à partir, abandonnant dans mon sillage le corps sans vie de l'enfant. Et peut-être qu'après mon départ, la mort appellera à cette pudeur invisible aux vivants, et couvrira ce tombeau de sa cape, recouvrant la pièce d'un linceul froid, tandis que les bougies s'éteindront seules, comme par magie. »

Le journal s'achevait sur ces mots mystiques.

Marion tourna les pages suivantes, il n'y avait plus rien de neuf, juste le chapitre rajouté à la toute fin concernant les pérégrinations d'Azim, qu'elle avait déjà lu précédemment. Elle sonda la nervure du cahier pour s'assurer qu'il ne manquait aucune page. Tout était intact. Ancien mais sans blessure aucune.

Ainsi s'arrêtait le film étrange que Marion s'était fait pendant toute la lecture. Ces visions d'une époque révolue prenaient fin sur un point d'interrogation.

Et ensuite ?

Elle referma le livre à la reliure de cuir et le contempla un moment.

Et ensuite ?

Ça ne pouvait pas se terminer ainsi. Il n'y avait ni conclusion, ni épilogue, rien.

Une petite voix en elle se fit l'avocat du diable :
« Tu ne lisais pas une histoire comme les autres, tu
lisais une histoire *vraie*. Qu'attendais-tu de la réalité ?
Elle n'est pas parfaitement agencée, structurée, la réalité est un récit plein de failles, de blancs, et marqué de
points d'interrogation dont les réponses ne sont jamais
toutes données à la fin. La vérité est ainsi, pas autrement. Imparfaite et incomplète. »

Jeremy Matheson n'avait pu sauver l'enfant, il avait
affronté la goule avant de partir chez les Keoraz, armé
de son intime conviction, et d'un trop grand nombre
d'éléments à charge pour être une coïncidence.

Que s'était-il passé après ?

Keoraz avait-il avoué ? Sous la menace du Colt de
Jeremy, probablement... Sous le regard médusé de sa
femme. Francis Keoraz avait-il été inculpé ? Ou s'était-
il suicidé dans un élan de lucidité ?

À la lecture du journal il y avait une autre hypothèse,
très probable malgré son côté dramatique.

Jeremy avait braqué son pistolet sur le tueur d'enfants pour le faire avouer.

La rage et le dégoût avaient pressé la détente.

Marion jura à voix haute. Si seulement elle avait eu
Internet, en peu de temps elle aurait trouvé dans des
archives de presse la conclusion de cette affaire.

Il restait encore un problème.

Maintenant qu'elle avait tout lu, Marion ne discer-
nait toujours pas ce qui conduisait un individu à vouloir
à tout prix récupérer ce journal. Que comportait-il de
si précieux ? Rien... rien que la vérité sur une vieille
histoire de meurtres d'enfants.

La vérité... et les confidences d'un homme blessé.

Jeremy s'était livré sans retenue.

Jeremy...

Marion se livra à un bref calcul. S'il était encore vivant aujourd'hui il avait un peu plus de cent ans. Difficile.

Mais envisageable.

Joe et frère Gilles étaient les seuls hommes âgés sur le Mont.

Ni l'un ni l'autre ne semblaient aussi vieux. Et pourtant, était-elle capable de leur donner un âge ? Non...

Il y avait également sœur Luce.

Jezabel ?

Non, rien chez la religieuse ne témoignait de cette élégance et de cette grâce dont Jeremy parlait, même avec le temps, Jezabel ne pouvait avoir tout perdu, et sœur Luce avait un profil redoutable, acéré comme son caractère.

Jeremy.

Marion ne cessait de revenir à lui. Un aimant. Voilà ce qu'il était. Il l'attirait jusqu'à ce qu'elle le voie partout.

Et si tu procédais dans l'autre sens ?

Qu'avait-elle comme données pour identifier la mystérieuse silhouette qui la harcelait ?

Elle connaît bien le Mont, et l'abbaye.

Tout le monde ici en était capable.

Elle a les clés, de l'abbaye, mais aussi de chez moi. Exactement le même trousseau que celui de la fraternité.

Donc parmi les frères et les sœurs.

On pouvait avoir fait un double.

Que savait-elle d'autre ?

Elle est sportive, cette ombre...

Elle l'avait prouvé lors de leur course-poursuite.

Frère Damien. Il court souvent le matin.

Ludwig. Ancien rugbyman.

N'oublie pas le gamin. Grégoire. Il fait de la muscu.
Trois possibilités.

Quoi de plus ?

L'énigme... c'est une personne qui aime jouer. Dès mon arrivée, elle m'a lancé ce défi intellectuel. Et d'après la seconde lettre, il y en aurait eu d'autres, on peut le comprendre, si je n'avais pas trouvé le carnet, ce qui l'a contrariée.

Frère Damien était joueur, il aimait les mots croisés.

Pourtant il n'avait pas le profil. Se cachait-il derrière un masque ? Cela semblait improbable...

Marion ne parvenait pas à se dégager de frère Gilles.

Trop fragile pour mener une course dans l'abbaye. Non...

Un duo.

Frère Gilles aux commandes, et frère Damien assujetti à son autorité, mettant sa condition physique au service de son aîné.

Le portrait ne convenait pas.

Le vieux religieux était bien trop rabat-joie et obtus pour apprécier les divertissements de l'esprit, et encore moins les énigmes. Marion ne le voyait pas prendre du plaisir dans sa cellule à rédiger une devinette pour son arrivée, juste pour lui souhaiter la bienvenue et tester ses capacités de réponse. Ça n'était pas du tout son genre.

Il y a un rapport direct avec un des protagonistes du journal de Matheson, sans quoi il n'essaierait pas à tout prix de me le reprendre.

L'idée de duo fonctionnait.

L'évidence lui pendait au nez.

Marion ne pouvait réfuter plus longuement ce qui, par défaut, ne pouvait être que l'unique réponse à ses questions.

Depuis plusieurs jours déjà, elle y songeait, tout en

refusant de voir cette probabilité. Elle aimait trop le vieil homme.

Vois les choses en face ! Même son nom est une évidence !

C'était aussi simple que ça.

Joe était Jeremy.

Alors tout prenait un sens nouveau.

51

Marion alluma la lumière dans son salon.

La clarté souligna la chaleur des matériaux en présence. Tissu, velours, boiseries. Elle y remarqua pour la première fois une similitude avec le wagon de Jeremy Matheson.

Joe était le diminutif de Jeremy.

Il jouait aux échecs, stimulait son ludisme intellectuel, la mentalité d'un homme se plaisant à jouer avec des énigmes.

Il n'agissait pas seul, bien sûr.

Grégoire.

Le jeune homme était bien plus proche encore de Joe qu'elle ne l'avait supposé.

« Il a besoin de vie, et d'une présence masculine, pour ça je ne pense pas me tromper », avait dit Joe pendant leur dîner.

Grégoire était son bras armé.

Comme la goule avait été celui de Francis Keoraz.

C'était l'adolescent qu'elle avait pourchassé l'après-midi même. Qui avait paniqué à l'idée d'être pris avant d'abandonner le livre pour s'enfuir. Un Grégoire fasciné par cet homme qui aurait été un bon modèle pour son père, qui lui racontait certainement des histoires aussi folles que dans ces films fantastiques qu'il prisait tant. Et qui avait trouvé en Joe enfin un moyen d'échapper à la monotonie du Mont.

Jeremy s'était réfugié en France avant la guerre, pour fuir son pays. Pour quelle raison ? Était-il recherché pour le meurtre de Francis Keoraz ? Ou souhaitait-il se faire oublier de ses compatriotes après l'affaire retentissante qui lui avait probablement valu une triste célébrité dont il se serait volontiers passé ?

Il avait échoué loin de tout, ici, à l'ombre de l'église. Conservant son journal intime comme le dernier témoin de son ancienne vie.

Marion enfila son trench et prit le journal de Matheson avant de sortir dans la fraîcheur de la nuit.

Elle se dirigea droit vers la maison de Joe.

Après plusieurs coups martelés sans ménagement, la porte s'ouvrit enfin.

Marion se contracta en devinant que ça n'était pas le vieil homme qui se tenait derrière. Elle se détendit dès qu'elle reconnut Grégoire.

Il la fixait, l'air résigné.

Ils ne dirent pas un mot.

Marion tenait le journal dans ses bras, l'adolescent le remarqua et reporta son regard vers le visage de Marion.

Elle finit par demander :

— Il est là ?

Grégoire demeura impassible. Il recula enfin, lui libérant le passage.

Quand elle fut dans la pièce principale de la maison, Grégoire répondit :

— Joe n'est pas là. Il est là-haut, à l'abbaye.

Sa voix était posée, Marion n'y décela ni anxiété ni crainte.

426

— Je l'ai terminé, dit-elle doucement en exhibant le journal.

— C'est ce que nous pensions. C'était pour aujourd'hui.

Marion sondait le salon comme si elle y venait pour la première fois. Cherchant un détail, un indice pour en savoir plus sur la personnalité du vieil homme. Sur ce qu'était devenu Jeremy Matheson après toutes ces années.

— Il n'a presque plus d'accent, commenta-t-elle.

— Il vit en France depuis tellement longtemps...

— Et il ne fait pas son âge.

Grégoire haussa les sourcils en esquissant un rictus.

— Dites... commença-t-il. Pour cet après-midi, je voudrais m'excuser... Je voulais pas qu'on se fasse mal. C'était pas prévu, je devais juste m'emparer du bouquin, c'est tout. Je voulais pas qu'on en vienne au contact et...

— Laisse tomber, Grégoire. Tu apprendras avec les années qu'on est responsable de ses actes, peu importe leurs conséquences. Il est des fois où il est bon, non... indispensable, de se poser les questions *avant*.

L'adolescent, qui ne s'attendait pas à se faire sermonner tandis qu'il s'excusait, prit la mouche. Il croisa les bras sur sa poitrine.

Marion se garda d'ajouter qu'au final, c'était lui qui avait le plus souffert physiquement de leur affrontement.

— Si ça ne t'embête pas, je vais rester et attendre qu'il revienne du concert, enchaîna-t-elle.

— En fait, il se doutait que vous viendriez lui parler, ce soir ou demain. Il n'est pas dans la salle, il est sur le toit. Je vais vous expliquer comment le rejoindre.

Grégoire lui fit un descriptif du chemin à emprunter et la raccompagna jusqu'à l'entrée.

— Une dernière chose, dit Marion. Pourquoi Jeremy a-t-il abandonné son journal personnel dans les livres de la bibliothèque d'Avranches ?

Grégoire se renfrogna.

— Jeremy ? répéta-t-il. Jeremy Matheson ? Mais, il n'a jamais abandonné son journal à Avranches...

— C'est bien lui qui...

— Matheson a disparu en 1928.

Marion secoua la tête.

— Non, Matheson est... Attends un peu. Joe est Jeremy, il ne te l'a jamais dit ?

Grégoire l'observa comme si elle avait proféré la pire insulte.

— Qu'est-ce que vous racontez ? Vous ne vous êtes pas renseignée ? Jeremy Matheson a disparu en mars 1928, on n'a jamais retrouvé son corps. Joe n'est pas Jeremy !

Il se frappa la tête d'un coup.

— Vous ne savez pas, hein ?

— Savoir quoi ?

— Qui il est *vraiment*.

52

Grégoire se tenait en appui contre la porte d'entrée.

— Vous n'avez pas fait de recherches, n'est-ce pas ? Vous ne savez pas ce qui s'est passé cette nuit-là ? insista-t-il.

Le cœur de Marion s'était accéléré, il lui soulevait la poitrine.

Elle le vivait avec une implication qui la dépassait. Ça n'était plus seulement la lecture d'un journal intime qu'elle avait effectuée, c'était une vie *réelle* qu'elle avait partagée.

Grégoire se lança :

— La nuit où Jeremy Matheson a disparu, la police a reçu un coup de téléphone de ce détective, qui expliquait où étaient le corps du fils Keoraz et celui de la goule. Les flics ont débarqué là-bas, et ont tout trouvé comme décrit dans le carnet que vous avez lu. Sauf que le fils n'était pas mort. Il se tenait assis dans un coin. Pas en bon état, mais vivant. Matheson, dans la confusion, avait commis une erreur. Il était tellement persuadé que la goule avait déjà tué l'enfant qu'il a à peine vérifié. En fait, le petit était inconscient à son arrivée, mais absolument pas décédé, il est revenu à lui peu de temps avant que les flics soient sur place.

Marion serra le journal contre elle.

— Georges Keoraz a été soigné, continua l'adolescent, il a grandi, et est parti étudier en Angleterre, avant
de venir en France, où il s'est plu au point d'y rester
pour vivre. C'est là qu'il est entré dans les ordres. Il
a été installé au Mont-Saint-Michel avec d'autres
membres de la fraternité religieuse à laquelle il appartenait. Après quelques décennies, les tensions internes
ont amené ses supérieurs à désirer qu'il soit transféré
ailleurs. Lui a refusé. Il s'était attaché au Mont plus
qu'au reste. Après un an, il a quitté la fraternité pour
s'installer dans cette maison. Il a cessé de fréquenter
l'abbaye pour se tourner vers la petite église paroissiale. Et il a vieilli.

— Joe est Georges, murmura Marion. Georges
Keoraz.

— Oui. Un ancien membre de la fraternité.

— C'est pour ça qu'il avait les clés. Il avait gardé
son trousseau de l'époque.

— Des doubles, approuva Grégoire. Pour entrer partout dans l'abbaye, même chez vous.

— Ce qui explique aussi cette tension entre lui et
frère Gilles...

Grégoire hésita à répondre.

— Je crois que c'est à cause de sœur Luce... Ils
étaient tous les deux très proches d'elle et ça a créé
des problèmes, admit-il avec une absence de pudeur
témoignant un manque de maturité.

Soudain, tous les éléments s'imbriquèrent dans le
raisonnement de Marion. Elle ouvrit la mâchoire sans
dire un mot.

Jeremy Matheson avait disparu cette nuit-là, il était
certainement mort.

Elle comprit ce qui avait tant motivé Joe à récupérer
le journal.

Il contenait toute la vérité sur son père.

Cette vérité qui n'avait pas explosé. Qui avait coûté la vie de Jeremy Matheson.

Joe s'évertuait à reprendre ce livre pour ne pas bafouer la mémoire de son père si la vérité venait à éclater.

Francis Keoraz avait tué Jeremy la même nuit, tandis que le détective venait chez lui pour le faire avouer, le millionnaire avait eu le dessus, et il avait fait disparaître le corps.

L'enquête sur le tueur d'enfants avait fini par être close.

La goule était un coupable idéal. Un dément monstrueux.

Parfait pour l'opinion publique de l'époque.

Et Francis Keoraz parvint à ne pas être éclaboussé par le scandale. Il ne fut pas inquiété.

D'une manière ou d'une autre, le journal intime de Matheson était resté entre les mains des Keoraz.

— Je dois le voir, déclara Marion.

Grégoire sortit dans la rue et leva les yeux vers le clocher fantastique de l'église abbatiale.

Depuis la terrasse de l'ouest, Marion avait une vue splendide sur la région bordée par le drap étoilé de la nuit. Dans son dos, les hautes portes de l'église abbatiale laissaient filtrer les mélopées lyriques de Vivaldi et ses *Quatre Saisons*. L'hiver *allegro non molto* débutait.

Elle prit son souffle et poussa le plus discrètement possible le vantail pour s'introduire dans la nef. Une centaine de personnes assistaient au concert, assises sur les bancs, l'air concentré. Marion passa sur le bas-côté et rejoignit le transept sud en essayant de ne pas attirer l'attention. Là elle trouva la porte dont lui avait parlé Grégoire. Elle était bien ouverte.

Marion la franchit et partit à l'ascension d'un escalier à vis particulièrement étroit.

Ses cuisses ne tardèrent pas à manifester leur mécontentement en se faisant lourdes. L'écho enivrant de la musique résonnait dans ce puits obscur.

Marion atteignit un premier palier où elle se reposa une minute avant de poursuivre ; Grégoire lui avait dit de monter tout en haut.

La dernière marche se coulait au pied d'une porte que Marion entrebâilla pour passer de l'autre côté.

Le vent la saisit aussitôt. Il se rua sur elle pour la flairer plus brutalement qu'un animal sauvage. Il agrippa ses vêtements, ébouriffa ses cheveux, et la rejeta sans ménagement pour se remettre à tourner entre les pignons, sous le clocher, comme un cerbère invisible à la solde de Dieu.

Marion s'habitua à cette présence tourbillonnante.

Elle détailla son environnement pour constater qu'elle était perdue dans une forêt de pinacles, d'arcs-boutants et de clochetons qui jaillissaient du toit pour tantôt fusionner, tantôt exploser les uns à côté des autres en un bouquet minéral pétulant.

De puissants projecteurs étaient braqués sur les murs les plus ouvragés, dardant des rideaux d'or entre les hauts vitraux noirs et les gueules mutilées des gargouilles.

Un pont en granit ciselé s'élançait au-dessus du vide pour rattacher la tourelle d'où Marion émergeait sur le toit du chœur. Un accordéon de marches escarpées se succédait sur son dos.

Marion s'y aventura en serrant la rambarde de toutes ses forces. La rampe était si ajourée que toute la structure en devenait presque fragile, devina-t-elle. Fouettée par le souffle puissant de la nature, elle tangua sérieusement avant de se concentrer sur ses pieds pour fuir les vertiges.

Elle prit encore un peu de hauteur et s'immobilisa à deux marches du sommet.

Une silhouette imposante l'attendait.

— L'escalier de dentelle, c'est ainsi que nous l'appelons, dit Georges Keoraz en guise de salut.

Il lui tendit la main.

— Permettez ?

Elle ne sut que faire et finit par lui tendre la sienne. Il la prit et l'aida à se hisser.

— J'aime à venir si haut, c'est exquis pour les sens, et cela suscite la pensée. Je ne savais pas si vous finiriez le journal ce soir ou demain, dans le doute je suis venu méditer ici.

Il était obligé de crier pour se faire entendre par-delà le souffle qui les cernait. Sans lâcher sa main, il entraîna Marion le long d'un parapet peu rassurant de par sa faible hauteur, jusqu'au flanc nord où le vent les épargnait davantage.

D'ici la baie n'avait pas de fin.

Les étoiles se reflétaient dans l'eau calme de la mer, offrant un paysage sans ligne d'horizon.

Le Mont flottait au cœur de l'univers.

— Je dois vous confier que vous êtes une piètre menteuse, dit-il. Jeudi, lors de notre rencontre, vous m'avez demandé s'il y avait eu un Anglais sur le Mont, prétextant qu'on vous l'avait fait croire en ville. C'était assez risible, mais divertissant. Encore que, sur le coup, j'ai cru que vous m'aviez confondu.

— Entraîner Grégoire dans votre quête personnelle n'était pas une sainte idée, attaqua Marion.

Georges répondit d'abord par un rictus.

— Au contraire. Au contraire...

Puis développa :

— Cela lui a permis de se sentir important. Partager des secrets, converser avec un adulte, il aura appris beaucoup de choses. C'est un gosse malin. Et il m'en aurait voulu de ne pas l'impliquer. Je regrette simplement votre confrontation physique d'aujourd'hui. Ça n'aurait pas dû arriver. Il ne devait vous reprendre le journal que s'il jugeait possible d'intervenir sans que vous vous en rendiez compte. Ensuite il a paniqué.

Il croisa ses mains dans son dos.

— Personne n'est blessé, c'est ce qui compte, conclut-il.

— Il m'a dit qui vous étiez. J'avoue vous avoir pris au début pour Jeremy en personne.

— Matheson ? s'indigna-t-il. Ai-je l'air si vieux ? Ne confondez pas !

— Vous avez fait partie de la fraternité. Pourquoi me l'avoir caché ?

Joe lui adressa un regard amusé.

— Vous n'avez rien demandé. De toute façon, tôt ou tard, vous l'auriez appris. Ça n'a pas grande importance.

Les projecteurs attiraient toute une nuée d'insectes qui eux-mêmes provoquaient le survol gourmand des chauves-souris.

— Pourquoi l'énigme le premier soir ? demanda Marion.

— Oh, ça... Par goût du jeu. Pour fuir l'ennui. Je savais, comme tout le monde d'ailleurs, que la fraternité allait recevoir une retraitante pour l'hiver. J'ai voulu marquer le coup, vous souhaiter la bienvenue de façon un peu plus... originale. Je suis un esprit taquin, c'est tout ce qui me reste, voyons les choses en face. Et croyez-moi, à ce jeu-là, je peux me montrer redoutable, d'un plaisir sadique, je le confesse. J'aurais joué avec vous jusqu'à tirer sur la corde, jusqu'à l'usure, c'est mon péché à moi. Le goût de l'intrigue, toujours plus loin. J'avais dans l'idée de communiquer ainsi pendant un moment avec vous.

— Jusqu'à ce que je trouve le journal...

— Oui, ça en revanche... J'avoue que cela m'a un peu perturbé. C'est Grégoire qui m'en a touché deux mots. Le soir de votre découverte vous êtes allée chez votre amie Béatrice, vous le lui avez montré, vous lui en avez parlé. Il y avait son fils à côté. Voilà comment tout a commencé. Ça n'aurait pas dû arriver. Si c'était en mon pouvoir, je vous laverais l'esprit de toute cette histoire.

— Il ne fallait pas le laisser à la portée du premier venu.

— Les combles du fonds ancien à Avranches ne sont pas accessibles au public, et il y avait peu de chances que quelqu'un vienne chercher un livre en langue anglaise ici... Ce journal est une histoire personnelle. C'est l'intimité de ma famille, la mienne. Vous n'auriez pas dû la lire. En retour, je me suis octroyé le droit d'entrer chez vous en votre absence, pour fouiller et le reprendre, hélas vous l'aviez toujours sur vous.

Profitant de l'éloquence du vieil homme, Marion donna libre cours à sa curiosité :

— Pourquoi le journal était-il à Avranches ?

Georges fit la moue.

— Par lâcheté, je suppose. Lorsque je suis arrivé ici, il y a une soixantaine d'années, j'ai préféré ne pas avoir ce journal dans ma cellule, des fois que quelqu'un tombe dessus. Je l'ai dissimulé parmi tous les autres ouvrages de la bibliothèque que nous avions ici même à l'abbaye, avec ceux en langue anglaise. Le fait est que le fonds fut rapidement transféré à Avranches. Je me suis assuré que le mien était perdu dans le reste, aux combles. Et je l'ai laissé là-bas. Incapable de le détruire, et pas assez courageux pour le porter avec moi.

Marion passa sa langue sur ses lèvres, un peu nerveuse.

— Je ne comprends pas pourquoi vous l'avez gardé. Il est une preuve dangereuse pour la mémoire de votre père.

Georges admira l'étendue placide qui irradiait au pied du Mont.

— Vous êtes venue jusqu'à moi en opérant des déductions habiles, dit-il. Il y a cependant une erreur d'interprétation dans votre logique. Et une erreur monumentale, je suis même surpris que vous l'ayez commise.

Il se tourna pour lui faire face.

— Mon père n'était coupable d'aucun crime. Ça n'était pas lui.

Une chauve-souris rasa les cheveux de Marion.

— Comment ça ? questionna-t-elle sans prêter plus d'attention au petit mammifère.

— Marion... Vous m'avez étonné la première nuit en jouant le jeu et en déchiffrant rapidement mon carré de Polybe. J'aurais pensé que la vérité ne vous échapperait pas à la lecture du journal. Réfléchissez. Il y a des pistes importantes dans ce que vous avez lu. Qui est le véritable coupable ?

Marion n'en avait aucune idée. Tout était si limpide dans le journal, pourquoi vouloir semer le doute ? Georges essayait-il de détourner l'attention pour sauver la mémoire de son père ? Marion ne pouvait y croire, ç'aurait été puéril de la part de son interlocuteur ; elle l'estimait trop pour cela.

— Je ne sais pas, avoua-t-elle. Francis Keoraz, ne vous en déplaise, est le coupable évident.

— Ça, c'est ce qui est dit. Je vous demande ce qui y est plus ténu, tout en étant plus cohérent. Mon père ? Non, ça n'a aucun sens. Sauf pour la jalousie maladive de Jeremy Matheson. Allons, faites un effort.

Marion ne cernait pas sa volonté. Il ne pouvait y avoir d'autre coupable, l'enquête était habilement menée, tout s'expliquait. Il n'y avait que Francis Keoraz.

— Faites abstraction de ce qui est écrit concernant mon père, voulez-vous ? Et maintenant, si vous deviez accuser l'un des protagonistes décrits dans ce journal, lequel aurait la préférence de votre suspicion ?

Marion soupira.

Le vent, bien que plus faible sur le versant nord, poussait sa plainte rageuse entre les arches ouvertes du clocher. Il se tut tout à coup. Dans ce court laps de temps où les éléments épargnaient le Mont, Marion entendit les cordes mélancoliques monter depuis l'intérieur de l'église.

— Jezabel.

Elle l'avait dit sans réflexion, juste parce qu'il insistait pour avoir un nom.

Georges eut l'air agacé.

— Non, bien sûr que non. Jamais elle n'aurait pu faire une chose pareille... Cherchez mieux.

Lasse de jouer, Marion choisit un autre nom issu du journal, au hasard.

— Le médecin... le docteur Cork ?

Georges émit un petit bruit avec sa bouche pour manifester sa déception et croisa les bras sur son torse.

— Non. Vous l'aviez pourtant sous les yeux durant toute la lecture, intervint-il.

— Azim ? Non, il est mort pendant l'enquête...

Elle chercha une réponse parmi les étoiles. Puis elle fixa ses mains d'un coup. Elle hésita.

Georges se pencha vers elle.

— Une idée ? chuchota-t-il tout près de son visage.

— Je... Je ne crois pas que ça soit possible...

Les insectes venaient se brûler en si grand nombre contre les projecteurs surchauffés, qu'il s'en dégageait une odeur presque caramélisée.

440

— Mais... l'incita-t-il à poursuivre.

— ... Jeremy ?

— Pourquoi dites-vous cela ?

— Je ne sais pas.

Il se redressa.

— Je vais vous le dire : parce qu'il vous a parfois fait un peu peur. Il vous a intriguée, ce grand *chasseur blanc*.

Il avait appuyé lourdement sur les deux derniers mots.

— Et je vais vous dire, enchaîna-t-il. Vous avez tout à fait raison.

Marion leva une paume devant elle, en signe d'incompréhension.

— Vous dites n'importe quoi ! Jeremy est l'auteur du journal. C'est lui qui a mené toute l'enquête, il n'a rien à voir avec ces meurtres, c'est...

— Jeremy Matheson, prononça-t-il en martelant chaque syllabe, le regard dilué dans l'absolu. Il nous a tous bernés.

Marion prit le journal qu'elle avait emporté dans sa poche de manteau. La couverture grinça sous ses phalanges.

— Il nous a tous eus, regretta Georges. Et ce journal est son plus grand succès.

— Non, s'opposa Marion, il a enquêté sur les meurtres, il a...

— Il s'est imposé sur l'enquête. Pour s'assurer qu'on ne remonterait pas sa piste. Au risque de vous surprendre, j'affirmerai que presque tout ce qui est dans ce journal est vrai, les faits et les émotions. Jeremy a seulement maquillé quelques événements, et en a omis d'autres. Comme on peut s'en étonner à la lecture, il prenait cette affaire très à cœur. Et pour cause...

441

— Qu'est-ce que vous racontez ?

— Après avoir parcouru ses notes, on devient plus intime avec lui, on pourrait quasiment dire qu'on le connaît un peu. Vous a-t-il donné l'impression d'être quelqu'un d'extrêmement compatissant, en particulier avec les autochtones ? Et généreux ? L'est-il de nature ? Qu'en pensez-vous ?

Marion resta muette, dévisageant Georges, cherchant à savoir ce qu'il voulait prouver.

— Moi, je dirais que non, poursuivit-il. Ça n'a pas l'air dans sa nature. Et pourtant, premier passage un tant soit peu intrigant, il donne de l'argent à toutes les familles des gamins assassinés, celles qu'il va voir avec Azim. C'est un acte de bonté et de compassion intéressant. Toutefois, ça ne ressemble pas au chasseur qu'il est. N'y aurait-il pas dans ce geste un moyen de payer sa dette, de chercher à se faire pardonner pour les meurtres des enfants ?

— Joe... Vous...

Il brandit son index pour lui imposer le silence.

— Attendez la fin de mon exposé s'il vous plaît. Rappelez-vous le jour où lui et Azim sont autour du corps de l'enfant assassiné, Jeremy a des difficultés pour se contenir, il n'a pas l'air dans son état normal. Ce n'est pas la barbarie en soi qui le dérange, il est en fait sous l'empire de son excitation maladive, celle du souvenir de ce qu'il a accompli. De même, quelques minutes plus tard, il est obligé de chasser de son esprit des « images folles » qui n'ont rien à voir avec une compassion imaginative ou un curieux don médiumnique mais qui sont tout simplement les afflux de sa mémoire, des atrocités qu'il a engendrées.

Georges reprit à peine son souffle pour la suite :

— Et lorsque Azim vient lui annoncer que tous les enfants assassinés font partie de la même fondation, rappelez-vous comme il avoue s'être trouvé mal, livide. Nous sommes censés croire que c'est parce qu'il se sent personnellement attaqué par le tueur, puisque lui-même fréquentait cette fondation, alors qu'il réalise en fait que l'enquête vient de faire un pas de géant dans sa direction.

— Ça n'a aucun sens ! Pourquoi confesserait-il être mal à l'aise alors ?

— C'est justement là la force de ce Matheson. Il cache le minimum. Il ne prend aucun risque. Si Azim de son côté avait écrit un journal intime ou avait parlé avec quelqu'un de cette conversation entre eux, témoignant du malaise de Jeremy, ce dernier aurait été embarrassé.

Marion contre-attaqua :

— Non, ça ne tient pas debout. Dès le début, Jeremy se montre compétent dans l'investigation, il fait des découvertes sur la scène du crime, et des déductions qui sont justes, s'il était coupable, il se tairait !

— Pas Matheson. Au contraire, il assoit son autorité sur Azim. Là où le détective égyptien n'a pas avancé en plusieurs semaines, lui fait décoller les choses en dix fois moins de temps. Cela lui permet de prendre facilement les commandes de leur duo. Et tout ce qu'il dit ne le compromet en aucune mesure. Car déjà, il sait qu'il va faire porter le chapeau à son plus grand rival, mon père. Il va accumuler les évidences accusant Francis Keoraz, dévier les pistes en sa direction, quitte à les créer.

Le vieil homme contempla le clocher.

— Il y a plus troublant encore, annonça-t-il. Souvenez-vous lorsqu'il discute avec Azim du tout premier meurtre, celui du clochard dans le quartier de Shubra. Il explique qu'il a interrogé tout le monde, cherché des témoins éventuels, et il dit également que c'était un jour où les effectifs étaient minimes, qu'il a dû tout faire seul. Or, il avoue plusieurs fois dans son journal ne pas parler l'arabe. Comment a-t-il fait alors ? Dois-je vous rappeler, comme il le dit d'ailleurs lui-même, que c'est un quartier extrêmement pauvre, on n'y parle donc pas l'anglais.

— Il n'aura pas pris la peine de préciser qu'il avait un drogman avec lui... bredouilla Marion, soudainement moins vaillante.

Georges haussa les épaules.

— Jeremy Matheson, continua-t-il, n'était pas la victime d'un tueur d'enfants pervers et suffisamment haineux à son égard pour tout orchestrer en sorte que les crimes soient rattachés à lui de près ou de loin, ça c'est un discours risible. Matheson avait une connexion avec chaque détail de l'enquête parce qu'il était lui-même le tueur ! Écoutez : il avait suivi Jezabel dans cette fondation pour lui faire plaisir, c'est là qu'il avait vu tous ces enfants, des cibles potentielles. C'est lui qui avait enquêté sur le premier meurtre à Shubra, il en avait rapidement retrouvé l'auteur, un géant noir atteint du Noma – c'est le nom probable de l'affection qui l'avait transformé en... goule –, non pas pour l'arrêter mais pour le plier à ses volontés. Il connaissait un archéologue avec qui il bavardait souvent comme il le confesse, celui-ci n'aurait pas manqué de lui parler de sa dernière découverte, peut-être même l'y a-t-il emmené avant que Jeremy ne le tue. Matheson disposait alors d'une cachette pour son « monstre de main », à qui il demanda de refaire sur des enfants qu'il allait lui fournir ce qu'il avait fait sur le clochard, en échange d'un toit et de nourriture liquide. Ensuite il est allé trouver des enfants de la fondation dont il savait un maximum de choses grâce aux dossiers qu'il avait consultés après s'être introduit par effraction dans les locaux de l'établissement. Muni de ces précieuses informations, il manipulait les enfants à la sortie de la fondation, loin des témoins potentiels, leur promettant de l'argent, des savoirs inouïs – sur les légendes –, ou n'importe quoi d'attirant pour un jeune gamin de ces quartiers. N'oublions pas que les enfants le connaissaient, ils l'avaient eu comme lecteur à la fondation ! Il leur fixait un rendez-vous secret, si possible la nuit, s'ils étaient capables de sortir de chez eux sans se faire remarquer. On sait ce qui se passait ensuite.

Le vent, qui s'était montré timide sur ce flanc nord, surgit tout à coup, se plaqua contre Georges Keoraz, lui frappant les joues.

— Lui-même parlait l'arabe en réalité, j'en suis convaincu, s'écria-t-il pour se faire entendre. Cela faisait neuf ans qu'il vivait au Caire, difficile d'être détective dans une ville comme celle-ci pendant presque une décennie et de ne pas avoir appris un minimum de la langue. Question de logique. Et il avait lu les *Mille et Une Nuits* comme en témoigne la fin, lorsque Jezabel vient chez lui et voit le livre. Il lui répond que c'est son collègue Azim qui pensait que le tueur s'en était servi, sans avoir le culot d'oser dire qu'il vient de l'acheter et de tout lire en si peu de jours. M'est avis qu'il l'avait depuis bien longtemps. Entre ses livres et son « ami » archéologue, il avait assez de sources d'informations pour puiser dans l'histoire la méthode de torture infligée à Azim, sans compter qu'il fréquentait en permanence les *qahwa* où on parlait l'arabe et où des conteurs se succédaient pour narrer d'anciennes légendes. Jeremy était bercé de cette culture mythologique, et quand il a vu ce géant noir difforme, il s'est souvenu de ces fables de goules. Est-ce là que tout le scénario s'est développé en lui ? Se remémorant comment Francis Keoraz avait séduit Jezabel en lui narrant les *Mille et Une Nuits*, décidant de donner libre cours à ses pulsions démentes en les maquillant pour pouvoir accuser un jour son grand rival ? Ou est-ce plus tard, en entendant les commérages craintifs, qu'il a tout mis en scène ? Imputant ensuite à mon père cette folie sous prétexte qu'il était féru d'histoire.

Marion lui attrapa le poignet.

— Dites-moi, Joe, vous avez décortiqué tout le journal comme ça, pendant soixante-dix ans ?

Il l'observa en affichant une expression triste.

— Il ne m'a pas fallu deux lectures, je savais ce que je cherchais.

— Mais pourquoi êtes-vous aussi sûr de votre fait ?

Il lui répondit, un peu incrédule :

— Vous avez oublié ? Je suis Georges Keoraz. J'étais cet enfant qu'on a enlevé... Et d'après vous, qui est monté dans le tramway ce jour-là, pour m'emmener ?

Georges se massa le menton et les lèvres de sa large main.

— C'est lui, Marion. C'est pour ça que je suis catégorique. Je ne vous suggère pas. Je vous affirme. Jeremy Matheson est monté dans le tramway. Mon père me l'avait présenté la veille, et c'était un policier, cela a suffi pour que j'accepte de descendre avec lui lorsqu'il m'a dit que mon père l'envoyait pour me chercher et m'emmener le retrouver ailleurs que prévu.

La gorge de Marion se resserra lorsqu'elle aperçut des larmes dans les yeux du vieil homme.

— Il m'a mis dans les pattes de sa créature, pour qu'elle soit moins seule, qu'elle puisse... *jouer*. Et il n'est revenu que le soir, peu de temps, pour me tourmenter à son tour. D'ailleurs, dans son journal il n'est pas précis quant à son emploi du temps ce jour-là. Si vous lisez attentivement, vous constaterez qu'il mentionne avoir enquêté sur la disparition d'Azim le matin, il est rentré prendre une douche chez lui en début d'après-midi. Ensuite il nous relate sa fin de journée à son bureau et la découverte du corps de son compagnon. Ce qu'il a fait entre sa douche et son arrivée au bureau, quelques heures plus tard, aucune trace. Et pour cause. Il était occupé à me suivre quand je suis monté dans le tramway et à m'emporter dans sa cachette sordide. La veille il avait entendu mon père me parler de mes cours de piano, du tramway...

Il se tint sans rien ajouter pendant une minute, sous les étoiles. Marion ne sut s'il contenait tant bien que mal l'émotion ou s'il cherchait autre chose à ajouter.

— Le soir, il a écrit qu'il voyait Humphreys en début de soirée – l'entretien a duré un quart d'heure –, puis le docteur Cork à presque minuit. Entre les deux, on ne sait rien.

La tête du vieil homme pivota sur ses épaules comme celle d'une chouette, pour guetter la réaction de Marion.

— Il était avec moi pendant ce laps de temps.

Marion serra les poings contre le journal jusqu'à ce que le cuir lui entre dans la peau.

— Les heures ont passé, et le traitement de choc auquel j'ai été soumis m'a de plus en plus déconnecté de la réalité. J'ai perdu connaissance le lendemain. Pour me réveiller au contact de l'eau du tonneau renversé. Il faisait tout noir, j'étais pris de sueurs froides, de fièvre et de douleurs insupportables. Je suis resté sans bouger pendant un long moment. Ma gorge était resserrée, j'avais des difficultés à respirer. Puis, à tâtons, j'ai retrouvé des allumettes, et une bougie. Il y avait le cadavre du monstre. Je ne sais pas ce qu'il s'est passé réellement entre les deux « hommes », je pense que Jeremy est venu s'assurer que j'étais mort, conformément à ce qu'il devait attendre de sa goule. Et qu'il a tué son esclave pour qu'il ne puisse pas le trahir d'une manière ou d'une autre. Il y avait le carnet sur la table. Je l'ai ouvert, j'ai vu que c'étaient ses mots. Je ne sais pas ce qui m'a pris, je l'ai volé. Je l'ai dissimulé parmi mes haillons et la police est arrivée peu après.

Une salve d'applaudissements retentit sous leurs pieds. Le concert était terminé.

— Je n'ai plus ouvert la bouche pendant cinq semaines après ça. Je n'ai rien dit non plus pour le carnet, je l'ai conservé comme un trophée, secrètement. Et je l'ai lu. Une page de temps à autre, quand j'étais seul. C'est après l'avoir achevé que j'ai retrouvé la parole. Je suis allé voir mon père, et je lui ai demandé s'il était vraiment un assassin. Alors nous avons eu une longue conversation, dont je ne devais apprendre l'épilogue que dix ans plus tard, lorsqu'il nous quitta. Jezabel m'avoua alors ce qu'il s'était passé cette nuit-là, entre eux et Jeremy. Car il est bien venu jusqu'à la villa. Il a franchi les grilles et est entré dans la maison pour pointer une arme sur mon père. Il l'a malmené pour qu'il avoue être le tueur des enfants. Il hurlait en tenant une boîte à cigarettes dans sa main libre, disant que c'était une preuve trouvée dans la tanière du monstre. Preuve qu'il avait pu acheter chez Groppi's puisque mon père lui avait donné le nom de son fournisseur le soir de leur dîner. Il est devenu fou, a frappé mon père, encore et encore. Il voulait à tout prix le faire avouer devant Jezabel. Pour qu'elle se rende compte. Jezabel a fini par s'emparer du revolver que nous conservions là pour notre propre défense, et elle a fait feu sur le détective.

Marion ne le quittait plus des yeux. Georges Keoraz racontait son histoire avec beaucoup de difficulté, sa voix n'était pas aussi assurée que d'habitude et ses mains tremblaient.

— Jeremy Matheson est mort sur le coup, une balle logée en pleine cervelle. Jezabel et mon père n'ont su que faire. C'était la panique. Ils venaient de tuer un policier. Un policier qui accusait mon père de surcroît, ce qui pouvait constituer un mobile aux yeux d'un juge

449

particulièrement obtus. Alors ils l'ont lesté et l'ont mis dans un des bassins de mercure du jardin, en attendant de trouver mieux. Toute une armée d'officiers de police a débarqué peu après, non pas pour les arrêter, mais pour me ramener. Et mon père a fini par enterrer Matheson dans le désert, quelques jours plus tard. Une enquête a été ouverte sur sa disparition mais n'a abouti à rien. Au dire des personnes qui le connaissaient le mieux, il était devenu de plus en plus impulsif les derniers mois, parfois colérique. Son caractère changeait, la bête en lui remontait à la surface. L'instinct commençait à prendre le pas sur le chasseur. De mon côté, j'ai prétendu ne me souvenir de rien, j'ai menti parce que je ne savais plus quoi dire. Ils ont conclu que le tueur d'enfants était ce géant noir, et tout le monde était content. J'ai su bien plus tard que Jezabel avait cherché en vain le journal de Matheson, il lui en avait confié l'existence, et elle était inquiète de savoir ce qu'il contenait en réalité. Je ne suis jamais parvenu à lui avouer que c'était moi qui l'avais.

Georges avala sa salive plusieurs fois d'affilée et prit Marion à témoin :

— Doutez-vous encore de l'identité du véritable tueur d'enfants désormais ?

Elle voulut s'exprimer, toutefois la force nécessaire à expirer les mots s'évapora aussitôt.

— Vous vous demandez pourquoi, n'est-ce pas ? devina Georges. Pourquoi faisait-il tout cela ? C'était une âme torturée. Un être qui avait perdu toute notion de l'émotion. Comme le lui a dit Jezabel ce fameux soir lorsqu'elle est venue le trouver dans son wagon. Elle ne parvenait pas à le cerner. Parce qu'il n'était pas un homme à l'image des autres. Lui n'était plus vraiment humain. D'une certaine manière, c'était un déséquilibré, mais un malade conscient de sa perversité, et il en souffrait. Je pense que si Jezabel a autant compté pour lui c'est parce que sa personnalité si forte et originale lui avait fait ressentir des sentiments qu'il était incapable de vivre habituellement. Et ces crimes odieux, de par leur caractère extrême, lui procuraient une émotion. Il n'était qu'une coquille vide, pleurant sur ce néant qu'il ne parvenait à combler qu'avec des sensations déréglées, immodérées.

Une grappe de chauves-souris en formation regroupée effleura les deux ombres humaines sur le sommet de l'église abbatiale, à plus de cent mètres au-dessus du niveau de la mer.

— Pour le cerner, il faut bien vous dire que la majeure partie de ses délires sur la personnalité perverse de mon père ne sont qu'une transposition de la sienne. Ses pages d'analyses psychologiques ne sont rien d'autre qu'un transfert de ce qu'il était lui-même vers le bouc émissaire qu'il s'était inventé. Il éliminait son rival amoureux et s'innocentait par la même occasion. Cela dit, les processus criminels qu'il fait endosser à l'esprit de mon père semblent bien grotesques à la lecture de son journal ; en revanche, ils deviennent plus plausibles une fois replacés sur Jeremy lui-même. Il suffit de remplacer l'ivresse du pouvoir qu'il prêtait comme point de rupture – comme point de départ – à mon père par les conséquences effroyables de la guerre qui ont fait de Jeremy Matheson un être désincarné, et on est en mesure de l'appréhender.

Joe fit claquer ses mains devant lui.

— C'était en fin de compte un damné. La guerre était parvenue à déshumaniser l'enfant qu'il avait été.

Marion tressauta.

La guerre. Les tortures que Jeremy avait vu infliger à ce pauvre soldat.

Georges désigna le journal.

— Prenez la première page, et déchirez la couverture. Allez-y, n'ayez pas peur, c'est moi-même qui ai fait la reliure à l'époque, pour le camoufler.

Marion obtempéra et tira sur le cuir. Il se déchira en grognant.

— C'est assez, ordonna Georges.

Il se pencha et fouilla du bout des doigts sous le cuir ouvert.

— Voilà...

Le vieil homme en extirpa une vieille photographie sépia.

— Tenez, regardez. Voici Jeremy Matheson.

Marion la prit et découvrit les traits de l'auteur avec une certaine appréhension. Il avait l'apparence qu'il s'était décrite, un bel homme, avec cependant une expression qui assombrissait son visage. En fait, il en était même inquiétant. Une insaisissable lueur habitait son regard, aussi imprécise et changeante que ces photographies en hologramme dont l'expression du visage change lorsqu'on modifie l'angle de vision. Une colère froide, permanente, identifia Marion sans assurance. *Ou bien une souffrance rémanente, qui le consume.*

Une autre intuition lui vint dans la foulée. Plus dérangeante.

Cette lueur était celle d'un corps sans vie flottant au fond de lui. Celle de son âme.

Il avait dans les yeux un halo effrayant, celui d'une conscience morte depuis longtemps, ayant abandonné son corps à la dérive.

Il abritait son propre cadavre.

À côté de Jeremy se tenait une femme magnifique. Marion l'identifia sans peine. Sa classe et son impétuosité étaient inscrites dans ses traits. Jezabel.

La photo était prise sur une plage. Jeremy était en maillot de bain, un short long, conforme à la mode de l'époque, dévoilant un torse zébré d'un sillon boursouflé et étendu.

Marion tourna la photographie.

« Alexandrie, septembre 1926. »

— La photo servait de marque-page dans le carnet quand je l'ai trouvé, commenta Georges. Une erreur de la part de Jeremy, commise à cause de son affection pour Jezabel.

Georges révéla le dernier engrenage de la mécanique folle qui constituait Jeremy Matheson :

— Un peu ivre, il avait confié une anecdote à mon père et à Jezabel le soir où ils avaient dîné ensemble. Vous l'aurez probablement deviné, il a menti à ce sujet également. Il n'a pas vu ce jeune soldat se faire estropier et violer pendant si longtemps par des sous-officiers immondes. Il ne l'a pas vu, mais vécu. Il *était* ce soldat.

Marion suivit de l'index les courbes élancées des cicatrices sur le torse du détective. La photo vibrait dans le vent.

— C'est pour cela que Jezabel pleurait ce soir-là, souligna Georges. Elle a compris. Quand il a parlé des mutilations à la baïonnette, et de la balafre sur la poitrine, elle s'est souvenue de cette énorme cicatrice sur son torse à lui. Elle a saisi ces souffrances qu'il avait endurées pendant la guerre. À chaque boucherie, lorsqu'il fallait partir à l'assaut des Allemands, il rentrait, étonné d'être en vie, recouvert par la viande de ses camarades, et affrontait un autre enfer, en attendant la prochaine attaque qui lui éclaterait les chairs à son tour.

Marion détailla la photo et cet homme qui lui avait fait partager son existence, ce qu'elle avait cru être son enquête, ses douleurs. Elle l'imagina errer dans les ruelles sordides de Shubra, pour débusquer le géant noir, l'approcher, lui dire quelques mots d'arabe. Puis elle se le représenta en train de faire descendre son « homme de main » dans les souterrains, pour l'y abriter. Lui promettre de la nourriture. Et l'inciter à libérer sa colère avec ces enfants qu'il lui procurait. Jeremy avait savouré le spectacle. Il avait également tué son propre ami, l'archéologue qui lui avait indiqué sa découverte, cette cachette idéale. Il avait massacré Azim parce qu'il était sur le point de tout faire échouer.

C'était lui qui avait cambriolé la fondation Keoraz pour consulter les dossiers des enfants, savoir comment les approcher et les soudoyer au mieux. Marion ferma les paupières lorsqu'elle réalisa qu'il avait peut-être sciemment choisi le garçon hémophile, pour se repaître de ces flots de sang interminables qui allaient couler.

Tout le journal s'enchaînait en elle, les personnages, les jours, la chaleur, l'architecture du Caire, elle revivait en accéléré tout ce film qu'elle avait fait défiler au cours de sa lecture.

Soudain, l'image se figea en silence.

Et une nouvelle scène vint s'ajouter aux autres. Celle-ci n'était pas issue du journal, mais des souvenirs d'un vieil homme meurtri.

*
* *

C'était un après-midi de mars 1928.

La sharia Maspero était bondée de passants. Des dames françaises minaudaient à l'abri de leurs ombrelles en s'esclaffant, des gouvernantes cairotes promenaient des landaus sous les ombres des palmiers qui traçaient une bande de verdure entre la rue et le majestueux Nil. Des hommes en costume se bousculaient en s'excusant poliment sur le trottoir, au pied d'immeubles modernes, de cinq étages tout en pierre et en acier, et avec des verrières ouvertes au sommet que des tentures préservaient du soleil écrasant.

Des voitures récentes ronflaient sur la chaussée, invitant les chameliers et les charrettes tractées par des mules à se pousser à coups d'avertisseur synthétique. Et au milieu de cette rue, tout le monde dégageait le passage au tramway qui approchait en émettant des cliquetis de ferraille et des étincelles dans sa chevelure de câbles.

Une femme à l'accent italien se pencha vers un jeune garçon vêtu de sandales de cuir sur des chaussettes blanches, d'un short et d'une chemise tachetée de bonbon à l'anis. Un vendeur d'oranges ambulant s'arrêta à leur niveau pour leur proposer un fruit. La femme le congédia d'un refus ferme, témoignant une habitude à ces pratiques.

— N'oublie pas de faire tes gammes, rappela-t-elle à l'enfant. Tous les jours.

Le tramway s'immobilisa devant eux en grinçant.

Les portes s'ouvrirent et le garçon monta en saluant l'Italienne.

— À la semaine prochaine, s'écria-t-elle par-dessus le vacarme des battants qui se refermaient.

La rame s'ébroua et prit de la vitesse. Les couleurs vives des vitrines défilèrent tandis que le convoi dépassait les quartiers huppés.

Le tramway était bien rempli, toutes les places assises étaient occupées et l'enfant hésita à passer à l'arrière, dans le compartiment réservé aux femmes où il restait des sièges libres. Il n'en fit rien : « cela ne se fait pas », lui avait-on souvent répété.

Il attrapa la main courante et allait s'occuper à contempler les belles voitures lorsqu'il reconnut un visage parmi les passagers.

C'était un homme assez grand qui le fixait, un sourire aux lèvres. Son expression s'élargit pour laisser libre cours à une véritable joie.

— Bonjour, Georges ! fit-il.

Georges le reconnaissait, c'était l'invité qui était chez eux la veille au soir. Un policier, lui avait dit son père.

— Tu me reconnais ?

Le garçon acquiesça.

— Bonjour, monsieur.

L'homme ne parlait pas très fort, juste assez pour être entendu par l'enfant.

— Une chance pour moi de te trouver là, répondit-il. J'avais peur de te manquer. J'ai couru pour avoir le tram, tu sais.

Georges approuva par politesse. Son regard fut aussitôt captivé par le rugissement d'une voiture qui les dépassait.

— Tu aimes les voitures ? demanda le policier.

— Oui, j'adore. Mon père a une Bentley. Vous savez ce que c'est une Bentley, monsieur ? C'est une voiture très rapide, la plus rapide !

Autour d'eux, deux hommes lisaient leurs journaux, d'un air sévère, et un peu plus loin un autre se curait le nez en regardant le paysage défiler.

— Oh, oui, je sais ce qu'est une Bentley. Et tu veux savoir ? Ma voiture à moi est encore plus rapide qu'une Bentley !

Georges fronça les sourcils, comme si cela lui semblait inconcevable.

— Si, je t'assure. Tiens, si tu veux je t'emmènerai faire un tour.

Georges avait l'expression de l'enfant incrédule mais fasciné.

— Bon, mais avant cela, enchaîna le policier, je dois te dire que c'est ton père qui m'envoie. C'est pour ça

456

que je savais que tu serais dans ce tram-ci. Il m'a dit de venir te prendre pour te conduire à lui, au terrain de polo. Tu as déjà vu un match de polo ?

— Non, fit immédiatement l'enfant, enthousiaste.

— Eh bien je crois que c'est pour ça que ton père voulait te faire la surprise. Il faut que tu viennes avec moi, pour que je te conduise à lui.

Georges aventura un timide signe de tête. Il n'était pas totalement en confiance, sans pour autant oser s'opposer à un adulte.

— On va y aller avec votre voiture ? interrogea-t-il.

Le policier se mit à rire doucement.

— Oui, tu vas la voir. Et même monter dedans.

L'enfant parut rassuré.

Le policier se redressa.

— Tiens, c'est ici que nous descendons. Allez, viens.

Il lui tendit la main. Georges enfouit la sienne dedans et ils sortirent sous le soleil étouffant.

— Elle est là, votre voiture ? demanda l'enfant.

— Nous allons d'abord chez moi, pour la prendre.

Depuis l'intérieur du tramway, on pouvait les voir s'éloigner tandis que les portes se refermaient.

La voix du policier était à présent étouffée par la distance et les obstacles. Il dit :

— Une fois à la maison, je te présenterai un ami à moi. Tu verras, vous allez pouvoir jouer ensemble.

Et ils se perdirent dans l'immensité du Caire et de sa foule tentaculaire.

Marion serra la mâchoire pour étouffer toute peine qui menaçait de remonter depuis ses entrailles.

Elle caressa ses lèvres du bout des doigts, comme pour s'approprier ce visage, se resituer elle-même, perdue au milieu de toutes ces vies.

Elle aperçut le pinceau éphémère d'un phare au loin sur sa droite.

Et toutes ces étoiles, uniques témoins muets des tragédies humaines depuis l'aube des temps.

D'un geste très lent, elle remit la photo à l'intérieur du journal et le garda devant elle avant de le tendre au vieil homme.

— Ça vous appartient, je crois.

Il le prit et le fit disparaître dans une poche.

— Vous savez tout maintenant, conclut-il.

— Sauf la raison pour laquelle vous avez gardé ce journal après tout ce temps, dit-elle avec un maximum de respect dans la voix.

Il lui offrit un sourire fatigué.

— Ça m'a aidé à le comprendre. Pour le reste... J'étais un enfant. On ne sait pas toujours ce qui pousse un enfant à agir. Aujourd'hui je suis un vieillard. C'est un peu pareil.

— Et entre ces deux âges ? demanda-t-elle doucement.

— J'ai essayé de comprendre Jeremy Matheson.

Marion déglutit, elle n'osait pas poser la question qui était en suspens sur ses lèvres. Georges l'incita à parler d'un hochement de menton.

— Et... vous y êtes parvenu ? Je veux dire, au-delà de la haine ?

458

Il tapota la poche qui contenait le journal.

— Il m'arrive de pleurer sur ce que fut son existence.

Marion tira sur son manteau pour se protéger du vent.

— À présent, ma chère, je voudrais que vous parveniez à vous dire que tout cela n'était qu'une histoire. Une longue et étrange histoire, il y a longtemps maintenant, et qu'avec le temps, elle ne devienne plus qu'un souvenir vague, et par respect pour moi, que vous l'oubliiez enfin. Si j'étais magicien, je vous la reprendrais dans votre tête.

Il posa une main sur son épaule et lui montra la direction de l'escalier de dentelle.

Lorsqu'elle se mit en marche, elle crut déceler un mouvement du coin de l'œil.

Georges essuyait ses joues.

Épilogue

Marion serra Béatrice dans ses bras et descendit la Grande Rue.

Elles s'étaient fait leurs adieux.

Deux jours seulement s'étaient écoulés depuis les confidences de Georges Keoraz, et une berline l'attendait au pied du Mont-Saint-Michel.

Elle n'y avait passé que deux semaines.

Sœur Anne était venue la prévenir la veille, on venait la chercher. Elle rentrait à Paris. Marion avait reçu un coup de téléphone le soir même. Il y avait du nouveau, un juge prenait l'affaire très à cœur, elle était convoquée sans tarder. La suite... On n'avait pas su lui répondre. Elle serait logée à l'hôtel quelques jours, après quoi il faudrait aviser. Rien n'était réglé. Son errance serait encore longue.

Elle quittait cet endroit plus tôt que prévu, dans un contexte particulier, presque piquant.

Marion s'était rendue devant chez Georges en début de matinée pour lui laisser une lettre.

Une lettre qu'elle avait mis toute la soirée à rédiger pour finalement n'inscrire que : « Merci d'avoir partagé votre vérité avec moi. Marion. »

Ça ne reflétait pas ce qu'elle portait sur le cœur, c'était cependant mieux que rien, avait-elle jugé.

Aujourd'hui encore, elle s'interrogeait avec un doute coupable.

Elle ne parvenait pas à réprimer une peine profonde lorsqu'elle pensait à Georges Keoraz et à son histoire. Et pourtant, il y avait encore une part d'elle-même qui se rattachait à Jeremy. À ce qu'il lui avait fait vivre. Pouvait-il être ce monstre que Joe décrivait ? Parfois, Marion se demandait si le vieil homme n'avait pas exploité chaque faille dans le récit du détective pour y trouver une autre explication, qui innocentait son père. Un processus commencé très tôt, alors qu'il n'était qu'un enfant. Oblitérant la présence de son père dans le tramway pour la remplacer par celle de Jeremy. De son côté, le détective anglais n'avait pas nécessairement commis des fautes dans son journal, seulement des omissions, des maladresses ou des erreurs dues à la fatigue.

À peine avait-elle envisagé cette théorie que Marion la chassait, se blâmant de remettre en cause les mots et les souffrances du vieil homme.

Marion arriva sur la place en bas du village. Sœur Anne et frère Serge l'y attendaient.

Ils se saluèrent et la sœur lui tendit un sac de spécialités de la région.

Marion monta à l'arrière de la voiture, ses valises déjà calées dans le coffre. Ils allaient démarrer lorsqu'elle aperçut Grégoire qui surgissait des portes sous la muraille pour accourir vers elle.

— Attendez, s'écria Marion à l'attention du chauffeur.

Grégoire s'immobilisa devant la fenêtre baissée.

— Ma mère vous donne ça, dit-il en reprenant son souffle.

Marion prit la pochette cadeau improvisée avec un vieux papier ayant déjà servi et l'ouvrit. C'était un livre corné et froissé.

— *Comment ouvrir sa personnalité et se faire des amis*, lut-elle tout haut.

Dedans était glissé un petit mot.

« Bon, pas trouvé mieux, c'est un petit souvenir de moi. Pour ta prochaine vie, là où tu t'installeras. Bon courage, ma grande. Je penserai à toi et surveillerai les journaux en attendant que tu te repointes à ma boutique, un jour. Béa. »

Marion eut un sourire plein d'émotion.

— Tu la remercieras pour moi.

— C'est pas tout, l'arrêta Grégoire. J'ai... je dois vous dire quelque chose. C'est... d'une certaine manière, c'est important.

Marion l'incita à continuer d'un geste de la main.

— Le journal que vous avez lu.

Marion eut un bref regard pour les hommes devant elle dans la voiture.

— Eh bien ?

— Je crois que vous auriez voulu le savoir. C'est un faux.

— Quoi ?

— Oui, c'est un faux. Je devais vous le dire, pour que vous sachiez avant de repartir.

— Qu'est-ce que tu racontes ?

— Ils ont tout inventé. Pour vous faire passer le temps. On dit qu'ici, pour ceux qui ne sont pas habitués, le pire c'est l'ennui. Alors les moines ont fabriqué ce faux journal intime. Ils ont un atelier pour la restauration des anciens manuscrits là-haut, ils ont pris du papier dans ce genre, et puis ils ont rédigé cette histoire en espérant vous divertir, vous occuper. Comme ça vous ne tourneriez pas en rond.

— Grégoire, tu te fous de moi ?

— Je vous jure que non.

Il avait l'air plus que sérieux, presque désespéré de devoir lui avouer.

— Ils ont trouvé un fait divers dans des journaux d'époque et ont brodé ce qu'ils voulaient autour de ça. Ensuite ils ont tout rangé ensemble, à Avranches, et vous ont envoyée là-bas avec dans l'idée de vous refiler le journal à lire sous prétexte qu'il ne correspondait pas à la couverture mais qu'aucun d'eux ne lisait l'anglais. Coup de bol, vous l'avez trouvé toute seule.

Marion avait les jambes vides, les mains moites.

— Même la photo est bidon. C'est un vieux truc qu'ils avaient et ils s'en sont servis pour inventer leur histoire. Joe était dans le coup, parce qu'il a fait partie de la fraternité, ça c'est vrai, et comme il était extérieur à vos yeux, il pouvait vous inspirer davantage confiance.

Marion était perdue. Elle ne savait plus quoi penser.

— Je suis désolé de vous le dire comme ça. Mais c'était mieux que vous sachiez.

Elle eut envie de lui répondre qu'elle s'en fichait totalement, que tout ça ne la touchait plus du tout, néanmoins elle se contenta d'approuver en silence.

Que devait-elle croire ? Cette révélation inopinée ou celle, plus dramatique, de Georges ? Il y en avait une troisième... celle de Jeremy, celle qu'il avait écrite dans son journal.

Grégoire, mal à l'aise, recula et lui fit un petit « au revoir », la paume ouverte.

La berline démarra tandis qu'on remontait la fenêtre électriquement.

Les cheveux de Marion lui fouettèrent le visage avant de retomber. Elle quittait le Mont avec des questions plein les yeux, fouillant son architecture complexe en espérant y trouver des réponses.

Elle partait vers un autre monde, emportant avec elle cette histoire dont elle ne savait plus où elle commençait et où elle se terminait. Une histoire qui était en train de la happer.

Son histoire.

Le Mont resta visible dans la lunette arrière pendant un long moment, puissant et massif. Il veillait sur la baie.

Il veillait sur ses secrets. Comme sur ses habitants.

Les mots de Béatrice se rappelèrent à elle : « On se serre les coudes, on encaisse les coups, et s'il le faut, on sait garder un secret, un secret qui ne devrait pas quitter le Mont. »

Le soleil s'aventurait en dehors des nuages.

Et Le Mont-Saint-Michel disparut après un virage.

*
* *

Le livre noir était posé sur un banc, un soupçon de soleil venait se déposer sur sa couverture de cuir. On avait pris soin de recoudre la partie déchirée qui avait abrité la photographie.

Les lettres d'or du titre brillaient faiblement sous cette lueur rare.

Narrative of Arthur Gordon Pym.

Le titre d'un roman sans fin pour dissimuler un journal intime.

Grégoire approcha, il s'assit sur le banc.

Une main à la peau usée, les veines proéminentes, aux multiples taches de son, se posa sur le livre.

— Tu lui as dit ? demanda la voix douce, avec un soupçon d'accent.

Grégoire se tourna vers le vieil homme.

— Oui.

465

Joe hocha la tête. Il attendit plusieurs minutes, que le soleil vienne le réchauffer un peu.

— Vous croyez que c'était utile ? finit par demander Grégoire. De lui dire ça.

— Oui. Ça l'était.

— Pourquoi ? Je n'en suis pas sûr... La vérité n'a...

— La vérité ? Qu'est-ce que la vérité en fin de compte ? Dis-moi ?

D'un ton docte et posé, le vieil homme récita ce qu'il avait si souvent médité :

— Une fiction, pour peu qu'on y croie, devient alors vérité. Celle d'une personne. Mais une vérité propre à ses yeux, assurément. Aussi certain que le témoin d'un miracle, d'une apparition de la Sainte Vierge, croit vrai ce qu'il a vu, peu importent les autres avis, tout est dans la focalisation. Au-delà des grands principes de notre monde, il n'y a pas qu'une vérité universelle, il y a nos vérités personnelles. Et il y a une vérité personnelle pour chaque être de cette planète...

Joe savoura le soleil encore un moment.

— Laisse-la choisir sa vérité, ajouta-t-il. Il suffit parfois de savoir lire entre les lignes. D'être attentif, et elle saura ce qu'elle doit croire.

Sa main caressa une fois encore la couverture du journal.

— La nôtre ne regarde que nous après tout.

Ainsi s'achève cette histoire.

Ne soyez pas surpris, cette fin un peu... singulière n'a rien de frustrant lorsqu'on y songe bien. Toutes les clés sont données à la lecture.

Je tiens à remercier ici tous les libraires qui depuis le début de mon aventure ont toujours été derrière moi.

Ce roman sur la vérité leur est dédié.

Que mon éditeur et toute sa formidable équipe soient remerciés au-delà de mes capacités.

Je remercie François Saint-James pour sa connaissance du Mont-Saint-Michel, et pour nos errances nocturnes en ses ruelles et corridors. S'il y avait la moindre erreur concernant le Mont, elle serait de mon fait. De même, qu'on me pardonne d'avoir dépeint une fraternité religieuse quelque peu « austère », cela était pour les besoins du roman, et n'est absolument pas un portrait réel.

Un petit mot concernant Le Caire de 1928. La plupart des lieux ou événements décrits ont existé. Par exemple la soirée à l'Allenby Cup à l'hôtel Shepheard's est vraie, je n'ai rien exagéré, les décors, l'ambiance de même que les personnalités mentionnées s'y trouvaient ce soir-là. Le charme suranné des tramways, l'histoire des souterrains sous les palais, les jardins aux bassins de mercure, tout cela contribue, d'une certaine manière, au sentiment mélancolique qui habite toute cette partie du roman. Je souhaitais le préciser, pour que ces souvenirs dépassent, dans votre esprit, le cadre d'une simple image romanesque.

Enfin, pour vous, compagnon de lecture qui souhaiterait aller plus loin dans la réflexion autour de ce roman, je vous invite à vous rappeler le carré de Polybe...
43 15 25 35 24 22 34 15 55 33 35 24 11 51 32 11 12 35 14 51 44 24 45 15

www.maximechattam.com

À bientôt.

Maxime CHATTAM
Edgecombe,
le 4 février 2005.